UNION GÉNÉRALE D'ÉDITIONS
8, rue Garancière - Paris VIe

Du même auteur
dans la même série

LE PAPOU D'AMSTERDAM, n° 1783
MARIA DE CURAÇAO, n° 1788
MEURTRE SUR LA DIGUE, n° 1790

LE CADAVRE JAPONAIS

PAR

JANWILLEM VAN DE WETERING

Traduit de l'anglais
par Philippe-Frédéric ANGELLOZ

Série « Grands Détectives »
dirigée par Jean-Claude Zylberstein

MERCURE DE FRANCE

Titre original:
The Japanese Corpse

(Edition originale: Houghton Mifflin Company,
Boston, U.S.A., 1977)

ISBN-2-264-00778-8

Pour Cheryl et Masanobu Ikemya

1

« Ainsi vous pensez qu'il est arrivé quelque chose... » hasarda le sergent-détective de Gier en insistant sur le terme « arrivé ».

— Eh bien oui », répliqua la jeune femme.

L'adjudant-détective [1] Grijpstra se racla la gorge en contemplant le plafond de la pièce grisâtre qui abritait les locaux du C.I.D..3[2], ou de ce qu'on avait coutume d'appeler la « brigade criminelle » au quartier général de la police d'Amsterdam. Le plafond était lézardé depuis peu et Grijpstra en suivait les méandres avec intérêt. Il lui semblait que les fentes avaient gagné en superficie et il se demandait si elles laisseraient bientôt passer suffisamment de jour pour qu'il puisse se rincer l'œil en regardant sous les jupes des dactylos qui travaillaient à l'étage supérieur. Il bougonna indistinctement. De toute façon, il y aurait encore le parquet et quelque linoléum dans son champ de vision ; de plus, de nos jours, les dactylos portent des pantalons, ainsi cette jeune femme assise au bureau de De Gier, sur la chaise réservée aux visiteurs. Le pantalon de la jeune femme était en velours satiné, sa blouse en soie et ses longs cheveux noirs brillaient. La jeune femme était décidément très avenante, songea Grijpstra, un peu trop même ; il y avait dans sa façon de s'habiller un rien de provocation. C'était peut-être une prostituée.

De Gier s'était fait les mêmes réflexions.

« Quelle est votre profession, mademoiselle Andrews ? » demanda-t-il, mine de rien, en appuyant sur son stylo-bille. Son calepin était sur son bureau.

1. L'ordre hiérarchique de la police municipale hollandaise est le suivant : agent, agent de première classe, sergent, adjudant, inspecteur, inspecteur-chef, commissaire et agent-chef.

2. Criminal Investigation Department.

« Je suis hôtesse dans un restaurant japonais », répondit Mlle Andrews dans un hollandais où on ne distinguait qu'une très légère trace d'accent. Elle souriait nerveusement. De Gier remarqua qu'elle avait les dents couronnées, les yeux bridés, les cheveux noirs et la peau comme de l'ivoire. Sa mère devait être japonaise et son père anglais ou américain. Américain plus probablement.

« Et quelle est votre nationalité ?

— Je suis américaine. J'ai un permis de travail. »

Elle ouvrit son sac ; une élégante pochette en tissu noir sur lequel était brodé un dragon. L'animal s'incurvait comme s'il voulait s'attraper la queue. Elle sortit une petite carte qu'elle posa sur le bureau de De Gier. Il l'examina quelques instants avant de la lui rendre.

« Joanne Andrews, énonça-t-il à haute voix. Alors vous pensez qu'il est arrivé quelque chose à votre petit ami, M. Kikuji Nagai. Nagai, c'est son nom, si je ne m'abuse ?

— C'est ça. »

Précautionneusement, de Gier fit jouer son épaule droite, l'effort le fit grimacer. La nuit précédente il avait fait du judo pendant trois heures et il s'était froissé un muscle, à moins qu'il ne se le fût déchiré. Sa cheville ne valait guère mieux, sa condition physique n'avait donc rien d'enviable ; décidément il vieillissait. Il se souvenait de la fête qu'avaient donnée ses collègues pour son anniversaire, la semaine précédente.

Quarante ans. Ce matin-là, en toute innocence, il allait s'asseoir sur sa chaise lorsqu'il avait vu des ballons rouges et jaunes — la couleur lui avait presque crevé les yeux ; il y avait quarante ballons. Sur le mur badigeonné à la chaux était épinglée une carte de visite en forme d'écusson ; on en avait doré la bordure et, au centre, figurait le chiffre quarante. Les bleus de la brigade criminelle s'étaient alignés le long du mur pour entonner la traditionnelle chanson, ils lui avaient également fait cadeau d'une paire de menottes (il avait perdu les siennes en pourchassant un voleur sur les toits, comme dans *Vertigo,* le film du maître du suspense). Il avaient enveloppé les menottes dans du papier d'argent qu'ornait une faveur rouge. Tandis que les agents chantaient, Grijpstra s'était mis à la batterie ; depuis que le service des objets trouvés avait laissé la grosse caisse et les caisses claires dans le bureau qu'il partageait avec de Gier, il avait découvert tout un tas d'instruments de percussion qui s'harmonisaient avec son savoir-faire. On n'avait jamais restitué la batterie ; dans sa jeunesse,

Grijpstra avait fait de la batterie, quand à de Gier, il jouait de la flûte. Comme par hasard, les sons suraigus de De Gier se mariaient très bien avec les percussions de Grijpstra. Ce matin-là, pourtant, de Gier n'avait pas sorti sa flûte de la poche intérieure de sa veste. Il était resté debout au milieu de la pièce tandis que chantaient les agents et que Grijpstra tapait sur les clochettes et les cymbales, tout cela pour son anniversaire. Grijpstra avait d'ailleurs innové un son en frappant sur une sorte de tronc d'arbre creux, et les agents, sous la conduite de Grijpstra, avaient réussi à ne pas détonner en chantant. C'était assourdissant.

Grijpstra pensait que pour atteindre la perfection il fallait beaucoup s'entraîner, il avait donc fait répéter les agents des heures durant. Trois d'entre eux au moins savaient chanter, mais en les écoutant de Gier se sentit pris de frissons convulsifs. On chantait dans un registre baroque, ce qui permettait les chœurs et les solos. Pris au piège d'une telle force musicale, de Gier s'était senti impuissant autant que bouleversé et ce, pendant dix minutes. Cependant Grijpstra n'avait pas voulu mettre son collègue et ami trop mal à l'aise, aussi avait-il donné au sergent un pistolet à air comprimé en lui disant de tirer sur les ballons. Au fur et à mesure qu'ils éclateraient, il pourrait donner ainsi libre cours à ses phantasmes et chaque explosion lui permettrait d'exorciser ses frustrations.

Désormais l'ambiance était différente. Il semblait qu'après avoir passé des semaines à compulser et classer des dossiers et s'être fait offrir des cafés par les nouveaux venus, Grijpstra et lui se fussent remis au travail. Mlle Andrews avait la ferme conviction qu'il était arrivé quelque chose à son petit ami, celui-là même qui lui avait promis le mariage. D'après elle, il avait disparu. De nouveau, de Gier fit jouer son épaule ; c'était un peu moins douloureux. Après tout, il n'avait peut-être pas de muscle déchiré. Il soupira en regardant son vis-à-vis. La fille ne semblait prêter aucune attention au sergent, un beau garçon vêtu d'un complet bleu pâle fait sur mesure, d'une chemise à col ouvert sur un foulard artistiquement autant que négligemment noué ; il se croyait irrésistible. Elle ne remarqua même pas sa coupe de cheveux qu'un coiffeur homosexuel et habile avait ordonnée ; de Gier avait d'épais cheveux bruns et le coiffeur, un vieil homme qui avait une boutique à proximité des canaux, avait l'habitude de coiffer les artistes. Elle ne remarqua même pas les mains viriles et bronzées qui trituraient le stylo-bille et le calepin. Joanne

Andrews n'avait en vue que sa propre angoisse : elle ne pouvait imaginer que le corps disloqué de son petit ami.

Grijpstra remua. Ce faisant il fit couiner sa chaise de bureau qui, bien entendu, pivotait ; son corps s'affaissa en avant tandis que, d'une main, il caressait les cheveux gris qui restaient sur son crâne aussi large que dégarni.

« Eh bien, mademoiselle, dit-il d'un ton jovial, d'après ce que vous nous avez dit, c'est un homme d'affaires. Il n'y a probablement aucune raison de s'en faire. Il n'est absent que depuis deux jours, non ? En outre il s'occupe d'antiquités ; il se peut très bien qu'il se soit absenté quelques jours pour une vente aux enchères. N'avez-vous pas mentionné qu'il lui arrivait de voyager énormément ? N'a-t-il pas l'habitude de vendre des objets d'Extrême-Orient aux antiquaires occidentaux ? Il est fort possible qu'il soit à Londres ou à Paris et qu'il n'ait même pas le temps de téléphoner.

— Non, répondit-elle en essayant de parler calmement. Il n'a qu'une parole et nous avions rendez-vous avant-hier. Il devait venir me chercher au restaurant pour m'emmener dans une boîte de nuit. Un jeune pianiste de jazz devait jouer dans ce club, et Kikuji voulait vraiment aller l'entendre. Il ne l'avait jamais écouté que sur disques et, comme il est censé être excellent, Kikuji désirait le voir jouer, cela faisait des années qu'il attendait cette occasion. Seulement voilà, il n'est pas venu me chercher ; je suis allée au club toute seule mais il n'y était pas, alors j'ai voulu savoir s'il n'avait pas quitté son hôtel : ses affaires étaient toujours dans sa chambre. Il était sorti dans l'après-midi en déclarant à l'employé de service qu'il serait de retour pour dîner. Il avait rendez-vous avec un acheteur, qui est bien venu, mais pas Kikuji. Pourtant, c'était une affaire très importante ; l'acheteur s'intéressait à une ancienne sculpture qui valait une fortune et que Kikuji conservait dans sa chambre. La sculpture y était toujours.

— Très bien, déclara Grijpstra.

— Il faut que vous m'aidiez, implora Joanne Andrews. Il faut vraiment que vous m'aidiez. Tenez, j'ai apporté une photo. »

Elle la déposa sur le bureau de Grijpstra ; de Gier se leva, fit le tour de la pièce afin d'y jeter un coup d'œil. C'était une photo en couleurs qui représentait un Japonais plutôt grand et mince se prélassant dans un fauteuil en rotin à la terrasse d'un café. Il avait le visage étroit, les cheveux coupés ras et il regardait l'objectif avec nervosité ; ses lunettes avaient glissé au bout de son nez légèrement en bec d'aigle. On pouvait voir, posée au pied du fauteuil, une pile de livres de poche et un appareil photo dans son étui en cuir. Sur le bureau de De Gier, le téléphone sonna. Il s'excusa et alla décrocher.

« Il y a deux semaines que j'ai pris cette photo. Il arrivait juste de Tokyo et était encore fatigué du voyage.

— Il vient souvent ici, non ? demanda Grijpstra.

— Oui, presque tous les mois. Il descend toujours au même hôtel et je vais le chercher à l'aéroport avec sa voiture. C'est moi qui la garde quand il est absent.

— Une voiture, fit Grijpstra plein d'espoir. Où est-elle maintenant ?

— Je n'en sais rien.

— Qu'est-ce que c'est comme voiture ?

— Une BMW blanche de l'année dernière. Elle appartient à la société japonaise pour laquelle il travaille. C'est une voiture de grande classe.

— Vous rappelez-vous son numéro d'immatriculation ?

— Oui, c'est un numéro facile à retenir, 66-33 MU.

— Parfait, déclara vivement Grijpstra. Nous allons nous en occuper. Ne vous inquiétez pas outre mesure, mademoiselle. Je ne pense pas qu'il y ait lieu de s'en faire mais nous allons tout de même enquêter. Nous avons vos coordonnées, nous vous tiendrons au courant.

— Bientôt ? demanda-t-elle avec anxiété.

— Le plus tôt possible », répondit Grijpstra. Ses yeux bleu clair exprimaient une compassion rassurante. « Ce soir, en fait. Il se peut que d'ici ce soir nous n'ayons aucun élément nouveau, mais de toute façon nous vous téléphonerons. De votre côté, vous pouvez aussi nous appeler. Voici ma carte ; y figure également mon numéro de téléphone personnel au cas où je ne serais pas là. »

Il se leva, lui serra la main et lui ouvrit la porte.

De Gier en avait fini avec son coup de téléphone lorsque Grijpstra regagna son bureau.

« Une histoire classique, soupira-t-il. Le type a rencontré une autre fille et ils sont en train de se donner du bon temps quelque part. A moins qu'il n'ait rencontré un garçon. Ou bien encore il s'est soûlé et quand il s'est réveillé le lendemain matin, il s'est remis à boire. C'est toujours la même chose, ça arrive sans arrêt, mais les épouses ou les petites amies ne veulent jamais l'admettre.

— Les femmes se font beaucoup de bile, déclara de Gier ; la plupart d'entre elles, du moins.

— Est-ce que c'est le genre d'Esther ? demanda Grijpstra.

— Non, répondit amèrement de Gier. Elle se contente de me faire du café quand je rentre chez moi et elle me tapote affectueusement la tête. Si elle est dans mon appartement, bien entendu. Quelquefois elle n'y est pas ; dans ce cas, c'est moi qui me fais de la bile, alors je m'entretiens avec mon chat. Cet imbécile d'Oliver s'inquiète aussi quand elle n'est pas là.

— Elle a un appartement à elle, fit remarquer Grijpstra, et un chat également. Il faut bien qu'elle s'en occupe. Pourquoi ne vous mariez-vous pas tous les deux ?

— Elle s'y oppose.

— C'est très raisonnable », reconnut Grijpstra. Il se leva en s'étirant. « Eh bien, la journée s'annonce bien. »

De Gier regarda par la fenêtre ouverte. « Oui, on dirait. Nous sommes en été, non ? Qu'allons-nous faire pour Mlle Andrews ? »

Grijpstra se leva de sa chaise pour rejoindre de Gier qui était accoudé à la fenêtre. Pour une fois, il avait l'air élégant. Habituellement il portait un costume à fines rayures blanches toujours fripé mais il venait de le donner à nettoyer. En outre il avait bonne mine car le week-end passé à la plage lui avait donné des couleurs. Il se frotta les mains nerveusement. « Pendant que t'étais en train de discutailler au téléphone, j'ai recueilli d'intéressantes informations, déclara-t-il.

— Discutailler ? s'étonna de Gier.

— Exactement, tu blaguais en racontant les potins du service, espèce de commère. J'ai tout entendu. Moi, pendant ce temps-là, je travaillais et j'ai recueilli des informations. Notre copain japonais possède une voiture, une BMW blanche dont le numéro d'immatriculation est 66-33 MU. »

De Gier sortit son calepin et nota le numéro. Grijpstra approuva en hochant la tête. « Bien, maintenant nous sommes en mesure d'interroger l'ordinateur. Il se peut qu'on ait localisé la voiture quelque part, et si ça n'a pas encore été fait on va pouvoir le faire maintenant. On peut lancer un avis de recherche. »

De Gier émit un vague grognement.

« Tu penses que ça n'en vaut pas la peine ?

— Mais si, répliqua de Gier.

— Je le pense aussi. La jeune femme était complètement paniquée, le moins que nous puissions faire, c'est d'essayer de la rassurer.

— Certainement », fit de Gier en composant un numéro de téléphone. L'ordinateur n'avait aucun renseignement à fournir. Il appela le standard téléphonique et demanda qu'on lançât l'alerte sur l'ensemble du territoire.

« De plus, nous avons la photographie que nous a laissée Mlle Andrews, ajouta Grijpstra en ramassant l'instantané qui traînait sur son bureau.

— Ça ne servira pas à grand-chose. » La réponse de De Gier était dubitative. « L'épreuve est suffisamment nette pour la photocopier et l'afficher dans tous les commissariats mais les agents disent toujours que les Chinois et les Japonais se ressemblent tous. Ils seraient incapables de l'identifier. »

Grijpstra avait allumé un de ses petits cigares. Il éclata de rire.

« Qu'est-ce qui t'arrive ? s'enquit de Gier.

— Les Japonais, expliqua Grijpstra. En ce moment, il doit bien y en avoir dix mille dans la ville, en voyages organisés. La semaine dernière, j'étais par hasard à l'aéroport et j'en ai vu débarquer des centaines et des centaines. Plusieurs groupes qui descendaient de différents avions et étaient pris en charge par différentes agences. Pour ne pas se perdre, ils avaient des guides qui agitaient de petits drapeaux. Par exemple, un groupe avait des drapeaux rouges, un autres des bleus. Ils suivaient leurs guides en file indienne et, à un moment, les deux files se sont croisées. L'effet était saisissant et comique à la fois. Ils avaient l'air tellement sérieux !

— Effectivement, approuva de Gier. Je les ai vus en ville. Ils déambulent comme des automates ; du côté gauche ils portent en bandoulière leur appareil photo, et du côté droit leur cellule photo-électrique. Ils ont des pantalons gris et des blazers bleus. En revanche, les femmes me semblent particulièrement séduisantes, surtout lorsqu'elles sont en kimono. Elles sont extrêmement délicates et se déplacent d'une façon aérienne.

— Humm, fit Grijpstra. Je ferai tirer d'autres épreuves de cette photo lorsque nous aurons des nouvelles de la voiture. Jusqu'à présent je ne flaire rien de louche, et toi ?

— Moi non plus. M. Nagai fait la fête. A moins qu'après avoir fait la bombe, il ne se sente maintenant culpabilisé. Si c'est le cas, il doit être assis en ce moment au bord de son lit, la tête entre les mains, et s'apitoyer sur lui-même.

— Et à se demander comment il va bien pouvoir s'y prendre pour justifier ses faux frais, ajouta Grijpstra absorbé dans la contemplation de sa tasse de café. Ce café est froid. Tu en veux un autre ?

— Non, répliqua de Gier. Pourquoi ?

— Pour rien, je pensais simplement qu'on pourrait aller faire un tour dehors. Ils viennent d'ouvrir un café, juste à côté d'ici, ils y font du café turc et des boulettes de viande.

— Non, s'insurgea de Gier. Ça va être à moi de payer, c'est toujours à moi de payer et je suis fauché !

— Va chercher un peu d'argent, riposta Grijpstra. Rendez-vous devant l'entrée principale dans dix minutes. Il faut que j'aille nettoyer mon pistolet. Le moniteur a dit qu'il était dégueulasse quand il a inspecté les armes la nuit dernière, pendant l'exercice de tir.

— Parfait, répondit de Gier en sortant le petit automatique qu'il portait sous l'aisselle. En ce cas, veux-tu bien nettoyer le mien pendant que tu y es ? Profites-en pour demander au sergent d'armes s'il peut remplacer la vis qui maintient la crosse, elle ne tient plus du tout. D'ailleurs, tout le pistolet est pratiquement hors d'usage. La prochaine fois que j'essaierai de m'en servir, ça risque d'exploser.

— Et comme tu seras à côté de moi, c'est moi qui prendrai tout dans la figure, poursuivit Grijpstra d'un air sombre. De toute façon, je ne vois pas pourquoi je devrais nettoyer ton pistolet. C'est un boulot que j'ai en horreur. Je n'arrive jamais à les remonter convenablement et ils se foutent tous de moi.

— Si tu le fais, c'est parce que tu m'aimes bien et que tu es particulièrement altruiste.

— C'est vrai, reconnut Grijpstra. Rendez-vous dans dix minutes, quinze tout au plus. Prends ton temps et tiens-toi à distance de la secrétaire de l'agent-chef.

— On croirait de nouveau t'entendre réciter les dix commandements », déclara de Gier avant de sortir de la pièce.

Ils pensaient tous les deux à Joanne Andrews ; Grijpstra en regardant le sergent d'armes nettoyer son pistolet, et de Gier en lisant sur le tableau d'affichage du hall principal qu'il y aurait bientôt une rencontre de judo. Malgré le luxe tapageur de ses vêtements et sa beauté qui, elle, était bien réelle, la fille les avait passablement troublés, elle avait l'air complètement paumée.

« Ce n'est pas possible qu'il soit parti avec une autre femme, songea de Gier. Le type doit être en train de se soûler quelque part. »

Les haut-parleurs du Q.G. de la police tirèrent de Gier de ses réflexions. « On prie le sergent-détective de Gier d'appeler le 853. »

De Gier s'empara du téléphone le plus proche.

« Nous avons trouvé la voiture que vous cherchiez, sergent, ou, plutôt, c'est la police d'Utrecht qui l'a retrouvée. Ça s'est passé à quatre heures de l'après-midi, mais nous ne l'avons appris qu'à l'instant, par l'ordinateur. Elle était garée dans le quartier réservé d'Utrecht ; elle gênait la circulation, alors nous l'avons mise à la fourrière. De nos jours ils sont capables de remorquer les voitures en les soulevant par l'avant, avec une sorte de crochet ; ce qui fait que nous ne l'avons pas ouverte.

— Bien, fit de Gier dont la patience était mise à rude épreuve. Alors que s'est-il passé ? La police d'Utrecht a passé l'information au fichier central, non ? Il doit donc y avoir quelque chose de bizarre au sujet de cette voiture !

— Effectivement, sergent. On a retrouvé du sang sur le siège avant et le toit était cabossé. Selon le rapport, cela ne fait qu'une heure qu'ils ont découvert ça. Ils supposent qu'en faisant ricochet, une balle a heurté le toit. Il n'y a aucun trou dans le toit, une simple marque, ce qui prouve que la balle est restée dans la voiture. Les experts doivent venir la décortiquer, mais je viens de téléphoner au Q.G. d'Utrecht pour leur demander de vous attendre. Comme la voiture est immatriculée à Amsterdam, il se peut que vous soyez chargés de l'affaire.

— Avez-vous l'adresse du garage de la police où se trouve actuellement la voiture ? » demanda de Gier en appuyant son calepin sur le mur pour écrire. Il inscrivit l'adresse qu'on lui communiquait. « Dites-leur que nous serons là dans une heure et demie.

— Entendu.

— Ayez l'amabilité de prévenir également l'adjudant Grijpstra. Il devrait se trouver dans la salle d'armes. Faites-lui savoir que lui et moi nous nous rendons à Utrecht et dites-lui de venir me prendre dans le hall principal. »

De Gier raccrocha et réfléchit quelques secondes avant de composer un autre numéro.

« Oui ? répondit le commissaire d'une voix douce.

— Bonjour, monsieur. De Gier à l'appareil.

— Que puis-je pour vous, sergent ? »

Brièvement, de Gier le mit au courant de la situation.

« Très bien, nous prendrons ma voiture, rétorqua le commissaire. Elle est juste garée en face de l'entrée principale. Je descendrai aussitôt que j'aurai parlé avec l'agent-chef d'Utrecht. Il se pourrait qu'il veuille s'occuper de l'affaire puisque c'est dans sa ville qu'on a retrouvé la voiture, mais je pourrai toujours arguer du fait que c'est à Amsterdam que tout a commencé.

— Mais, monsieur, on a très bien pu commettre le crime sur l'autoroute entre Amsterdam et Utrecht, auquel cas l'affaire est du ressort de la police d'État.

— Ne vous en faites pas, sergent, quoi qu'il en soit, c'est une affaire qui nous regarde. J'arrive dès que possible. Allez chercher Grijpstra.

— Bien, monsieur », répondit de Gier en raccrochant.

2

Suivie d'une VW grise, la Citroën noire du commissaire s'engouffra dans la cour du Q.G. de la police d'Amsterdam ; dans la VW se trouvaient le photographe et l'homme chargé de relever les empreintes. Assis sur le siège avant, de Gier laissait ballotter sa tête, le plus souvent contre l'épaule du chauffeur ; il dormait la bouche entrouverte. Grijpstra lui secoua l'épaule.

« Nous y sommes.

— Hum ? fit de Gier.

— Nous sommes rentrés. Bouge-toi, nous avons du boulot.

— C'est bon, c'est bon, répondit de Gier en se tournant vers son chef. Désolé, monsieur, j'ai dû m'assoupir.

— Tiens donc ! s'exclama Grijpstra. Dès que nous avons pris l'autoroute à Utrecht tu t'es endormi, en plus tu as ronflé pendant la dernière heure du trajet. M'assoupir, tu parles !

— C'est sans importance, dit le commissaire d'un ton conciliant. Il n'y a rien de tel que le sommeil ; d'ailleurs il n'y avait rien à faire. Je crois qu'à ce stade nous avons toutes les données du problème. Nous avons recueilli des échantillons sanguins et extrait la balle. Peut-être ferions-nous bien de réexaminer la voiture lorsqu'on nous l'amènera ici, adjudant. L'homme qui s'occupe de relever les empreintes peut avoir envie d'y regarder de plus près. On a probablement dû toutes les effacer mais on ne sait jamais. »

Dans la cour une dépanneuse effectuait des manœuvres, la BMW était accrochée à l'arrière.

« Un boulot rapide, apprécia Grijpstra. Il faudra que je vérifie, monsieur, cette dépanneuse a dû commettre un excès de vitesse.

— Les dépanneuses de la police ont le droit de rouler à toute allure, dit le commissaire. De Gier, faites tirer des épreuves de la photo de M. Nagai et donnez-les aux inspecteurs pour qu'ils les montrent à Amsterdam et à Utrecht dès ce soir, si possible. Ça nous arrangerait bien de savoir à quoi son ou ses compagnons ressemblaient. Ils ont peut-être pris quelques verres avant de se mettre en route. Nous n'avons pas eu beaucoup à faire ces derniers temps, vous devriez donc être en mesure de mettre une douzaine d'hommes sur le coup. J'ai bien l'impression que nous sommes sur une sale affaire. Faites-vous aider par Cardozo. Grijpstra ?

— Monsieur ?

— Allez chercher la jeune dame qui est venue vous voir ce matin, Mlle Andrews, il faut absolument que nous la voyions tout de suite. Envoyez-lui une voiture si besoin est, ou bien allez-y vous-même. Amenez-la à mon bureau dès qu'elle sera là ; de Gier nous rejoindra quand il en aura fini avec les photos. Prévenez la police d'État également. Il semble qu'on soit en présence d'un meurtre mais qu'il n'y ait pas de cadavre. On a dû se débarrasser du corps à proximité de l'autoroute. Dites-leur de regarder attentivement des deux côtés. Qu'on leur donne aussi des photos, ça ne servira probablement pas à grand-chose ; la voiture est suffisamment tape-à-l'œil, il est pratiquement impossible qu'on ne l'ait pas remarquée quand ils se sont garés pour cacher ou enterrer le corps. Agissez avec beaucoup de diplomatie ; la police d'État déteste recevoir des ordres. Demandez-leur ça comme un service et dites que nous leur en serons redevables ; s'ils commencent à chicaner et à déclarer que l'affaire est à eux, mettez-les en rapport avec moi. Je serai dans mon bureau.

— A vos ordres, monsieur », répondit Grijpstra en se mettant dans la peau du personnage. De Gier le singea. « Nous vous serions infiniment reconnaissants... commença-t-il, si ce n'est pas trop vous demander... »

Grijpstra prit la relève. « Voyez-vous, nous avons un petit problème qui est peut-être lié à une affaire criminelle très grave, or nous savons que vous autres, messieurs, êtes très habiles à suivre la moindre des pistes que vous flairez. Il se trouve qu'hier une BMW d'une blancheur immaculée a dû emprunter l'autoroute qui mène d'Amsterdam à Utrecht, nous avons donc pensé que vous seriez peut-être capables... »

Le visage du commissaire s'éclaira d'un large sourire. « Parfait, c'est comme ça qu'il faut procéder. Bonne chance. » Cela dit, il se dirigea vers le monte-charge qui ne cessait son éternel va-et-vient et passait à leur niveau en grinçant. Il se saisit du tube métallique lorsque la petite cage fut à sa portée. Les deux détectives étaient prêts à l'aider mais il se débrouilla fort bien tout seul. Très émus, ils contemplèrent ce vieil homme frêle proche de l'âge de la retraite et auquel la douleur ne laissait aucun répit ; à cause de ses rhumatismes, l'état de ses jambes empirait, il était presque estropié : pour se déplacer il devait sans cesse s'appuyer aux murs et aux meubles des pièces à travers lesquelles il claudiquait :

Lorsque la cage eut disparu Grijpstra soupira. « Bon, ben, allons-y. Voici le cliché. Un Japonais mort à trouver.

— Il se pourrait qu'il ne soit que blessé, objecta de Gier.

— Il est mort. L'homme chargé de relever les empreintes a retrouvé un petit morceau d'os de sa boîte cranienne. La balle a dû faire éclater le crâne de M. Nagai, le faire exploser, à tel point qu'il n'en reste que des débris. Mais pour quelle raison quelqu'un voudrait-il tuer une personne qui vend des objets d'art en provenance d'Extrême-Orient, à ton avis ?

— Peut-être qu'il vendait quelque chose d'autre, proposa de Gier. A moins que le crime n'ait eu le vol pour motif. Mlle Andrews ne nous a-t-elle pas dit que Nagai avait souvent des objets de grande valeur ? Ou bien il y a une quelconque rivalité là-dessous et, dans ce cas, nous sommes de nouveau impliqués dans une histoire d'amour. Cela dit, la victime est japonaise, nous sommes en plein Extrême-Orient, nous avons peut-être mis le doigt sur quelque chose de très subtil, pour une fois » et il enfonça le sien dans l'estomac de Grijpstra. « Cette affaire ne sent peut-être pas si mauvais dans le fond, on a coutume de vanter les délicats effluves de l'Asie. »

Grijpstra fronça les sourcils. « Ne t'emballe pas. Si c'est trop subtil, nous ne résoudrons jamais le problème. Le mois dernier il nous a fallu une semaine pour savoir qui avait tué cet éboueur, or ce n'était qu'un simple homicide accompli à l'aide d'un marteau de forgeron. »

De Gier semblait tout penaud.

« Et tu t'étais mis en tête que c'était sa pauvre femme la coupable, ajouta Grijpstra.

— Je t'ai entendu le dire également.

— D'accord, je l'ai peut-être dit, mais juste une seule fois. D'ailleurs, cette femme avait vraiment l'air d'un hippopotame.

— Si elle avait la force de le faire, il n'y avait aucune raison pour qu'elle ne fût pas coupable. Enfin, il valait mieux que ce soit moi qui entende ça plutôt que le commissaire. »

Grijpstra soupira. « De toute façon nous avons arrêté le meurtrier sans le secours de la moindre lettre anonyme.

— Et sans que les journalistes nous donnent un coup de main. Ça c'était futé de notre part, non ?

— Si, absolument. Bon, au travail. Je te verrai dans le bureau du commissaire dès que j'aurai mis la main sur cette jeune dame. Espérons qu'on peut la joindre par téléphone. Elle en sait certainement plus long que ce qu'elle nous a raconté ce matin. » Grijpstra mit la main dans la poche de sa veste et en sortit un pistolet, son visage exprimait un étonnement non feint. « Qu'est-ce que ça fait dans ma poche ? Je cherchais mes cigares.

— C'est mon pistolet, adjudant, expliqua de Gier en souriant. Tu as oublié de me le rendre, ce qui fait que je me suis baladé sans arme. Regarde, il y a des brins de tabac partout sur le canon. » Il enleva l'arme des mains de Grijpstra, la nettoya avec son mouchoir après qu'il eut enlevé le tabac en soufflant, et il vérifia le mécanisme. « Le cran de sûreté n'est pas mis. Heureusement, il n'y a pas de cartouche engagée dans la chambre. Je dis ça pour toi. » Il plaça l'arme dans le holster qu'il portait sous l'épaule.

« On a remplacé la vis, dit Grijpstra, et ils ont changé le côté gauche de la crosse. Ils ne l'auraient jamais fait si je n'avais pas insisté. Tu devrais m'en être reconnaissant.

— Je le suis. Cet engin est dans un piètre état. Je souhaiterais qu'ils nous donnent de meilleures armes. Celle-ci remonte à 1929, m'a dit le sergent d'armes l'autre jour. C'est une antiquité. De nos jours, les truands ont des armes complètement automatiques. J'ai lu un rapport qui disait que nos collègues de Rotterdam avaient appréhendé un dealer qui avait dans sa voiture un pistolet-mitrailleur un peu plus gros que les nôtres. Il y a quatorze cartouches dans le magasin et on peut les tirer toutes en quatre secondes ; il suffit de maintenir le doigt pressé sur la gâchette.

— Bah, fit Grijpstra. Qui peut bien avoir envie de tirer quatorze balles en quatre secondes ? En un an, je n'ai même pas envie de faire feu une seule fois. Qu'est-ce qui te pousse à être aussi belliqueux brusquement ? Tu as de nouveau marre de l'inaction ? » Il fronça les sourcils. « Si nous sommes policiers, ce n'est pas pour devenir des héros, tu sais. Nous sommes censés maintenir l'ordre. Comment espères-tu le faire si tu tires quatorze balles en quatre secondes ? Cet engin de mort sauterait dans ta main et tu ferais éclater la tête d'une vieille grand-mère qui se trouverait de l'autre côté de la rue, se contentant de faire un peu de lèche-vitrines, et une autre de tes balles irait se loger dans une voiture d'enfant. » Le visage de Grijpstra avait viré au rouge et il agitait frénétiquement les bras. « Pourquoi ne vas-tu pas en Afrique ? Dans le journal d'hier soir il était question de mercenaires qui traversaient des villages sur leurs chars ; au passage ils écrasaient et brûlaient les cases, tirant à vue sur tout ce qui bougeait. »

De Gier sourit en donnant une petite tape sur la joue de Grijpstra. « J'ai simplement dit que je voulais une arme convenable, dit-il d'un ton conciliant, et non un vieux truc qui date de cinquante ans et qui est susceptible de me péter dans la main. »

Grijpstra secoua la tête en regardant s'éloigner le sergent dans le long couloir. « Voici donc notre aventurier, dit-il à haute voix, notre chevalier de la Table ronde luttant contre le démon et volant au secours des opprimés avec, sur sa bannière, l'image de la Déesse de la Beauté. »

Il toussota et jeta un regard furtif autour de lui, mais il était seul. La Déesse de la Beauté, songea-t-il. La petite amie de De Gier n'était pas particulièrement belle, mais c'était certainement une femme remarquable, capable de s'adapter aux événements ; elle avait une jolie tête qui faisait vaguement penser à un Modigliani, et elle était d'une patience d'ange. Il songea à sa propre femme et, de nouveau, secoua la tête. Ce n'était qu'un gros tas de graisse qui, outre les pâtisseries, s'empiffrait de télévision. Lorsqu'elle en avait l'énergie, elle se montrait acariâtre et l'injuriait ; heureusement, c'était de moins en moins fréquent, elle se contentait désormais de le regarder fixement, de ses yeux bouffis injectés de sang. Il prit une profonde inspiration et se força à penser à autre chose. Il avait bien le temps de s'occuper de sa femme quand il était avec elle, c'était plutôt rare ces derniers temps.

Il se mit à penser au Japonais. Il se remémora la photo : l'homme assis sur une chaise en rotin était mince, plutôt fluet, et il regardait avec anxiété l'objectif. Il faisait le commerce des antiquités et avait un visage tout à fait innocent. Il devait aimer lire puisqu'il y avait, tout à côté de sa chaise, une pile de livres de poche. Il venait de débarquer de l'avion en provenance de Tokyo ; il avait lu pendant le voyage, et cependant il gardait ses livres à portée de sa main bien qu'il fût en compagnie de Joanne Andrews, sa petite amie qu'il n'avait pas vue depuis pas mal de temps. Une belle fille qui était amoureuse de lui et conduisait sa voiture lorsqu'il s'absentait d'Amsterdam, une BMW flambant neuve qui se trouvait maintenant à la fourrière avec du sang sur le siège avant et un morceau de crâne fiché dans la garniture. On lui avait tiré dessus depuis le siège arrière, probablement pendant le trajet, sur l'autoroute entre Amsterdam et Utrecht. Une autoroute à quatre voies très fréquentées, se dit Grijpstra, se pouvait-il que personne n'ait vu l'homme s'affaisser sur le volant en se tenant la tête tandis qu'il perdait son sang abondamment ?

Un Japonais, songea-t-il de nouveau. Que savait-il des Japonais ? Il avait quelques images en tête. Celle d'un kamikaze piquant sur un porte-avions américain, dirigeant carrément son fragile appareil bourré d'explosifs sur le gigantesque bâtiment de guerre. Le pilote n'avait aucune chance de survivre. Il se représentait le visage d'un jeune homme, le front ceint d'une bande de coton blanc, découvrant ses dents en une grimace désespérée qui traduisait une détermination céleste autant qu'extasiée. Il connaissait même l'origine du mot kamikaze ; il l'avait lue dans un article. C'était le nom d'une tempête sacrée qui avait détruit la flotte coréenne et se dirigeait sur le Japon, prête à investir le pays. Il y avait de cela fort longtemps. Que savait-il d'autre des Japonais ? Ah, oui, ils étaient réputés pour leur cruauté. Un cousin de Grijpstra avait survécu dans un camp japonais de prisonniers de guerre. Quand il en était ressorti, ce n'était plus qu'un squelette ambulant, il n'avait plus de dents et il était tout ahuri d'être encore en vie. De tous les prisonniers parqués dans le camp, seuls quelques-uns avaient survécu aux brutalités des gardiens. Le cousin de Grijpstra — il avait maintenant dans les soixante-dix ans et était employé de mairie — aurait presque tourné de l'œil s'il avait aperçu des touristes japonais dans les rues d'Amsterdam.

Qu'y avait-il encore ? La musique des temples japonais. Il avait un disque chez lui ; sur la pochette, on pouvait voir une pagode et, à l'arrière-plan, des pins artistiquement émondés. Il passait souvent le disque car la percussion était tout à fait bizarre : aux sons étranges que rendaient les tambours en bois se mêlaient les cris gutturaux des prêtres. Aidé par de Gier qui avait partagé sa fascination pour cette musique, il avait tenté de reproduire les sons sur sa propre batterie. Ils s'étaient entraînés à crier, voire à hurler, et de Gier avait même découvert une sorte de courge en bois qui reposait sur un tripode dont la tonalité était la même que celle des tambours du temple. Cela donnait une musique tout à fait exceptionnelle qui provenait d'une religion particulièrement distante : le bouddhisme. Le commissaire lui avait un jour expliqué que le bouddhisme reposait sur deux principes, la compassion et la sérénité. Il secoua la tête. Un pilote qui se donnait la mort en tuant des centaines d'autres personnes, un gardien qui martyrisait les prisonniers, enfin un temple dont les tambours résonnaient dans un silence monacal. Que savait-il d'autre à propos du Japon ? Il se remémora la scène qu'il avait contemplée à l'aéroport, les deux lignes d'insectes humains et dociles qui agitaient des drapeaux de couleur en suivant leurs guides. Et voilà qu'à présent l'un de ces insectes humains était mort ; il avait un grand trou dans le crâne et son corps était dissimulé quelque part dans les polders hollandais.

Il regagna son bureau pour téléphoner à la police d'État.

3

« Je suis navré, mademoiselle, déclara le commissaire. Rien ne nous permet de conclure à la mort de M. Nagai ; il se peut fort bien que les traces de sang et le débris de crâne appartiennent à quelqu'un d'autre, tout cela s'annonce difficile à résoudre. Je suis désolé. »

Joanne Andrews le regardait ; la bouche entrouverte, elle passait la langue sur ses lèvres gercées. Confortablement installée sur une chaise devant le bureau du commissaire, elle se penchait vers lui, comme si son corps était un trait d'union. Debout à côté de la fenêtre, de Gier contemplait la circulation, tandis que Grijpstra était avachi dans un fauteuil, à distance respectueuse de la fille. Il l'observait d'un air morne, les mains sur les genoux.

« Évidemment, dit la fille. C'est exactement ce que je pensais. Ils l'ont tué. Je pensais bien qu'ils le feraient, mais quand je lui en ai parlé, il s'est contenté d'éclater de rire en disant que c'étaient ses amis et qu'il les connaissait bien. Et, de toute façon, même s'ils voulaient le tuer, ce ne serait pas ici qu'ils le feraient, mais au Japon. Il avait l'air tellement sûr de lui que je l'ai cru. Ce qui n'empêche qu'ils l'ont quand même assassiné.

— Qui ça “ ils ” ? » demanda le commissaire.

Elle frissonna en le regardant. Les coudes appuyés sur son bureau, le commissaire la dévisageait. Il y avait sur son visage une telle compréhension qu'il semblait être de tout cœur avec elle et partager ses angoisses.

« Qui ça “ ils ”, mademoiselle ?

— Moi aussi ils me tueront, dit la fille. On pourrait croire qu'ils sont réguliers mais ils sont impitoyables. Deux petits hommes rondouillards. L'un d'eux est chauve avec un cou de taureau, l'autre ressemble à une grosse barrique. Ils ne marchent pas à proprement parler, c'est comme s'ils se déplaçaient en glissant ; ils sont très courtois et n'arrêtent pas de faire des courbettes, mais ce sont des tueurs soigneusement entraînés. Je les ai tout de suite reconnus quand ils sont entrés dans le restaurant pour commander leur repas. A Kobé, ils venaient souvent dans le night-club où je travaillais, évidemment ce n'était pas eux, mais des gens de même acabit. La boîte de nuit appartenait aux *yakusa* et ces hommes en étaient. Bien entendu ce n'était pas eux qui prenaient les décisions, ils n'étaient que les agents des grands chefs yakusa, des sous-fifres.

— Yakusa ? s'étonna le commissaire.

— Exactement, fit-elle en hochant la tête d'un air grave. Je devrais avoir peur d'eux, ils terrorisent tous les Japonais ; mais je ne suis qu'à moitié japonaise. Mon père est américain, il a rencontré ma mère pendant l'Occupation, lorsqu'il était officier. J'ai été élevée à San Francisco et quand mes parents ont divorcé, je suis allée à Kobé avec ma mère. Quand mon père a cessé de verser une pension alimentaire, ma mère a dû travailler et moi aussi. Comme je parlais couramment anglais, je n'ai pas eu de difficulté à trouver une place, d'autant que le patron de la boîte m'aimait bien. Il n'était pas grand-chose dans l'organisation mais c'était malgré tout un homme dangereux. Avant qu'on lui confie la direction de la boîte c'était un simple exécutant, un tueur. J'avais très peur d'eux, mais désormais je m'en fiche. J'ai photographié les deux petits hommes rondouillards. »

Elle fouilla dans son sac et en sortit un cliché qu'elle posa sur le bureau. De Gier et Grijpstra étaient debout, derrière la chaise du commissaire. Grijpstra essuya ses lunettes avant de les mettre et les trois policiers examinèrent soigneusement l'instantané. On pouvait voir deux hommes qui marchaient dans une rue que Grijpstra reconnut : c'était du côté de la bibliothèque municipale. Il distingua les arbres qu'on avait plantés dans le jardin devant l'édifice. La photo n'était pas trop floue.

« Je l'ai prise de l'intérieur du restaurant, à travers la vitrine, expliqua la fille. Ils ne se sont doutés de rien. Ils étaient venus déjeuner et ils avaient un peu trop arrosé leur repas. »

C'était une photo en couleurs et les deux hommes avaient le visage congestionné. Ils souriaient béatement. Tous les deux étaient bien en chair, ils portaient des complets sombres et semblaient étouffer dans leurs vestons croisés. L'un d'eux était chauve et l'autre avait les cheveux très courts. Grijpstra trouva qu'ils ressemblaient à de petits commerçants et de Gier à des fonctionnaires ; le commissaire, lui, pensait qu'ils avaient l'air bien tranquilles et auraient pu être des policiers s'ils en avaient eu l'intelligence. Il émanait d'eux une indiscutable énergie. Après tout, il se pouvait très bien que ce fussent des gangsters, oui, pourquoi pas ?

« Les yakusa sont-ils des gangsters ? demanda le commissaire à la fille.

— Ils leur ressemblent, répondit-elle. Une fois je suis retournée en Amérique, pendant les vacances, et j'ai rencontré quelques truands ; cela dit, les Américains sont différents des Japonais.

— Comment ça ?

— Aux États-Unis, les gangsters se tirent dans les pattes. Jamais on ne verrait ça au Japon. De plus, aux États-Unis, les truands se spécialisent ; les yakusa sont dans toutes les combines. Par exemple, ils financent des spectacles artistiques, ils construisent des stades pour les sportifs, ils vont même parfois jusqu'à soutenir la candidature de certains hommes politiques et de certains policiers. On peut être yakusa et prêtre, ce n'est pas incompatible. Si le paradis existe dans le ciel japonais, il s'y trouve sûrement un yakusa. »

Elle eut un faible sourire.

Le commissaire leva les yeux vers elle. « Quel âge avez-vous, mademoiselle ?

— Je suis née en 1946.

— Un gangster ou plutôt un videur à la porte du paradis », murmura le commissaire. De Gier éclata de rire et le commissaire se tourna vers lui. « Vous pensez qu'il est concevable qu'un truand garde la porte du paradis, de Gier ?

— Absolument, monsieur », répondit de Gier en se redressant. Faisant mine de tenir une mitraillette, il avança résolument son visage. « Un de chaque côté du fameux portail. Les gangsters sont des gens dévoués et obéissants, on peut compter sur eux, ils ont leur code d'honneur.

— Eh bien, fit le commissaire, je n'en sais trop rien. Je suppose que vous en savez plus long que moi là-dessus. Nous n'avons pas vraiment de gangsters en Hollande. Il faudra approfondir la question. »

Grijpstra ne tenait plus en place. Il se raclait la gorge en tournant autour du bureau.

« Que se passe-t-il, Grijpstra ? »

Ce dernier eut l'air passablement soulagé. « Grâce à cette photo, le boulot ne devrait poser aucune difficulté, monsieur.

— Si ces deux zèbres sont toujours en Hollande », répliqua le commissaire en pressant un bouton. Peu après un agent entra dans la pièce. On lui donna la photo en lui disant de la porter au laboratoire pour en faire tirer plusieurs copies.

« Parfait, continua le commissaire. Nous ne tarderons pas à savoir dans quel hôtel ils sont descendus et quelle identité ils ont donnée. Ils ont peut-être de faux passeports. Si nous ne les arrêtons pas, la police japonaise s'en chargera. Il faudra entrer en contact avec leur ambassadeur à La Haye, par le biais du ministère des Affaires étrangères. Un travail de routine. Dites-moi, mademoiselle, quel rapport y a-t-il entre ces hommes et M. Nagai ? »

La fille essaya d'allumer une cigarette, mais sa main tremblait trop. De Gier prit la boîte d'allumettes sur le bureau du commissaire et lui donna du feu.

« Je peux vous fournir certaines informations, dit la fille, mais je tiens à rester en vie. Il faut que j'aide ma mère financièrement et mon neveu, le fils de ma sœur ; il est au lycée, je lui envoie de l'argent tous les mois. Si je reste ici, je ne donne pas cher de ma peau. Jamais je n'aurais dû prendre cette photo, les yakusa ne vont pas apprécier, et généralement quand ils sont en colère ils ne sont pas très gentils. Il va falloir que je me méfie.

— Vous avez un passeport américain ? »

La fille acquiesça.

« Qu'est-ce que vous envisagez de faire ?

— J'aimerais bien aller aux États-Unis, mais d'abord je voudrais trouver un endroit tranquille pour réfléchir à ce que je veux faire. Si je vais aux États-Unis, personne ne doit savoir où. Il faut que je trouve un bon endroit. D'ailleurs, il va peut-être aussi falloir que je change de nom.

— Il faut qu'on s'occupe de vous, dit le commissaire. Je suis persuadé qu'on peut très bien arranger ça. Nous sommes en bons termes avec l'ambassade des États-Unis et l'un de leurs employés est un agent de la C.I.A. Je le connais, il est très efficace. Nous, nous le sommes moins, mais comme vous êtes une ressortissante américaine il lui sera facile de vous venir en aide.

— Est-ce que vous avez une idée de l'endroit où je pourrais me cacher pendant quelques semaines ?

— J'ai une nièce qui vit à la campagne, répondit le commissaire. Elle a séjourné en Extrême-Orient et elle est seule. Vous pourriez lui rappeler des temps meilleurs si vous alliez chez elle. »

Le commissaire composa un numéro de téléphone ; la communication fut brève.

« Vous êtes la bienvenue, déclara-t-il ; vous pouvez y aller aujourd'hui si vous le désirez. De Gier peut vous conduire à la gare et s'assurer que personne ne vous suit. Nous allons faire ça dans les règles. »

Il regarda la fille en lui souriant. « Un café peut-être ?

— Avec plaisir. »

De Gier versa le café et tout le monde se servit en lait et en sucre.

« Bon, fit Mlle Andrews, je vais tout vous dire. J'ai l'impression que je peux vous faire confiance. »

Elle dévisagea le commissaire par-dessus le bord de sa tasse. Il pencha la tête et eut un sourire hésitant, dévoilant ses dents jaunies par la nicotine. Le commissaire avait bon genre. Ses cheveux fins étaient soigneusement peignés, il avait une raie exactement au milieu du crâne et son nœud de cravate était parfaitement en place. A son gilet était attachée une fine chaîne d'or.

« La C.I.A. ? questionna la fille. J'aurai un nouveau passeport avec une autre identité et un aller simple pour New York, via Paris ou Rome ?

— C'est ça, répondit le commissaire. La C.I.A. nous doit bien ce service. Pour eux, c'est une simple formalité.

— Je fais moi-même partie des yakuza, continua la fille. J'ai été enrôlée dès l'instant où j'ai commencé à travailler dans la boîte de nuit, à Kobé. Il y avait beaucoup de clients étrangers dans la boîte. Des officiers américains, des hommes d'affaires d'Europe occidentale et des Chinois de Hong Kong et de Formose. Les yakusa voulaient recueillir des informations et se servaient de nous, les hôtesses et les barmaids. Si nous avions un renseignement digne d'intérêt, nous le disions au barman qui prévenait le gérant. A ce moment-là, un envoyé du daimyo descendait des montagnes, c'est là qu'il a son château.

— Le daimyo ?

— Le mot signifie gentilhomme. Il fut un temps où le Japon était gouverné par des gentilshommes mais, à l'époque, ils portaient des titres, ils étaient comtes ou ducs. Maintenant il n'y a plus de titres, mais le règne des daimyos subsiste. Ils ont la mainmise sur les grandes sociétés et ils sont à la tête des yakusa. En outre, ils sont plus puissants que ceux de l'ancien temps car le titre n'est pas héréditaire. A présent, les nouveaux daimyos doivent faire leurs preuves.

— Je vois, dit le commissaire. Continuez, mademoiselle.

— Mon petit ami, Kikuji Nagai, était aussi un yakusa. Il l'est devenu parce qu'il voulait faire des études. Il avait réussi son examen d'entrée à l'université sans aucune aide, ce qui est rarissime : au Japon, les examens d'entrée sont une sorte d'épreuve du feu ; il faut marcher pieds nus sur des charbons ardents. Il faut étudier jour et nuit, connaître les réponses à des milliers et des milliers de questions qui ne font même pas partie d'un programme. C'est véritablement un enfer. D'ailleurs, nous avons un nom pour désigner cette sorte de torture : Shiken Jigoku, l'enfer de l'examen. Kikuji l'avait réussi, et pourtant il ne pouvait toujours pas entrer à l'université. On n'y admet qu'un très petit nombre d'étudiants, des jeunes gens importants, les fils de citoyens influents. Le père de Kikuji n'était pas influent.

— Je croyais que le Japon était une démocratie, s'étonna le commissaire.

— C'est le nom qu'on donne au régime, mais aucun Japonais n'en connaît la signification. Il y a là-bas des règles qui ont des milliers d'années d'existence. On a changé le nom des règles mais pas les règles. C'est comme sous l'Empire ; simplement, maintenant on déclare que ces règles sont démocratiques, on les appelle même Karolin, en souvenir d'une princesse anorexique.

— Et alors ? poursuivit le commissaire.

— Alors, Kikuji est allé voir les yakusa. C'était une démarche tout à fait inhabituelle car on ne peut jamais les aborder directement. Mais Kikuji était né après la guerre. Il ne croyait pas vraiment en la tradition, et il lui arrivait fréquemment de résoudre lui-même ses problèmes, selon son éthique personnelle. Il s'est donc rendu dans les montagnes, derrière Kobé, et il a découvert la retraite, ou plutôt le château du daimyo ; il a déclaré aux gardiens qu'il voulait voir le daimyo en personne, sans leur dire pourquoi. Quand ils l'ont menacé de le rouer de coups, il s'est assis par terre. Il s'est respectueusement courbé et ça les a profondément perturbés. Ils en ont référé à leur supérieur qui en a parlé à son supérieur et, de fil en aiguille, le daimyo en a eu vent. Kikuji est resté assis pendant dix heures. Il avait souillé son pantalon et il était tellement engourdi qu'ils ont dû le porter, lui donner un bain et des vêtements. »

Le commissaire avait écouté ce récit avec beaucoup d'attention, de Gier et Grijpstra également ; ils avaient bien observé la fille tandis qu'elle parlait. Elle s'exprimait calmement, sans jamais élever la voix. De Gier avait l'impression d'écouter un enregistrement.

« Le daimyo le prit en charge. Les yakusa promirent de lui payer ses frais universitaires. Quand il en fit de nouveau la demande, le lendemain, il fut immédiatement admis. Le doyen de l'université l'a personnellement reçu dans son bureau, il l'attendait à la porte en faisant des courbettes et en sifflant entre ses dents. Quand un Japonais se trouve pris de court, qu'il ne sait pas quoi faire, il lui arrive souvent de siffler entre les dents, ou de dire “ Saaaaah ”.

— Quelle discipline M. Nagai avait-il choisie, mademoiselle ? demanda le commissaire.

— L'Histoire de l'art. Il était d'un très bon niveau, spécialisé dans l'étude des temples. Il connaissait donc à fond le bouddhisme, mais sussi l'art qui relevait de l'hindouisme et du taoïsme. Il avait même pris en option l'art chez les Aïnos [1]. Les Aïnos peuplaient jadis tout le Japon, on ne les trouve plus à présent que dans le grand nord. Ils sont blancs, portent la barbe et ressemblent aux anciens Russes. On retrouve l'ours dans toutes leurs créations artistiques. Kikuji adorait les ours, il allait toujours les voir dans les zoos, ils se comprenaient très bien mutuellement. Il avait surtout un faible pour les gros ours bruns, comme ceux qu'on trouve à Hokkaido, l'île située le plus au nord du Japon. Le daimyo aime aussi les ours ; il en a même quelques-uns dans les fossés de son château, il joue avec eux.

— Et lorsque M. Nagai eut obtenu son diplôme, qu'est-ce qu'il a fait ?

— Il a voyagé. A Formose, en Corée et en Thaïlande. Il en rapportait des statuettes et des peintures qu'il achetait aux prêtres chargés de garder les temples. Des temples bouddhistes principalement. Les prêtres n'avaient aucun droit de vendre ces objets sacrés, ils était simplement chargés de l'entretien des temples, mais cela fait longtemps que l'État ne subventionne plus les prêtres et, comme tout le monde, ils ont besoin d'argent, alors ils n'hésitaient pas à vendre à Kikuji.

— Et il leur offrait l'argent des yakusa ? »

La fille acquiesça.

« Et quelle était la destination des statuettes et des peintures ?

— La Hollande. Il les apportait à Amsterdam où il les vendait à

1. Race asiatique qui se rencontre dans l'île Yéso, l'île Sakhaline et dans les Kouriles. Elle est aujourd'hui en voie d'extinction. Les Aïnos sont forts, robustes, très velus, à pommettes saillantes, au nez court et large. Ils sont surtout chasseurs. Leur vénération pour l'ours est célèbre. (*N.d.T.*)

des antiquaires ou dans des ventes aux enchères. S'il avait une chose de grande valeur, il allait alors à Londres, mais il revenait toujours à Amsterdam. Les yakusa aiment beaucoup Amsterdam ; c'est une ville merveilleuse, tranquille, ils s'y sentent chez eux. Ils ont commencé par ouvrir un restaurant ici, puis des bureaux pour leurs affaires légales. Maintenant ils possèdent également des hôtels. Le restaurant dans lequel je travaille appartient aux yakusa.

— Ils doivent faire d'énormes bénéfices sur ce trafic d'objets d'art volés, remarqua de Gier.

— Énormes. Il arrive souvent qu'à la revente le prix d'achat soit multiplié par cent.

— De quoi d'autre les yakusa s'occupent-ils ici, mademoiselle ? demanda le commissaire.

— Ils vendent des transistors et achètent des renseignements en faisant de l'espionnage industriel. En outre, notre restaurant est réputé pour ses *tempura* et ses *susshi.*

— Effectivement, reconnut de Gier, j'y ai mangé. Les tempura sont des émincés de viande et de légumes frits dans une pâte qui ressemble à de la pâte à crêpes ; quant aux susshi, ce sont des boulettes de riz froid qu'on garnit de crevettes ou de morceaux de poissons crus. C'est délicieux, mais je n'y suis allé qu'une fois, l'addition était salée ; du reste, je ne vous y ai point vue.

— Vous avez dû y aller un vendredi, c'est mon jour de repos, rétorqua la fille en souriant. Je suis ravie que vous ayez apprécié la nourriture. Il est certain que les repas y sont très chers, mais comme nous avons surtout affaire à des Japonais et qu'ils sont défrayés de tout lors de leurs déplacements, ils se moquent pas mal du prix à payer.

— Des légumes frits dans une pâte à crêpes », répéta Grijpstra alléché.

La fille sourit en sortant de son sac une feuille de papier et un stylo-bille. Elle dessina quelques caractères sur la feuille et glissa la coupure à Grijpstra. « Donnez ça à la fille qui est à l'entrée, lui dit-elle. Vous serez servi comme un prince et vous n'aurez rien à payer. Il faut que vous goûtiez la cuisine japonaise ; c'est un plaisir de gourmets. Cela dit, vous devez être complètement décontracté, avoir l'esprit en repos. Si vous mangez trop vite et sans apprécier ce que vous dégustez, vous vous contentez de vous gaver ; à ce moment-là, il n'y a plus de dégustation ni de délectation possibles.

— Merci bien, dit Grijpstra en rangeant la feuille de papier dans son portefeuille. Est-ce que les yakusa y fourguent de la drogue, mademoiselle ?

— Oui, répondit la fille, mais occasionnellement seulement. De l'héroïne qui vient de Chine et qui transite par Hong Kong, c'est là qu'ils l'achètent en grosses quantités. L'héroïne ne reste pas ici, elle est destinée aux soldats américains stationnés en Allemagne. Le trafic est soigneusement organisé, je ne sais pas comment. Probablement par bateau car j'ai vu des officiers de la marine marchande au restaurant, des Japonais et des Hollandais. Je les ai bien observés et je pourrais les décrire avec assez de précision.

— C'est très bien, dit le commissaire. Plus tard je ferai venir un agent du service des drogues qui vous posera quelques questions. Cela ne sera pas bien long. Est-ce que ça vous va ?

— Oui, je suis d'accord.

— Dans quoi les yakusa donnent-ils encore, mademoiselle ? demanda Grijpstra. La traite des blanches... enfin, des femmes ? » se reprit-il.

La fille sourit tristement. « Non, il y a suffisamment de femmes au Japon. Malgré le contrôle des naissances les fermiers ont encore trop de filles. Beaucoup de chair fraîche pour les bars et les bordels. Parfois les clients réclament des Blanches ou des Noires, mais les yakusa les trouvent à Hawaii et aux États-Unis ; d'ailleurs, ils les paient bien. Le daimyo n'aime pas le trafic d'esclaves ; c'est trop risqué, la marchandise pourrait parler.

— L'art, poursuivit le commissaire. Est-ce que votre petit ami vendait beaucoup d'objets qui provenaient des temples japonais ?

— Pas énormément. La plupart venaient de Birmanie ou de Thaïlande ; il y avait quand même quelques sculptures et rouleaux japonais, et c'était probablement les pièces qui avaient le plus de valeur. Le bouddhisme est en pleine décadence au Japon bien qu'il y ait encore des millions de bouddhistes, seulement ce ne sont pas des bouddhistes pratiquants. Bien entendu, les temples subsistent, mais ceux qui en ont la charge ne sont pas toujours des prêtres, et d'ailleurs il arrive bien souvent que les prêtres n'aient eu qu'une éducation religieuse très sommaire, s'ils en ont même reçu une. Ils ne s'intéressent pas à ce qu'ils font et n'ont aucun respect pour leur sacerdoce, voilà pourquoi ils vendent les objets de valeur dont ils sont les dépositaires, surtout maintenant que la demande s'est considérablement accrue. Kikuji m'a montré des poteries réalisées par les grands maîtres, des bols de cérémonie pour le thé façonnés à la main il y a des centaines d'années de cela. Il les avait achetés très bon marché dans un temple et ils ont fait des milliers de dollars chacun dans une vente aux enchères.

— Alors pourquoi l'a-t-on tué ? s'étonna le commissaire. *Si* on l'a tué. Nous n'en sommes pas encore sûrs, il faut d'abord qu'on trouve le corps. Il se peut très bien qu'on ait tué quelqu'un d'autre, l'un des petits hommes rondouillards qu'il y a sur votre photo par exemple. M. Nagai est peut-être sain et sauf dans une chambre d'hôtel d'Utrecht ; dans ce cas, il ne tardera pas à vous contacter. »

Elle secoua la tête si violemment qu'elle dérangea l'ordonnance de sa coiffure. « Non, il est mort. J'en suis sûre. Il avait l'intention de quitter l'organisation yakusa et d'ouvrir un magasin d'antiquités, ici, à Amsterdam. Il projetait d'importer la marchandise en l'achetant légalement. Il voulait se spécialiser dans les matrices qui servent à imprimer les estampes, et dans les copies d'antiquités qu'on fabrique toujours à l'ancienne mode. Ce sont de vrais chefs-d'œuvre, j'en ai vu au Japon. Elles sont faites selon les techniques ancestrales. Ici, on peut les vendre trois ou quatre fois le prix qu'elles coûtent à l'achat. Nous aurions pu vivre très convenablement. Je me serais occupée du magasin et lui aurait eu le temps de faire les achats et de continuer ses recherches. Il parlait l'anglais très correctement et voulait écrire des articles dans des magazines artistiques. Seulement les yakusa ne voulaient pas le laisser partir. Ils avaient refusé quand il le leur avait demandé. Il pensait qu'à Amsterdam il ne craindrait rien, il disait qu'il ne voulait plus rien avoir à faire avec eux. Nous étions à la recherche d'un appartement. Ils se mirent alors à le menacer. Moi aussi ils me menacèrent, par l'intermédiaire de mon patron, au restaurant. Ils se contentèrent de simples allusions, mais chez les Japonais il ne faut pas prendre à la légère les sous-entendus.

— Oui, bien sûr », répondit le commissaire.

Il décrocha le téléphone et appela le service de répression des drogues. Peu après, un agent en civil vint chercher la fille pour l'emmener dans une autre aile du bâtiment.

« Téléphonez-moi dès que vous aurez fini, déclara de Gier en arrachant la page de son calepin sur laquelle il venait d'inscrire un numéro. Je vais me renseigner pour savoir l'heure du train et je vous conduirai à la gare. »

Le commissaire se leva en regardant sa montre. « Parfait, dit-il à de Gier. Cardozo prendra le train avec elle et s'installera dans le compartiment voisin. Ma nièce ira la chercher pour la conduire chez elle. Comment fait-on pour vos bagages, mademoiselle ?

— Je n'emporte rien. J'ai mon argent sur moi, en liquide ; c'est une somme rondelette. J'avais un bon salaire et j'ai fait des économies. Je m'achèterai d'autres vêtements. Vous me préviendrez quand mon nouveau passeport sera prêt ? J'ai des photos d'identité sur moi.

— Bien, fit le commissaire en rangeant les photos dans son tiroir. Ça ne devrait pas prendre très longtemps ; vous feriez mieux de me laisser votre passeport, je le donnerai à l'ambassade américaine. »

« Il se peut que vous soyez en train de vous fourrer dans un drôle de pétrin, monsieur, fit remarquer Grijpstra quand la fille eut quitté la pièce et que le commissaire eut rappelé sa nièce pour lui donner l'horaire des trains. La fille ment peut-être comme une arracheuse de dents. »

Le commissaire fit la grimace. « Vous pensez vraiment ce que vous dites, adjudant ?

— Non, avoua Grijpstra ; j'ai plutôt tendance à la croire. En outre il y avait du sang dans la voiture. Quelqu'un est mort, sans aucun doute.

— Peut-être est-ce elle qui l'a tué, suggéra de Gier, et qu'elle nous a raconté toutes ces salades pour nous lancer sur une fausse piste. Il est déjà arrivé que des assassins soient venus nous voir.

— C'est ce que vous pensez, de Gier ?

— Non, monsieur, je n'y crois pas. Je pense qu'elle nous a dit la vérité, mais je me suis souvent trompé, tout le monde le sait.

— Bien, poursuivit le commissaire ; n'importe comment, pour le moment, elle va rester chez ma nièce qui n'est pas née de la dernière pluie. Elle a longtemps vécu à Hong Kong avec son mari qui était à la tête d'une entreprise commerciale. Pendant la guerre, les Japonais l'ont internée dans un camp réservé aux femmes et aux enfants. Ma nièce était le porte-parole des prisonniers et les Japonais n'avaient affaire qu'à elle, de sorte qu'elle parle un peu japonais. Si Mlle Andrews se trahit tandis qu'elle sera chez ma nièce, celle-ci le remarquera tout de suite ; et, sur place, la police pourra toujours jeter un coup d'œil sur la maison. Je les appellerai plus tard dans la journée.

— Ah, fit Grijpstra, voilà qui change tout. D'ailleurs elle n'a plus son passeport, elle ne peut donc pas se cavaler. Vous pensez que les Américains nous donneront un coup de main ?

— Certainement. Surtout si cette information relative au trafic de drogues dures en Allemagne s'avère exacte ; ils nous seront reconnaissants. Ils savent que la drogue transite par Amsterdam avant d'arriver aux bases militaires situées près de Cologne et de Bonn, or la C.I.A. a pour mission de mettre fin à ce trafic. Ils travaillent en étroite collaboration avec nous.

— Si Cardozo voyage avec la fille, je ferais bien de m'occuper des détectives ce soir, intervint de Gier. Je vais leur donner des copies du deuxième instantané. Nous pouvons nous lancer à la poursuite de ces deux barjots, mais je doute fort que nous soyons en mesure de les arrêter. Ils doivent avoir pris un vol des Japanese Air Lines pour Tokyo. Il faut agir rapidement, monsieur. Faut-il alerter la police militaire de l'aéroport ?

— Oui, mais les suspects vont probablement rentrer chez eux via Bruxelles ou Paris et il est trop tard pour prévenir la police belge et française ; cela dit, nous pouvons toujours essayer par télex. Pourquoi ne vous chargeriez-vous pas de tout ça, de Gier ? Moi, je vais essayer de joindre le ministère des Affaires étrangères, l'affaire peut les intéresser. Je vais également contacter le consul japonais en poste à Amsterdam. Grijpstra, vous conduirez la fille à la gare et plus tard dans la soirée vous pourrez également fouiner un peu partout. Voyez si nous avons quelque chose sur le gérant de ce restaurant. De toute façon vous irez le cuisiner. Nous devons secouer le cocotier.

— A vos ordres, monsieur », dirent les détectives en sortant.
A nouveau, le commissaire décrocha son téléphone.

« Une affaire qui concerne le Japon ? s'exclama un employé du ministère des Affaires étrangères. Notre ambassadeur au Japon est ici pour quelques jours ; peut-être aimeriez-vous lui parler, monsieur ? Il est quelque part dans l'immeuble, je vais essayer de savoir où.

— C'est très aimable à vous », répliqua le commissaire, résigné à patienter un bon moment. Toutes les deux minutes, le fonctionnaire lui déclarait qu'il s'efforçait de trouver l'ambassadeur. Le commissaire attendit en fumant un cigare et en contemplant les plantes sur le rebord de la fenêtre. Le géranium se portait décidément très bien ; il y avait deux nouvelles branches depuis le mois dernier, les feuilles ainsi que les fleurs rouges étaient en parfaite santé.

« Commissaire ? fit une voix basse.
— Oui.
— Je suis l'ambassadeur. Que puis-je pour vous ? »

Le commissaire fit le point de la situation et l'ambassadeur ne l'interrompit que pour lui poser quelques brèves questions. « Je suis d'accord, dit-il finalement. Tout ceci est très intéressant, et pas simplement à cause du meurtre. Nous tenons peut-être là notre chance, l'occasion que j'attends depuis bien longtemps. Pouvez-vous vous rendre à La Haye ? Ce soir, éventuellement ? Nous pourrions dîner quelque part. »

Le commissaire se frotta les jambes. La douleur n'était pas intolérable.

« Volontiers.

— Je vous attendrai au ministère, en bas, dans le vestibule, à sept heures. A quoi ressemblez-vous, commissaire ?

— Je suis chétif et vieux ; je boiterai probablement.

— Parfait », répondit l'ambassadeur.

Le commissaire composa le numéro de l'ambassade américaine.

« Mr. Johnson, je vous prie.

— Qui dois-je annoncer ? demanda le standardiste.

— Son oncle à héritage.

— Très bien, monsieur, un instant s'il vous plaît. »

Johnson était fébrile. Le code qu'avait utilisé le commissaire signifiait « drogue » et « police », ils prirent rendez-vous pour le matin suivant. Johnson viendrait à Amsterdam. Le commissaire fit la grimace en raccrochant. « Quels mômes, murmura-t-il, il faut entrer dans leur jeu. Il n'y a sûrement pas d'écoutes téléphoniques sur sa ligne, mais jamais il ne dira quoi que ce soit de compromettant. Je suis persuadé qu'il y a un Russe sous le tapis et un Chinois encastré dans le plafond. " Oncle à héritage ". Et je n'ai même pas pu lui dire qu'il était également question d'un assassinat ; j'ignore le nom de code pour assassinat. Il y en a sûrement un. " Poisson ", ou quelque chose comme ça. L'oncle à héritage a mangé du poisson. Bof. »

Il était toujours d'excellente humeur en mettant son chapeau. Il était certain que les Russes connaissaient le code. Dans l'espionnage, on vend généralement les codes avant même qu'ils ne soient distribués.

Il étouffa un rire en pénétrant dans la cour où était garée sa Citroën noire, juste à côté de la BMW blanche de M. Nagai qu'on avait mise là pour l'expertise. Un sergent en uniforme le salua mais le commissaire ne le remarqua pas.

« Dès qu'on coud leur première étoile sur leurs épaulettes ils deviennent tous complètement cinglés, se dit le sergent. C'est une bonne chose que les sergents soient responsables des gardiens de la paix. »

4

Assis derrière son bureau, Grijpstra lisait un rapport qu'un agent venait d'apporter. Il était question d'une affaire classée depuis des mois. D'un air renfrogné, Grijpstra en prit connaissance ; il soupira en fronçant les sourcils, relut le rapport, et d'un geste vif balaya son bureau. Il se ravisa, ramassa les feuillets, les froissa et les lança en direction de la corbeille à papiers, qu'il rata ; il se leva et, d'un coup de pied rageur, envoya la boulette derrière le bureau de De Gier.

« Japonais, grogna-t-il. JA-PO-NAIS. Et c'est ici qu'ils viennent s'entretuer. Pourquoi ici ? Ils ont bien un pays, non ? Est-ce que nous, nous allons foutre la pagaille au Japon ? »

Il ramassa ses baguettes, entama un roulement sur sa grosse caisse et le termina par un léger coup de cymbale. Il inclina la tête pour mieux écouter. De nouveau il effleura la cymbale, d'une façon hésitante, tandis qu'il frappait la caisse claire.

« De plus, elle m'a donné une lettre de recommandation pour le restaurant, dit-il à haute voix, et il va falloir que j'y aille pour mettre à l'épreuve le gérant, un yakusa, c'est-à-dire un gangster, et les gangsters sont dangereux ! » Il reposa ses baguettes et se cala au fond de sa chaise en fermant les yeux. Il essaya de mettre de l'ordre dans ses pensées, mais il faisait si chaud dans la pièce que bien vite il se mit à somnoler. En Extrême-Orient, il est bien connu que les gens parviennent à leurs fins par des chemins détournés. Tout le monde sait que les Japonais sont intelligents et qu'ils débordent d'énergie. Pourquoi diable lui avait-elle donné ce bout de papier ? Ça lui permettrait d'avoir un repas à l'œil, mais le restaurateur lirait la note car, bien entendu, la fille qui l'accueillerait à la porte s'empresserait de la lui apporter dans son bureau. Or, le gérant savait pertinemment bien que sa ravissante hôtesse, Joanne Andrews, avait filé à l'anglaise. Il était également au courant que Kikuji Nagai, le petit ami de sa ravissante hôtesse, avait été assassiné. Alors voilà que brusquement, vêtu d'un complet rayé et d'une cravate grise, débarquait un homme corpulent qui avait un pistolet à la ceinture et qui venait manger à l'œil, simplement parce que la fille qui avait disparu lui en avait donné la possibilité. Le gérant ne se montrerait sûrement pas hostile, il s'acquitterait de cette note, véritable lettre de change, mais ensuite, que se passerait-il ? Le gérant aurait-il le culot d'entreprendre quoi que ce soit contre un représentant de l'ordre ? Grijpstra secoua la tête d'une façon indolente.

Une demi-heure plus tard, lorsque de Gier fit irruption dans le bureau, Grijpstra était affalé sur sa chaise, les mains croisées sur son gros ventre et la bouche légèrement ouverte. De Gier s'arrêta net et regarda son collègue en hochant la tête. La moustache de Grijpstra se soulevait et s'affaissait au rythme de sa respiration tandis que de ses lèvres sortaient des sons inarticulés.

« Ho ! » s'écria de Gier. Grijpstra était profondément endormi. De Gier s'avança sur la pointe des pieds jusqu'à la batterie et s'empara d'une baguette.

« Oui ? demanda Grijpstra lorsque de Gier eut assené un coup de baguette sur l'un des disques de la cymbale à double coulisse. Que se passe-t-il, sergent ? Quelque chose d'urgent ?

— Non, rien de spécial. Il se trouve simplement que je me suis tué à la tâche pendant que tu étais en train de piquer un roupillon ici. Pourquoi n'es-tu pas au travail ? La municipalité t'octroie un salaire, tu l'ignores peut-être ?

— Ah bon ? répliqua Grijpstra. Je pensais qu'ils me faisaient simplement l'aumône. L'autre jour, je discutais avec un éboueur ; il gagne autant que moi.

— Il n'y a plus d'éboueurs désormais, expliqua de Gier en essayant d'allumer son briquet aussi cabossé qu'antédiluvien. A présent, il n'y a plus que des spécialistes de la voirie et ils font le même travail que nous, ils s'efforcent d'assainir la voie publique.

— Assainir, souligna Grijpstra en remettant en place la baguette que de Gier avait laissée sur son bureau. Est-ce que tu as jeté un coup d'œil sur les canaux récemment ? Il y a tellement de saletés que les canards doivent crever à coups de bec toute la couche de saloperies avant de trouver un peu d'eau. Il en est de même de la criminalité. L'inspecteur-chef de la vieille ville m'a déclaré qu'ils avaient eu trente-deux attaques à main armée pendant le week-end, rien que dans la rue. »

De Gier haussa les épaules.

« Tu ne me crois pas ? J'ai les rapports ici quelque part, parmi les télex. Tu ne les a pas lus, je parie ? Tu aurais dû, ça fait partie de ton boulot.

— Oui d'accord, mais il y a une grande part d'exagération, tu sais. Il suffit qu'un ivrogne aborde quelqu'un dans la rue, lui dise en bluffant " la bourse ou la vie ", pour qu'on appelle ça attaque à main armée. En fait l'ivrogne a soixante-dix ans et il peut à peine tenir debout. L'autre s'affole, tend à l'ivrogne son porte-monnaie qui ne contient qu'un billet de dix florins et va porter plainte au commissariat. L'ivrogne avait probablement comme " arme " un petit canif, fermé qui plus est.

— Ouais. Quelle heure est-il ?

— C'est indiqué sur ta montre. Il suffit que tu prennes la peine de lever le poignet et de regarder ; à l'heure qu'il est tu devrais être réveillé. »

Grijpstra regarda sa montre. Il était cinq heures. Il se leva et se dirigea vers la porte. « Qu'est-ce qu'on fait pour notre jolie dame ? demanda-t-il en ouvrant la porte.

— Je l'emmène tout de suite à la gare. Cardozo y est déjà. Je la lui ai présentée, comme ça il sait qui il est censé protéger. Le commissaire prend l'affaire vraiment à cœur. Tu crois que les yakusa, ou quel que soit le nom qu'ils se donnent, vont tenter quelque chose contre elle ?

— Je ne pense pas, répondit Grijpstra. Les gradés, c'est fait pour penser, figure-toi. Je vais rentrer chez moi me changer et me raser, et plus tard j'irai au restaurant chinois. Toi, tu es censé essayer de repérer ces deux barjots ce soir, non ? »

De Gier acquiesça.

« Préviens-moi s'il arrive quoi que ce soit. Tu pourras me joindre au restaurant, je t'ai laissé le numéro de téléphone. »

Dehors, il faisait doux et Grijpstra sourit en traversant Leidse Square. Il avait les yeux fixés sur un immense platane qui s'élevait en bordure du square, son feuillage formait une gigantesque voûte, un havre de paix, comme défiant l'intense circulation et la fébrilité qui régnaient au ras du sol. Il était presque sept heures du soir lorsque Grijpstra se planta sous l'arbre. Il regarda alentour, contemplant au passage la sculpture d'inspiration cubiste érigée sous l'arbre quelque trente ans auparavant. Un homme d'un certain âge était assis sur la statue, les jambes ballantes. Il grimaça un sourire lorsque Grijpstra le regarda. Celui-ci sourit en réponse. Il venait de reconnaître le vieil homme : c'était un minable cambrioleur qui commettait des vols à la tire ; il avait passé la moitié de son temps en prison, mais c'était de l'histoire ancienne maintenant.

« Ça va ? » lui demanda-t-il. L'homme sauta à terre et se dirigea vers lui.

« Oui, adjudant, tout est au poil désormais. Et vous ?

— Beaucoup de boulot, dit Grijpstra ; et j'aime pas particulièrement ça ; c'est vraiment une soirée magnifique. Comment ça se passe pour toi ?

— Je suis trop vieux pour être dans le circuit, maintenant. »

Il offrit à Grijpstra une cigarette puis gratta une allumette en tenant la boîte comme s'il eût craint qu'elle n'explosât. Grijpstra prit une bouffée et eut un mal fou pour retenir une grimace. La cigarette était mentholée, comme le pet d'un ours polaire, se dit Grijpstra, tenant la cigarette le plus éloigné possible de lui.

« Ça va vraiment bien pour moi, continua l'homme. J'ai droit à une allocation chômage, et puis j'ai aussi une espèce de boulot. J'ai un cousin qui est gardien au parking du musée, mais comme il picole un peu et qu'il est flemmard, je le remplace de temps en temps.

— Tu te fais de bons pourboires ? » demanda Grijpstra en tirant machinalement une autre bouffée de sa cigarette. Cette fois-ci, il fit franchement la gueule.

« Oui, y'a pas à se plaindre, surtout quand je lave leurs bagnoles.

— C'est vraiment du boulot, dit Grijpstra en souriant avec compréhension.

— Les cambriolages, c'était beaucoup plus de boulot, surtout que je devais penser à tout. Ça me prenait des heures et puis j'oubliais toujours quelque chose sur les lieux, alors il fallait que j'y retourne. C'est bien plus facile de laver les voitures ; tout ce qu'il faut, c'est de l'eau et un chiffon, et une brosse aussi. J'en ai qui sont au poil.

— Eh bien, c'est parfait », dit Grijpstra. Ils n'avaient pas grand-chose d'autre à se dire, alors ils se serrèrent la main et Grijpstra s'en fut.

Le restaurant japonais n'était pas très loin. En suivant le canal, il songeait à de vieux films, des films qu'il avait vus avant la guerre, où il y avait toujours des Japonais. Ils étaient pervers, vivaient dans le luxe ; c'étaient eux qui tiraient les ficelles, ils restaient dans l'ombre tandis que d'autres agissaient et souffraient pour leur compte. Il essaya de se rappeler quel était le vice favori de ces méchants petits hommes jaunes. L'opium probablement. A moins que ce ne fût le chantage et l'extorsion de fonds. Il ne s'en souvenait plus. Il se remémorait vaguement l'image d'un petit homme assis dans un grand fauteuil, le visage à moitié caché par la cigarette qu'il fumait. Lorsque la police avait fait irruption dans la pièce, il s'était enfui par une porte dérobée. Il y avait eu une course poursuite dans les égouts. A la fin, l'homme avait été abattu et il était mort dans les bras de la police. Était-il mort avec, aux lèvres, un sourire machiavélique ?

Grijpstra jeta la cigarette mentholée et s'arrêta pour contempler une mouette qui volait au ras de l'eau. Ce serait marrant d'être dans une situation identique tout à l'heure. Seulement, maintenant, les choses étaient bien différentes. Les portes dérobées n'étaient plus en vogue et il doutait fort que les égouts fussent assez larges pour permettre une chasse à l'homme. Il se consola en songeant qu'il y avait toujours le vice. Il était indubitable qu'on avait tué M. Nagai, cet intellectuel timoré assis dans un fauteuil en rotin avec une pile de livres de poche à ses pieds, et que l'héroïne passait par Amsterdam pour atterrir dans les bases américaines d'Allemagne fédérale pour y semer la dépendance, l'enfer et la mort parmi les jeunes recrues. Il n'ignorait pas que le service de répression des drogues ne saisissait qu'un dixième du trafic total. Haussant les épaules, il reprit sa route ; avec un peu de chance ils pourraient désormais effectuer plus de saisies. Il suffisait d'un tout petit peu de chance, mais s'ils laissaient passer l'occasion, jamais cette chance ne se représenterait. Maintenant les méchants se faisaient appeler yakusa et voilà qu'il allait devoir déjouer leurs pièges diaboliques. Il songea à de Gier qui devait être en train d'éplucher les registres des hôtels et au commissaire qui devait être en route pour La Haye afin d'y rencontrer l'ambassadeur ; la police d'État, quant à elle, devait sillonner les routes à la recherche d'indices qui lui permettent de remonter à la BMW blanche. Il fallait bien que quelqu'un déniche quelque chose de tangible pour qu'on puisse agir.

De nouveau il s'arrêta et leva les yeux sur le fronton d'une étroite maison. Il se trouvait dans une rue latérale à sens unique, il n'y avait pratiquement pas de circulation, et du premier étage de la maison provenait le son mélodieux d'un clavecin. C'était du Bach, un prélude. Il connaissait bien le morceau pour l'avoir écouté quelques mois plus tôt dans le petit appartement de banlieue où logeait de Gier. Cependant, il ne s'agissait point là d'un disque. Celui qui jouait devait être un musicien professionnel, il avait trouvé l'exacte tonalité, respectant la profonde mélancolie du compositeur. « C'est magnifique ! » s'exclama Grijpstra à haute voix lorsqu'il entendit un staccato parfaitement exécuté. Dans l'ensemble, la soirée s'était très bien passée. Sa femme n'était pas à la maison et il avait pu se raser tranquillement. Dans l'armoire, il avait trouvé la chemise qu'il préférait, propre et repassée pour une fois. Puis il avait bu du café en regardant le fuchsia qui fleurissait dans la salle de séjour. Récemment il s'était fait du souci pour la plante, mais désormais l'arbrisseau se portait comme un charme. Une fois dans la rue, il avait passé un agréable moment sous le platane du square. La musique cessa mais Grijpstra ne s'en alla pas. La musique reprit, un concerto italien, allegro cette fois. L'espace entre les notes était pratiquement inexistant, cependant chaque note conservait sa durée propre.

« Ravissant », fit Grijpstra en observant la rue. Il aperçut l'enseigne du restaurant chinois pendue sous une marquise. Sur l'enseigne il n'y avait qu'un simple caractère qu'on avait peint sur fond blanc. Il se dirigea vers le restaurant et, en s'assurant qu'il avait bien la recommandation dans la poche intérieure de son veston, il sentit son pistolet et l'image du méchant, l'homme diabolique du vieux film, lui revint brusquement en mémoire.

« *Irasshai* », fit la fille lorsqu'il se baissa pour passer sous la tenture qui dissimulait partiellement l'entrée du restaurant.

« Je vous demande pardon ? dit Grijpstra.

— Bienvenue », répondit la fille. C'était une Japonaise au visage fin et souriant, elle était vêtue d'un kimono et, d'un signe, elle l'invita à entrer. « Vous avez réservé ?

— J'ai téléphoné pour réserver. Au nom de Grijpstra. On m'a dit qu'il n'y avait pas de table disponible mais que vous vous feriez un plaisir de me conduire au bar.

— Certainement », dit la fille en lui indiquant le fond de la pièce. Il lui tendit la recommandation qu'elle déchiffra rapidement. Ses mains se mirent à trembler et elle se couvrit le visage. Ses yeux en amande s'arrondirent.

« C'est de la part de Mlle Andrews, expliqua Grijpstra. Joanne Andrews. Elle est venue nous voir et m'a remis ce mot. Je devais vous le présenter. »

Il sortit son portefeuille et lui montra sa plaque.

« La police », commenta la fille. Elle avait retrouvé le sourire qu'elle destinait aux clients. « Entrez, je vous en prie, monsieur. Je vais prévenir le gérant de votre présence ; ce soir nous servons des plats très raffinés. Avez-vous déjà goûté la cuisine japonaise ?

— Jamais, mais j'aimerais bien. »

Il regarda autour de lui tandis que la fille accueillait un autre client. Elle était toute petite, une large ceinture en coton maintenait en place le kimono blanc qu'elle avait soigneusement drapé autour de son corps élancé bien que minuscule. Il remarqua les fleurs sur le kimono et s'attarda quelques instants à reluquer la fille. Le vêtement ne mettait pas spécialement en valeur ses formes, mais il devinait la perfection de ses hanches et appréciait la délicatesse de son cou. Il se mit à tortiller le bout de ses moustaches en essayant de ne pas avoir le regard trop lubrique. Il venait de découvrir quelque chose qui l'excitait et l'amusait tout à la fois. On ne les abordait pas de la même façon, mais finalement le résultat était identique. Nous, nous regardons la poitrine et les jambes, eux ils regardent le cou et les hanches.

La fille se tourna vers lui et Grijpstra abandonna ses moustaches. Il s'était repris et il avait de nouveau ce visage paternel qu'il réservait aux jeunes femmes.

« Par ici, je vous prie », dit-elle en le précédant.

Elle glissait sur le sol plus qu'elle ne marchait, elle avait des sandales à semelles compensées et portait des socquettes blanches.

Il s'assit au bar, s'empara du menu mais renonça bien vite à l'étudier. Les mots lui étaient totalement étrangers bien qu'ils fussent traduits en hollandais et en anglais. Il n'arrivait pas à comprendre la différence qu'il y avait entre les mets proposés. Il reposa le menu et observa le décor. Le dessus du bar était constitué d'une épaisse planche en bois, comme celles qu'utilisent les bouchers. Il caressa le bois luisant qui ne présentait aucune aspérité : il était probable qu'on astiquait pratiquement tous les jours le bar, avec de l'huile de lin sans doute. Un jour, il avait bricolé le dessus d'une table de cuisine pour sa femme, il s'était servi d'un bois de même qualité et ça lui avait coûté les yeux de la tête. Il s'était dit que sa femme apprécierait de faire la cuisine sur une surface aussi douce, mais elle n'avait même pas remarqué à quel point il s'était donné du mal et elle avait complètement saboté son travail en posant sur la table des poêles brûlantes qui avaient laissé des ronds brunâtres sur le vernis qu'il avait amoureusement passé pour obtenir des nuances semblables à un velours mordoré.

Derrière le bar, un jeune homme portant une veste blanche de cuisinier préparait une julienne de légumes sur une table. Il coupait des petits oignons si rapidement que c'est à peine si l'on voyait le couteau. Sur un plateau, on avait disposé tout un assortiment de légumes frais, les différentes salades s'harmonisaient pour mieux faire ressortir le rouge des tomates qui avaient l'air de véritables boules de feu. Un autre jeune homme farcissait des boulettes de riz avec des bouts de poisson cru ; Grijpstra salivait. Il adorait manger les harengs de la Baltique dans les petites échoppes qu'on trouvait dans la vieille ville, mais ce poisson-là avait l'air infiniment supérieur au hareng. Qu'est-ce que cela pouvait bien être ? Du merlan, de la morue ou du cabillaud ? Il avala sa salive. Il allait continuer d'observer le manège des professionnels de l'art culinaire japonais lorsqu'il se rappela qu'il était en mission. Il se força à bien examiner le cadre où il se trouvait. L'endroit était haut de plafond et garni d'un lambris qu'assemblaient des lames de bois sensiblement de même couleur. Si les lames de bois avaient été un peu plus sombres, il n'y aurait eu aucune recherche. Grijpstra hocha la tête. « Ils ne lésinent pas sur les détails, dit-il presque à voix haute, vraiment pas. » Il se remémora la démarche aérienne de la fille. Si elle n'avait pas marché sur la pointe des pieds elle aurait eu l'air ridicule, comme les pigeons qui peuplaient les rues d'Amsterdam. Elle, en revanche, savait se servir de son corps avec grâce, sans trop en faire.

Et cependant, lorsqu'ils étaient en guerre, les Japonais en avaient fait beaucoup trop. Il n'y avait aucune raison pour qu'ils ne recommencent pas. Ils avaient bien tué un de leurs compatriotes qui roulait sur l'autoroute. On avait tout simplement actionné la gâchette d'une arme automatique à un mètre de la tête de la victime, peut-être même à dix centimètres, pas plus. Il se pouvait même qu'ils se fussent contentés de presser le canon contre la tête de l'infortuné jeune homme. De nouveau lui revint en mémoire l'image du vieux film, celle qui montrait le Japonais criminel autant que diabolique assis derrière un immense bureau ; il avait les mains jointes et, derrière ses lunettes, ses yeux luisaient d'un éclat démoniaque tandis qu'il ordonnait à ses sbires d'accomplir d'abominables forfaits. Les Japonais n'étaient pas du genre à se rebeller, ils obéissaient au doigt et à l'œil. Les criminels hollandais, eux, avaient des prises de bec avec leurs patrons, ils discutaient sans cesse en lâchant des obscénités et rechignaient à accomplir certaines tâches, voilà pourquoi la criminalité en Hollande n'était pas terrible, en tout cas certainement pas catastrophique.

La fille revint le chercher. « Vous voulez bien me suivre, s'il vous plaît, énonça-t-elle en un curieux mélange d'anglais et de hollandais. Le gérant et sa femme vous attendent à l'étage, dans la pièce réservée aux hôtes de marque. »

Grijpstra fronça les sourcils. Il ne parlait pas très bien anglais bien qu'il se fût donné un mal de chien pour en apprendre les rudiments lorsqu'il avait passé son examen à l'école de police. Son vocabulaire était assez étendu mais il avait des problèmes avec la grammaire et son accent était tellement déplorable que les étrangers avaient du mal à le comprendre. Avec les Japonais, il se pourrait bien que ce soit pire. Le commissaire aurait dû envoyer de Gier, il parlait couramment anglais car il avait passé quelque temps à Londres, il était même allé jusqu'en Cornouailles où il avait aidé la police britannique à arrêter un ressortissant hollandais qui avait écoulé quelques centaines de milliers de florins en utilisant des chéquiers volés. Grijpstra grogna. Le commissaire se plaisait à mettre ses hommes dans des situations qui, a priori, ne leur convenaient pas. Bien entendu, le vieil homme le faisait exprès.

Grijpstra se leva et suivit la fille. Il songea à la théorie qu'un criminologue avait développée pendant le cours du soir des gradés de la police. L'homme est incapable de préméditer ce qu'il fait, avait déclaré l'expert en esquissant un faible sourire, comme s'il voulait s'excuser auprès de son auditoire. Il se trouve simplement confronté à certaines situations et il essaie de s'y adapter d'une façon désordonnée. Ce soir-là, Grijpstra avait été d'accord, mais depuis il avait modifié son jugement. Il existait des hommes capables de créer une situation, de la mettre en scène ; c'est ce que faisait le commissaire, pas systématiquement, mais il pouvait infléchir la loi de cause à effet en la modifiant. Cette faculté étonnante était parfois éprouvante pour les hommes qui travaillaient avec lui, mais cela leur permettait peut-être de s'améliorer.

Grijpstra soupira, il ne tenait pas tant que ça à s'améliorer. Il avait pourtant refusé d'être muté à un poste beaucoup moins fatigant. Il était vaguement question de seconder les gradés responsables de l'entretien des véhicules de la police. Un emploi du temps peinard, de neuf heures du matin à cinq heures de l'après-midi, des congés payés réguliers, et surtout un boulot qui ne posait pas énormément de problèmes : on peut facilement évaluer les pannes que peuvent avoir les voitures et autres cars de police.

En revanche, résoudre un crime n'était pas un travail de tout repos, il fallait enquêter, faire des heures supplémentaires, sans compter les nombreux rebondissements qui pouvaient se produire dans une affaire ; ça durait parfois des semaines. Il avait refusé le boulot facile. Je suis trop faible, pensa-t-il, je n'aurais pas su m'adapter, je préfère la routine. Oui, décidément je suis un faible, je ne demande même pas le divorce. Il y avait pourtant sérieusement songé lorsqu'il rêvait d'une petite chambre tranquille où la télévision ne gueulerait pas et où une grosse dondon ne jacasserait pas à longueur de journée. Mais il avait encore des enfants en bas âge, et il sentait qu'il n'avait pas le droit de les quitter. Dans dix ans, peut-être, lorsqu'ils seraient suffisamment grands. Dix longues années ! En attendant il serait sourd et soignerait des ulcères d'estomac. Il réprima un frisson.

La pièce dans laquelle il pénétra était encore plus luxueuse que l'élégante salle du rez-de-chaussée. La fille s'était agenouillée pour lui délacer ses chaussures. Grijpstra se tenait sur une jambe et s'appuyait à un poteau qui était en fait un arbre dont on avait enlevé l'écorce. Il y avait un poteau identique à l'autre bout de la pièce, juste à côté d'une niche dans le mur qui ressemblait à un placard ouvert. Le mur du fond était peint en blanc et on avait suspendu un tanka [1] devant. Sur le sol, il n'y avait qu'une fleur dans un vase très étroit. Grijpstra examina le tanka : six caractères chinois — les trois premiers étant identiques — avaient été peints sur le tissu.

« Vous aimez ce tanka ? » s'entendit-il demander d'une voix douce. Il baissa les yeux. La Japonaise qui était devant lui avait environ quarante ans ; un large sourire mettait en valeur ses dents en avant presque toutes couronnées d'or. Comme il s'y était attendu, elle parlait anglais et portait également un kimono, mais la couleur en était plus sobre que celui de la fille qui l'avait accueilli dans le restaurant. Le sourire froid et poli qu'elle affichait s'atténua quelque peu lorsqu'elle vit que Grijpstra n'était pas dans son assiette. Son orteil passait à travers le trou de sa chaussette gauche et il tentait de le dissimuler en le couvrant de son pied droit.

1. Court poème japonais. On inscrit les vers (31 syllabes) sur un rouleau de tissu. On trouve aussi des tankas au Népal, mais ce sont plutôt des dessins (mandalas) imprimés sur un brocart. (*N.d.T.*)

« Asseyez-vous, je vous prie », invita la dame en lui désignant une table basse.

Sur le sol, trois coussins — en réalité d'épaisses nattes d'un mètre quatre-vingts de long sur soixante centimètres de large bordées d'une bande de coton imprimé de simples fleurs.

« On appelle cela des *tatamis,* expliqua-t-elle. Nous les importons du Japon, comme tout ce qui est dans cette pièce d'ailleurs. Dans le restaurant, nous nous contentons de ce qu'on peut trouver ici, mais là où vous vous trouvez, tout est authentiquement japonais. »

Il y avait une certaine fierté dans sa voix et Grijpstra en fut quelque peu impressionné. « C'est splendide », dit-il en souriant d'une façon moins crispée.

Il s'assit en tailleur et s'étonna que ce fût aussi confortable. « Non seulement c'est joli, mais en plus on y est très bien », reconnut-il.

Elle acquiesça. « Dans mon pays, on ne saurait vivre sans ces nattes, elles ont exactement la dimension qu'il faut pour dormir, vous voyez ? » Elle désigna la natte qui était à côté de celle de Grijpstra, mais quand elle comprit qu'il ne voyait pas ce qu'elle voulait dire, elle s'étendit par terre, croisa les mains derrière la tête, comme la déesse Maya [1], en fermant les yeux. Elle fit semblant de ronfler et Grijpstra éclata de rire.

Elle se releva en clignant des yeux. « Mon mari est dans la cuisine », dit-elle en faisant un signe à la fille qui venait d'entrer, chargée d'un plateau sur lequel il y avait deux bouteilles de bière et des verres. La fille s'agenouilla gracieusement et déposa le plateau sur la table. Elle se releva et quitta la pièce, non sans s'être au préalable agenouillée devant la porte à glissière avant de l'ouvrir.

Grijpstra avait observé son manège ; il se tourna vers son hôtesse. « C'est toujours comme ça qu'elles sortent ? s'étonna-t-il.

— C'est la coutume, mais maintenant les jeunes Japonaises ne l'observent plus », soupira-t-elle en débouchant une bouteille. Elle versa la bière avec précaution dans son verre. Il lui rendit la pareille et ils trinquèrent avant de boire.

Il s'essuya la bouche et la moustache. « Qu'est-ce que ça veut dire ? » demanda-t-il en désignant le tanka.

Le rictus tenant lieu de sourire qu'elle arborait jusqu'alors se transforma en un sourire très doux. Ses dents de cheval ne choquaient

1. Déesse extrême-orientale de l'illusion et de l'allusion, souvent représentée allongée, ses bras potelés croisés derrière la tête ; célèbre pour ses ronflements cosmiques. (*N.d.T.*)

plus Grijpstra. De toute évidence la glace était rompue, il s'établissait même un certain contact entre eux.

« C'est un poème, un poème chinois. Cela veut dire " pas à pas, pas à pas, pas à pas, dans la fraîcheur du matin, la brise ". »

Grijpstra répéta les mots. Il en aimait la consonance et tenta de saisir le message. Elle l'observait attentivement par-dessus le rebord de son verre.

« C'est en montant que vous appréciez la fraîcheur du vent ? proposa-t-il.

— Ça pourrait être ça, dit-elle en buvant une gorgée. Ça pourrait aussi bien être autre chose.

— Humm », fit Grijpstra en sortant ses cigares. Elle se pencha par-dessus la table et lui donna du feu.

« Pas à pas, reprit Grijpstra, aller lentement afin d'apprécier chacun de ses pas. »

Cette fois elle acquiesça plus franchement. « C'est à peu près ça... Avez-vous consulté le menu ? »

Grijpstra fit la grimace. « Oui, mais je n'ai rien compris.

— Puis-je me permettre de vous suggérer quelques plats ?

— Avec plaisir. J'aimerais bien qu'il y en ait un avec du poisson cru. Au bar j'ai observé l'un de vos cuisiniers en découper un.

— *Susshi,* précisa-t-elle. Vous pourriez en prendre un assortiment ainsi qu'un peu de potage. Est-ce que vous avez très faim ?

— Il fait trop chaud pour avoir vraiment faim ; cela dit, j'aimerais bien goûter au poisson cru. »

Elle appela la fille qui, agenouillée à la porte, attendait les ordres ; chaque fois que la dame lui parlait, en japonais, la fille répondait « hai, hai » d'une voix forte. Puis elle disparut.

« Ça veut dire oui, hai ? »

Elle secoua la tête imperceptiblement. « Pas tout à fait. Ça veut dire, je suis là, à votre disposition.

— Et je ferai ce qu'on me dira de faire », ajouta Grijpstra. Elle étouffa un petit gloussement. « Oui, mais il leur arrive de faire des choses entièrement différentes.

— Elle ne va pas apporter de poisson ? » demanda Grijpstra, subitement inquiet.

Cette fois-ci elle éclata franchement de rire et, se penchant par-dessus la table, elle lui donna une tape amicale sur l'épaule. « Rassurez-vous, elle vous apportera le poisson. On dirait que vous êtes très attiré par le poisson, non ? »

Prenant un air sérieux, il sortit son calepin. « Je suis un détective de la police et j'aimerais bien vous poser quelques questions ; j'espère que vous n'y voyez pas d'inconvénients.

— Non, aucun. Je m'appelle Mme Fujitani, mon mari et moi nous gérons ce restaurant. Il ne va pas tarder à arriver mais il est en train de préparer un plat très particulier qui requiert toute son attention. Je suppose que vous enquêtez sur la prétendue disparition du fiancé de Joanne Andrews ?

— Exactement, madame », répondit-il. Elle lui épela son nom qu'il inscrivit soigneusement sur son calepin.

« Il n'est peut-être rien arrivé, dit avec optimisme Mme Fujitani. Il est possible que M. Nagai soit en train de se donner du bon temps quelque part et qu'il ne tarde pas à reparaître.

— C'est ce que nous pensions, nous aussi, répliqua Grijpstra, mais nous avons la preuve du contraire. Nous avons retrouvé sa voiture, voyez-vous, et dedans il y a du sang et un fragment de boîte cranienne sur lequel sont restés attachés des cheveux noirs. On a abattu quelqu'un dans cette voiture. »

Il la regarda attentivement. La réaction d'effroi qu'elle eut ne semblait pas simulée. Il ne pensait pas que Mme Fujitani s'attendît à ce que l'homme fût mort. Elle le contemplait fixement, les yeux exorbités, sa respiration s'était considérablement accélérée et elle serrait les mains convulsivement. A tel point que les jointures en étaient blanches.

« Est-ce que vous avez la moindre idée de l'identité de celui qui aurait bien pu vouloir tuer M. Nagai ? lui demanda-t-il gentiment.

— Ainsi voilà pourquoi Joanne n'est pas venue aujourd'hui, répondit Mme Fujitani. J'ai téléphoné à sa logeuse. Elle m'a dit que, ces derniers temps, Joanne était nerveuse, très nerveuse. »

Grijpstra répéta sa question. Elle secoua la tête en signe de dénégation et il y avait des larmes dans ses petits yeux sombres. « Vous aimiez bien M. Nagai ? »

Elle acquiesça. « Oh oui, il était tellement gentil. Une fois, il y a un an je crois, il avait trop bu dans le restaurant et il provoquait les clients. Vous voyez le genre, il allait à leur table pour essayer d'entrer en conversation avec eux. Mon mari a dû lui indiquer la sortie mais il n'a fait aucun scandale. Il s'en est allé tout simplement, mais par la suite il avait honte de revenir ici. Il a fallu que j'aille à son hôtel et il pleurait presque, tellement il était gêné.

— Et il est revenu ?

— Oui. Il m'a apporté des fleurs et il nous a donné une statuette d'une grande valeur. Elle se trouve là-bas. »

Elle désigna une table basse laquée. Grijpstra se leva et massa ses jambes engourdies. La statue représentait un vieillard trapu avec un énorme crâne chauve ; ses épais sourcils recouvraient ses yeux exorbités. Le petit corps accroupi semblait dégager une énergie considérable. « Eh bien ! » fit Grijpstra en reculant devant le visage au regard féroce.

Mme Fujitani étouffa un petit rire. « C'est Darumasan, expliqua-t-elle, le premier maître Zen, il était très puissant.

— Un prêtre ? s'étonna Grijpstra. Les prêtres ne sont-ils pas censés avoir l'air bienveillant et sacré ?

— C'était un saint, si vous voulez, dit Mme Fujitani en s'inclinant vers la statue avec déférence. *Daruma* veut dire " enseignement ", *san* signifie " monsieur " autrement dit, " Monsieur l'Enseignement. "

— Qu'enseignait-il donc ? demanda Grijpstra en contemplant la fureur qui se lisait sur le visage du vieillard.

— Le bouddhisme, mais je n'y connais pas grand-chose. Mon mari et moi sommes chrétiens, méthodistes, pourtant j'aime regarder cette statue. C'était très gentil de la part de M. Nagai de nous l'offrir ; elle constitue le centre de la pièce à présent. »

La fille entra chargée d'un grand plateau sur lequel il y avait le susshi et on expliqua à Grijpstra comment mélanger une sauce dans un petit bol pour y tremper le poisson cru et le riz en se servant des baguettes. Les baguettes ne lui posèrent aucun problème, il s'en était servi très souvent dans le restaurant chinois bon marché de la vieille ville. Après le susshi, elle lui donna un bol de nouilles garnies de légumes frits et lui versa du saké, l'alcool de riz japonais.

M. Fujitani entra deux fois dans la pièce, mais il n'y resta que quelques minutes en s'excusant : le restaurant était plein et il avait fort à faire derrière le comptoir, il fallait qu'il prépare les spécialités maison et qu'il surveille le personnel. Il était petit, devait avoir dans les quarante-cinq ans, il clignait nerveusement des paupières derrière ses lunettes embuées.

« Une bien brave jeune fille, n'arrêtait-il pas de répéter lorsque Grijpstra lui posait des questions sur Joanne Andrews. Vous pensez qu'elle ne reviendra pas ici ? C'était pourtant une bonne hôtesse d'accueil, très efficace. » Il avait un débit très rapide, comme s'il prononçait les mots en rafale.

« Non, répondit Grijpstra. Je pense que vous ne la reverrez pas. Elle n'arrive pas à se remettre de la mort de son petit ami. Elle semble certaine qu'on l'a vraiment tué, nous n'avons pas encore trouvé le cadavre. A votre avis, monsieur Fujitani, qui aurait bien pu vouloir le tuer ? »

M. Fujitani se contenta de s'incliner en disant « *Saaaaah* » ; il secouait la tête, l'air extrêmement étonné.

« Quand l'avez-vous vu pour la dernière fois ? »

Pour toute réponse, M. Fujitani se contenta de répéter « Saaaah » en secouant la tête. Grijpstra regarda Mme Fujitani, mais elle calquait son attitude sur celle de son mari. On aurait dit deux jouets dont on aurait remonté le ressort.

« Faites un effort, essayez de vous rappeler, dit Grijpstra d'un ton conciliant.

— Eh bien non, répliqua Mme Fujitani. Je n'en suis vraiment pas certaine. Il y a quelques jours, je suppose. Il est effectivement venu ici, mais nous avons tant à faire et si peu de personnel — en fait il n'y a que deux apprentis en cuisine et, entre la préparation des plats et la vaisselle, ils n'arrivent pas à s'en sortir, ce qui fait que nous sommes obligés de leur donner un coup de main. Il y a énormément de Japonais qui viennent ici, nous les connaissons presque tous, échangeons quelques mots avec eux et tout est dit, nous n'en gardons qu'un souvenir très vague. Nous avons un travail fou.

— Je n'en doute pas », répondit Grijpstra.

Il songeait à la brigade des stupéfiants qui déléguerait des détectives pour essayer de repérer les officiers de marine marchande japonais et hollandais décrits par Joanne ; ils goûteraient bientôt à la cuisine japonaise, eux aussi. Il se demanda qui on choisirait, il aurait bien aimé en faire partie. Décidément la nourriture est vraiment excellente, se dit-il en regardant le contenu de son bol. Il en profita pour prendre un gros champignon grâce à ses baguettes laquées.

Une des servantes entra dans la pièce et dit quelques mots à Mme Fujitani.

« Il y a un coup de téléphone pour vous, déclara-t-elle. Voulez-vous prendre la communication ici ?

— Volontiers », répondit Grijpstra en saisissant le téléphone qu'elle lui tendit après avoir appuyé sur une touche.

« De Gier à l'appareil, fit la voix à l'autre bout du fil. C'est bon ce que tu manges ? Tu ne t'ennuies pas trop ?

— C'est très bon et l'endroit est magnifique. J'ai du mal à croire que je suis à Amsterdam. Tu devrais vraiment venir voir ça. »

Grijpstra regarda Mme Fujitani qui était tout sourire bien qu'elle eût les yeux encore humides. Il se demanda si elle avait une réelle affection pour M. Nagai ou pour Joanne Andrews.

« Nous avons mis la main sur les deux barjots, reprit de Gier. Ils regardaient la télévision, assis dans leur chambre d'hôtel. Ils déclarent qu'ils n'ont pas la moindre idée de ce dont nous voulons parler. Il y en a un des deux qui parle un peu anglais ; demain nous pourrons peut-être avoir un interprète. Il n'y avait rien dans leur chambre, ni armes à feu, ni peintures, ni sculptures, ni drogues. Leurs papiers sont en règle et ils disent qu'ils sont venus passer deux semaines de vacances à Amsterdam.

— Et qu'est-ce qu'ils font comme travail ?

— Ce sont des représentants de commerce, paraît-il. Ils représentent un laboratoire de produits chimiques à Kobé, quelque chose de très important, j'ai pris le nom de la boîte. On leur a offert le voyage en guise de prime parce qu'ils avaient dépassé le quota des ventes qu'ils étaient censés faire, ou un truc comme ça.

— Vous les avez arrêtés ?

— Bien sûr. La police d'État a quelque chose contre eux, pas grand-chose mais ça peut tenir. Un Japonais a acheté une pelle dans une boutique à côté de l'entrée de l'autoroute qui mène à Utrecht. Il conduisait une BMW blanche ; le marchand se souvient de la voiture. Il y a même un villageois qui se rappelle avoir remarqué un Japonais qui essayait de nettoyer la garniture intérieure d'une BMW blanche. Il avait garé la voiture dans un champ, à côté d'un étang, et il frottait la banquette avant avec une serviette ou un chiffon à poussière qu'il trempait dans l'étang.

— Ils n'ont vu qu'un seul homme ? s'inquiéta Grijpstra.

— Oui, mais je suppose que l'autre ne devait pas être bien loin. Il attendait peut-être tout simplement dans la voiture. Les témoins ne sont pas très précis. On les a convoqués demain pour qu'ils voient les suspects. Les barjots sont là, avec moi, au Quartier général.

— Est-ce qu'ils ont l'air inquiets ?

— Non, pas particulièrement. Ils demandent à voir leur consul. Je lui ai téléphoné mais il était sorti, alors je le rappellerai demain matin. Quant aux deux rigolos, ils sourient en n'arrêtant pas de hocher la tête en faisant " Saaaaah ".

— Je sais, dit Grijpstra. Moi aussi, j'ai entendu ça. Je me demande si ça veut dire quelque chose.

— Probablement " je ne sais pas ", proposa de Gier. Est-ce que tu as bientôt fini ? Nous pourrions aller prendre un pot, non ?

— Il n'en est pas question. Je vais rentrer chez moi à pied et rien ne me fera changer d'avis.

— Merci toujours, fit de Gier.

— Un peu plus loin dans cette rue, il y a quelqu'un qui joue du Bach sur un clavecin, dit Grijpstra d'un ton ravi. Quelque chose de triste avec un rythme feutré et joyeux à la fois ; ça repart au moment où l'on s'y attend le moins. C'est très léger, je pense que tu pourrais le jouer ; d'ailleurs, tu as le disque sur lequel il y a ce morceau, mais je n'avais pas écouté très attentivement quand tu me l'avais fait entendre. C'est une musique précieuse, ça commence par *tee tââ pom pom* et ça continue par un passage très mélancolique ; en le jouant de la main gauche, je crois que je pourrais le faire en balayant mes toms [1].

— Effectivement, je me souviens, c'était un prélude. Mais par la suite ça devient très compliqué, tu sais. Je pourrais peut-être en jouer une partie, mais pour ça encore faudrait-il que je sois capable de lire la partition.

— Mon cul, oui. Je viens de l'écouter à l'instant. Nous ne sommes pas forcés de jouer la partie la plus compliquée dans la mesure où nous nous en tenons à la partie la plus discrète, aérienne si tu préfères, et au *tee tââ pom pom*. Je vais te le chanter, tu comprendras mieux. »

Grijpstra se mit à fredonner.

Mme Fujitani le regardait, elle ne souriait plus mais affichait le plus grand calme.

« Ça y est, fit de Gier. Ça me revient. En l'écoutant, j'ai toujours eu en tête l'image d'un homme qui traverse un lac dans une barque. Il laisse tout derrière lui et ça le rend triste, mais il est sur le point de

1. Batterie : se compose d'une cymbale à double coulisse, d'une caisse claire, de baguettes en bois, de toms et d'une grosse caisse ; les toms sont entre la grosse caisse et la caisse claire, suivant leur dimension. On utilise aussi des balais métalliques. (*N.d.T.*)

connaître une grande passion amoureuse ; c'est ce vers quoi il tend, enfin, c'est pour cela qu'il traverse le lac.

— C'est ça, poursuivit Grijpstra. La mort. L'homme est en train de mourir, peut-être même qu'il est déjà mort. Il vogue sur un lac complètement noir, mais il y a comme une lueur, un reflet argenté. Tu sais quoi ? On n'a qu'à se voir au Quartier général. Est-ce que tu as ta flûte sur toi ?

— Évidemment, mais ne tarde pas trop. En attendant, je vais essayer de reconstituer le morceau. En ce moment même, je suis en train de m'en rappeler la fin. C'est grandiose et je me sens capable de le jouer, à condition toutefois que tu puisses balayer tes caisses de la main gauche. Ça représente le dernier argument de cet homme avant sa rencontre avec son destin.

— Je vais prendre le tramway, dit Grijpstra. Rendez-vous dans quinze, vingt minutes.

— Faudra pas trop s'attarder. Esther doit venir me voir vers onze heures. Elle devait donner un cours du soir aujourd'hui.

— Entendu », fit Grijpstra en raccrochant.

« C'était très joli ce que vous chantiez, déclara Mme Fujitani. Voulez-vous un café avant de partir ?

— Chanter ? Ah oui, effectivement. Mais c'est impossible, je suis bien incapable de chanter du Bach. Vous aimez la musique, madame Fujitani ?

— Je joue du koto, dit-elle ; c'est une sorte de guitare. Je n'en joue pas très bien mais je l'avais étudié quand j'étais enfant et il m'arrive d'en jouer pour mon mari quand il est très fatigué ou s'il a des problèmes. Ici, dans cette pièce.

— J'aimerais bien vous entendre si l'occasion se présente », dit Grijpstra en tentant de se lever, mais il avait des crampes dans les jambes ; il se massa frénétiquement, ce qui ne servit pas à grand-chose, et il dut se résoudre à attendre que ses muscles ne soient plus tétanisés.

« Je suis désolée, déclara Mme Fujitani, mais il n'y a pas de chaises dans cette pièce, cela n'irait pas dans ce cadre. J'aurais dû vous faire servir en bas, mais le restaurant est tellement bruyant en ce moment...

— Ça va bien, répondit Grijpstra, et il réussit finalement à se mettre debout. Je vous remercie mais je n'ai pas le temps de prendre un café. Nous avons des suspects au Quartier général ; il va peut-être falloir les interroger ce soir. D'ailleurs, il est possible qu'on vous convoque au commissariat demain. Je crois que les deux suspects avaient l'habitude de venir prendre leurs repas ici, vous pourrez peut-être nous fournir des informations utiles.

— Saaaah », fit Mme Fujitani en lui serrant la main.

5

« On dirait un épicier », songea le commissaire en s'asseyant en face de l'ambassadeur, en bout de table, dans le restaurant qui était probablement le plus cher de La Haye. La salle était calme et les serveurs étaient en habit. Impeccables dans leur chemise empesée et leur pantalon rayé, ils marchaient à pas feutrés, attentifs au moindre désir des clients, c'est à peine s'ils ne les devançaient pas. Ils étaient tous âgés; l'un d'eux semblait même tituber sous le poids du petit plateau d'argent qu'il portait et sur lequel il n'y avait pourtant que deux verres tulipes remplis de genièvre. L'alcool était si froid qu'il semblait que les verres étaient givrés. Encore une tradition qui allait se perdre, se dit le commissaire. Il y aurait bientôt une nouvelle génération de serveurs qui ne viendraient pas quand vous les appelleriez et qui vous désigneraient le comptoir du self en vous demandant si vous avez des varices ou si vous ne savez pas faire la queue, au cas où vous rouspéteriez.

Il soupira en regardant l'ambassadeur qui levait son verre. Il murmura quelque chose d'indistinct, l'ambassadeur fit de même et ils reposèrent leurs verres après avoir savouré une gorgée d'alcool. L'ambassadeur était grand et chauve, il portait des lunettes cerclées d'or. Il avait un visage très doux, mais lorsqu'il regarda le commissaire droit dans les yeux, celui-ci se dit qu'il y avait quelque intelligence dans ces calmes yeux verts qui le scrutaient.

Ils se rapprochèrent l'un de l'autre discrètement, finirent leurs verres et en commandèrent d'autres tandis qu'ils étudiaient le menu, une douzaine de pages manuscrites de spécialités maison. Les prix n'étaient pas indiqués sur celui du commissaire, qui jeta un regard discret sur le menu de l'ambassadeur, et il réprima un frisson. Pour payer le repas, il leur faudrait plus d'argent que n'en emportait son plus jeune fils pour passer des vacances en France, et pourtant le jeune garçon comptait bien y rester trois semaines. Manger, songea le commissaire, un plaisir de vieil homme, mais au fond de lui il n'était pas dans son assiette.

Il avait toujours douté de la valeur de l'argent, ni la richesse ni la pauvreté ne l'avaient jamais beaucoup impressionné. Il avait cependant connu les deux. Pendant la guerre, il avait appris ce qu'était la famine. Et puis, il avait hérité d'un oncle et il avait dépensé tout son argent à Paris, en faisant la fête pendant quelques semaines de démesure. Il avait loué une voiture de sport blanche et pris une suite dans un hôtel de luxe dont la salle de bains était plus spacieuse que son appartement d'Amsterdam, du moins celui qu'il avait à l'époque. Il avait délibérément choisi de claquer son argent en vacances et en deux temps trois mouvements. Son frère, lui, avait investi sa part d'une façon intelligente et sage ; maintenant il était riche, il vivait en Suisse, dans une grande maison, il buvait trop de vin et avait des problèmes de santé.

« A la vôtre, fit le commissaire en levant son verre. A la bonne vôtre. » Il souriait à l'ambassadeur.

Il y eut comme un éclair de complicité dans les yeux de son vis-à-vis, l'ambassadeur n'en était pas à un apéritif près.

« Je vous remercie, qu'il en aille de même pour vous. Ainsi nous avons sur les bras un cadavre, japonais semble-t-il ; de plus cette mort semble avoir un lien avec les yakusa, le trafic d'objets d'art volés et la drogue. Votre affaire ne manque pas d'intérêt, je dirais même que ça m'arrange ; nous avons enfin l'occasion de montrer que nous ne sommes pas des ingrats.

— Des ingrats ? reprit le commissaire en passant sa commande au maître d'hôtel.

— Exactement. Bien entendu, vous allez résoudre cette affaire, je n'en doute pas. On arrêtera le ou les tueurs et on les traduira en justice. Cela dit, il y a autre chose en jeu. Cette histoire va nous donner l'occasion de prouver notre reconnaissance aux Japonais. Nous leur devons quelque chose et ça remonte à 1635 ou 1636, je ne sais plus exactement, ma mémoire me joue des tours.

— Ça ne date pas d'hier », commenta le commissaire.

Comme s'il voulait invoquer la métaphysique, l'ambassadeur fit un ample mouvement du bras. « Qu'est-ce que le temps ? En 1635 c'était “ maintenant ”, non ? Et en l'an 2000 ce sera “ maintenant ”, d'ici peu, si nous sommes encore en vie. Bien entendu, vous et moi ne verrons pas l'an 2000, je parle des autres, de la majorité des gens.

Oui, mais peut-être que d'ici là la planète aura explosé, ou qu'elle aura été dévastée par les déchets d'uranium et autres résidus atomiques, à moins qu'à force de napalm et de rayons lasers déviés on ne s'arrange pour supprimer toute existence ; vous êtes sartrien, je le sais ; moi je suis plutôt heideggerien ; lorsque vous étiez aux noces de Maya, j'étais à l'enterrement de Sartre. Ça ne serait pas si mal que la planète explose.

— Vous le pensez vraiment ? demanda le commissaire par politesse.

— C'est une idée fantastique », répliqua l'ambassadeur. Le sujet le passionnait de plus en plus tandis qu'il touillait sa soupe avec une petite cuillère. « Imaginez simplement une boule de pierre qui continuerait à tourner autour du soleil pendant un billion d'années, ou quelque chose d'équivalent ; il y a même une proposition encore plus intéressante : plutôt qu'un solide, une boule, un espace vide que la terre aurait comblé, l'ex-terre en milieu extraterrestre. Le vide m'a toujours fasciné, probablement parce que j'ai passé un temps fou en Extrême-Orient. Là-bas, toutes les philosophies, à l'exception du confucianisme bien entendu, sont centrées sur la vacuité. Le confucianisme n'étant pas à proprement parler une philosophie mais bien plutôt un ensemble de règles, je veux parler des philosophies chinoises.

— Les philosophies chinoises ? » Le commissaire était perplexe. « Je pensais que vous viviez au Japon.

— Sans y être établi, j'ai pas mal vécu en Chine, vous savez, pendant vingt-cinq ans. Je ne suis au Japon que depuis trois ans. Ce qui ne change pas grand-chose puisque, au Japon, tout ce qui renvoie à l'essence ou à l'idée, si vous préférez, vient de Chine, et les Japonais conservent bien les traditions. Ces idées ou représentations intellectuelles sont admirables. Moi-même, je suis taoïste mais le bouddhisme m'a toujours beaucoup intéressé. C'est probablement d'ailleurs la même chose lorsque vous entrez vraiment dedans. »

Le commissaire torcha son plat et savoura en le mâchonnant ce qui restait des filets de tortue.

« Oui, fit-il, si vous y entrez vraiment, il ne reste plus rien. J'y ai souvent pensé quand j'étais en prison. Quand on y entre, en prison je veux dire, on y reste, ça donne du temps et le temps vous permet de penser.

— Vous vous êtes fait avoir par les Allemands ? demanda l'ambassadeur, l'air vraiment intéressé.

— Oui.

— Des gens plutôt infects. Cela dit, les Japonais n'ont rien eu à leur envier pendant la guerre. Ils ont tué deux de mes frères ; ils les avaient fait prisonniers dans ce qu'on appelait jadis les Indes néerlandaises [1] et ils les ont transférés en Birmanie. C'étaient des officiers, et comme ils refusaient de participer à la construction d'une ligne de chemin de fer, on les a battus jusqu'à ce que mort s'ensuive. Je me demande s'ils m'auraient battu, moi aussi. Je parle japonais et je sais un peu comment ils fonctionnent ; j'aurais pu m'en tirer. Ils sont d'une extrême courtoisie et très raffinés, mais ils sont capables de se montrer très cruels si vous ne savez pas les prendre.

— Vous parlez japonais ? » interrogea le commissaire en levant les yeux. L'ambassadeur lui faisait toujours penser à un épicier, un épicier qui aurait bien réussi dans la vie, qui posséderait une grande boutique et qui reluquerait les clients de derrière son comptoir en leur pesant le sucre ou la farine.

« Oui, j'ai appris le chinois avant d'aller en Orient, j'en ai profité pour apprendre aussi le japonais, du moins vaguement. Quand on m'a muté au Japon, je n'ai pas eu beaucoup de difficultés à parler la langue. Ils ont les mêmes idéogrammes que les Chinois, à quelques nuances près ; ce qui diffère le plus c'est le langage parlé. Enfin, je me suis débrouillé, il faut dire qu'on m'a aidé. » L'ambassadeur eut un rire canaille. « Il est bien connu que la meilleure façon d'apprendre une langue, c'est sur l'oreiller. J'ai donc fait appel à une call-girl qui avait beaucoup de classe, beaucoup d'éducation, et nous avons beaucoup lu. Des œuvres splendides ; il est bien regrettable qu'il n'y en ait que très peu de traduites. Nous pourrions en tirer des leçons tout à fait profitables, mais il y a tellement peu de traducteurs intelligents.

— C'était une geisha ? questionna le commissaire, visiblement très intéressé.

— Non, pas du tout. Les geishas ne sont pas des putains. Elles dansent, chantent et sont capables de traiter de sujets aussi divers qu'intelligents. Une geisha a parfois des amants, mais c'est elle qui les choisit. Non, en ce qui me concerne, ce n'était qu'une putain. Non pas que j'aie quoi que ce soit contre les putains ; au contraire. Et vous ?

1. Indes néerlandaises ou Indes orientales : nom sous lequel on désignait les colonies hollandaises de l'Asie sud-orientale ; 1 900 000 km^2, 51 millions d'habitants. (*N.d.T.*)

— Moi non plus, s'empressa de répondre le commissaire. Rien du tout ; d'autant qu'elles sont très utiles à la police. Je ne crois pas que nous pourrions nous passer d'elles. Vous faisiez allusion à l'année 1635. Que s'est-il passé en 1635 ? »

L'ambassadeur arrosa de sauce sa côte d'agneau.

« En 1635, reprit-il, le Japon a donné à la Hollande l'île de Deshima, elle fait cent vingt mètres de long et douze mètres de large et un petit pont la relie à Nagasaki. Une île qui a donc environ la taille d'un pétrolier mais qui était une de nos possessions. Ce qui fait qu'à cette époque nous étions la seule nation occidentale autorisée à commercer avec le Japon. Les Japonais ne pensaient pas que nous étions là pour les convertir à quoi que ce fût, mais simplement pour gagner de l'argent. C'était effectivement le cas ; après tout, nous raisonnons comme tout le monde, ça veut dire que nous sommes toujours prêts à prendre l'argent, où qu'il soit. Or il se trouve que dans cette île il y avait un chef et, une fois l'an, ce chef devait se rendre à Edo, maintenant Tokyo, c'était un acte de vénération, une sorte de culte si vous préférez. Il devait faire un voyage de plusieurs centaines de kilomètres et il se rendait dans la capitale allongé sur un palanquin, le grand style, quoi. Sur l'île nous avions des Africains et ce sont eux qui portaient le palanquin ; ce qui fait que le chef, escorté de Javanais, des serviteurs qui marchaient devant et derrière la litière, jouissait d'un prestige considérable. Un homme blanc entouré d'hommes noirs et bruns. Cela devait valoir le coup d'œil. La plupart des Japonais n'avaient jamais vu d'étrangers et voilà que soudain il en arrivait, de trois couleurs différentes, comme un cornet de glace à la vanille, au chocolat et au café. Vous imaginez le spectacle ? »

Le commissaire ferma les yeux pour essayer de se représenter la scène.

L'ambassadeur eut un large sourire. « Vous voyez ?

— Je crois que oui, fit le commissaire en ouvrant les yeux.

— Ce qui fait qu'ils se sont montrés vraiment loyaux envers nous, vous savez. Ils nous ont permis de faire de confortables bénéfices, et lorsque la France a envahi la Hollande, pendant pas mal d'années ils ne nous ont plus rien envoyé, une sorte de blocus. Durant toute cette période, Deshima était le seul endroit au monde où flottait encore le drapeau hollandais.

— Bon, d'accord, reconnut le commissaire, nous avons eu droit à un traitement de faveur. Mais, ne sommes-nous pas en train de nous acquitter de cette dette ? Nous avons toujours des relations commerciales avec le Japon, non ? Il y a beaucoup de Japonais à Amsterdam. Leurs multinationales ont des bureaux ici et nous sommes très aimables avec leurs touristes. Il semble même que nous accueillions leurs gangsters, les yakusa. J'ai entendu dire qu'ils étaient dangereux. Nous ne sommes pas capables de nous mesurer à de dangereux gangsters. J'espère simplement que mes hommes pourront faire face à la situation. Je détesterais qu'il y ait des batailles rangées ; ça ne ferait de bien à personne.

— Prenez une autre côtelette, proposa l'ambassadeur en lui faisant passer le plat d'argent. C'est délicieux. Je connais le chef ici, c'est quelqu'un à qui l'on peut se fier. Mais non, vous n'aurez aucune bataille rangée. D'ailleurs je ne comprends pas ce meurtre, il ne s'agissait peut-être que de ce qu'il est convenu d'appeler une bavure. Quand les yakusa veulent se débarrasser de quelqu'un, ils maquillent le crime en suicide ou en accident et ils font particulièrement attention à ce que personne ne soit ridiculisé. Généralement un homme qui perd la face essaiera de se venger, il y aura alors escalade et la vendetta sera sans fin. Tout ce que désirent les yakusa, c'est le calme, le luxe et la volupté.

— Il est possible qu'ils vendent de l'héroïne ici et il est également possible que, d'ici, elle aille intoxiquer l'armée américaine stationnée en Allemagne, avança prudemment le commissaire, du moins si ce que nous a révélé notre informateur est exact. Les Américains s'inquiètent beaucoup de ce trafic de drogue. Ça détruit complètement le moral de leurs troupes. Quant à nous, nous n'avons pas grand-chose à craindre : pourvu qu'on laisse nos soldats porter les cheveux longs et qu'on leur accorde suffisamment de permissions, ils ne s'intéressent guère aux drogues dures. Ils se contentent de football et de bière. En revanche, les soldats américains semblent prendre de plus en plus goût aux dérivés de l'opium.

— Évidemment, fit l'ambassadeur en se resservant. Ça pourrait permettre aux Russes de prendre le pouvoir et nous serions obligés de défiler devant le palais de la reine en agitant des drapeaux rouges et en chantant *l'Internationale.* Malgré tout, même en régime communiste, il y a moyen de s'en sortir. En Russie j'ai rencontré pas mal de petits malins qui avaient de charmantes résidences secondaires à la campagne ; on assiste peut-être à une sorte de retour au tsarisme, lorsqu'il n'y avait que les imbéciles qui travaillaient et que les nobles se la coulaient douce. Les Russes apprécient toujours le caviar et les blinis avec un petit verre de vodka ; en outre ils ont maintenant un musicien cubain qui joue de la guitare dans un coin. Il ne faut pas oublier qu'ils possèdent une bonne partie de la côte extrême-orientale et tout un tas d'îles, des îles charmantes d'ailleurs. On apprend beaucoup en voyageant.

— On peut aussi se retrouver en hôpital psychiatrique et ce, uniquement parce qu'un juge communiste a trouvé que vos idées n'étaient pas correctes », déclara le commissaire en repoussant son assiette. Les côtes d'agneau étaient vraiment succulentes mais il se réservait pour le vacherin, le café et le cognac.

« C'est sûr, admit l'ambassadeur un peu à contrecœur. Ils ont effectivement pas mal d'hôpitaux psychiatriques, de camps de rééducation et tout un attirail répressif. Pourtant, même quand un type est enfermé, il peut toujours songer à s'enfuir, l'évasion, ça peut être fascinant. Mais revenons à nos moutons, vous parliez de l'héroïne. Ce serait réellement très bien de mettre fin à ce trafic, c'est d'ailleurs la raison pour laquelle nous sommes ici. L'une des raisons, du moins. Voyez-vous, en tant qu'ambassadeur, je suis parfois amené à rencontrer de hauts fonctionnaires japonais et je sais qu'ils suivent de très près ce qui se passe en Hollande. S'ils ont fait d'Amsterdam le centre de leurs activités économiques en Europe de l'Ouest, c'est probablement parce qu'il n'y a pas beaucoup d'agitation politique dans notre pays. Amsterdam est une ville charmante et elle occupe une position stratégique de tout premier ordre ; de plus notre monnaie est relativement stable. A moins qu'ils ne continuent tout simplement ce qui a commencé à Deshima. Ils ont toujours entretenu des relations commerciales avec nous.

— Ils nous ont également fait la guerre, ajouta le commissaire en s'essuyant les lèvres avec une serviette damassée. En quelques heures ils ont détruit notre flotte extrême-orientale, fait prisonnière notre armée, tué la plupart de nos officiers en les faisant travailler comme des esclaves dans les camps, et parqué nos femmes, nos enfants pendant presque cinq ans derrière des barbelés.

— Tout ça c'est le passé ; c'est à peine s'ils s'en souviennent. La plupart des Japonais ignorent même que nos deux nations furent en guerre. Leurs ennemis étaient les Anglais et les Américains. D'ailleurs à présent nous coopérons étroitement, c'est pourquoi ce trafic de drogue et d'objets d'art volés les embête beaucoup, ça nuit à leur image de marque. Les Japonais sont très fiers de leur art, vous savez. Bien entendu, la majeure partie des antiquités chinoises ont disparu ou sont rarissimes, à cause de la révolution, surtout de la révolution culturelle, néanmoins le Japon en possède quand même pas mal parce qu'ils les avaient acquises longtemps auparavant ; mais ils ont aussi un art qui leur est propre. Cela remonte au XVe siècle, sous la dynastie des Aschikaga, et pendant les XVIe, XVIIe et XVIIIe siècles l'art japonais n'a fait que se raffiner vers toujours plus d'élégance. Bref, la presque totalité des œuvres d'art sont remisées dans les temples et les grands monastères bouddhiques, là où se fait l'initiation des moines. Dans ces monastères, il n'y a rien à craindre ; il ne viendrait jamais à l'esprit des moines ou des prêtres de les vendre, d'autant que les gens connaissent l'existence de ces trésors et que, les jours ouvrables, ils viennent les contempler, comme au musée. Mais, comme au Japon il y a des dizaines de milliers de temples et une pénurie de prêtres et de moines, pas mal d'imposteurs — des gens qui n'ont certainement pas été initiés et qui ne sont là que grâce à un quelconque piston — n'hésitent pas à brader le patrimoine ; ils sont d'autant plus faciles à corrompre que, payés par l'État, ils touchent un salaire de misère. Bien entendu, il y a aussi les défroqués, la proie rêvée des yakusa. Ne perdez jamais de vue que les yakusa sont de fins psychologues et qu'ils sont puissants. En fait, ce sont eux qui mettent la main sur les inestimables trésors qui atteignent des prix vertigineux dans les ventes aux enchères d'Amsterdam.

» On attend de moi, du moins l'a-t-on laissé entendre là-bas, que j'use de mon influence pour démanteler la filière hollandaise. On m'a également suggéré d'essayer de collecter des fonds afin de remettre en état l'île de Deshima, où tout s'est dégradé paraît-il. Notre gouvernement m'a déclaré qu'il n'avait pas les crédits nécessaires, alors ce sont les Portugais qui paient pour restaurer les immeubles et autres monuments, c'est complètement ridicule. Figurez-vous que les Portugais ont également occupé Deshima, avant nous, et on les a priés de partir lorsqu'ils ont commencé à essayer de convertir les Japonais au christianisme. C'est à *nous*, nous les Hollandais, de payer, mais nous sommes de tels pingres ! Les Japonais n'apprécient guère ; eux, ils sont capables de générosité et ils ne s'attendent pas à ce que les autres soient mesquins. Nous avons une chance inespérée de sauver la face. »

On avait apporté le vacherin et le commissaire le dévorait des yeux ; n'y tenant plus il saisit sa cuillère. Bien qu'il eût admis que l'ambassadeur n'était pas antipathique, la conversation commençait à le mettre mal à l'aise. N'ayant jamais tellement apprécié le milieu diplomatique, il s'était attendu que leur entrevue se résumât à un simple verre qu'il aurait bu sans porter de toast et non à une conversation aussi longue qu'inutile. Il était dérouté par la logorrhée de l'ambassadeur, il savait que derrière le visage et les mots de son interlocuteur, il y avait quelque chose d'autre.

« Bien, se hâta de répondre le commissaire. Je suis tout à fait d'accord. Tout ce que je peux vous dire, c'est que nous ferons de notre mieux. J'ai mis tous mes hommes sur cette affaire ; en outre, nous avons prévenu la brigade des stupéfiants et ils n'ont pas perdu de temps, dès aujourd'hui ils ont commencé leur enquête. Si les assassins de M. Nagai ont déjà quitté le territoire, il n'est pas impossible que nous puissions les arrêter plus tard. Nous connaissons leur identité et nous avons même une photo d'eux, prise alors qu'ils se promenaient tranquillement dans une rue d'Amsterdam. Je suis pratiquement sûr que nous pouvons réunir assez de preuves pour les traduire en justice, et, s'ils ont réussi à quitter la Hollande et si les Japonais ne veulent pas les extrader, on pourra très bien les juger au Japon. Je crois qu'ils sont de Kobé. Demain j'essaierai de me rendre à l'ambassade du Japon pour les mettre au courant de cette affaire. Si, comme vous le dites, ça les intéresse, ils pourront alors démanteler le gang grâce à ces deux suspects et, qui sait ? peut-être pourront-ils aussi appréhender le grand chef. On m'a dit que le patron des yakusa vivait dans un château non loin de Kobé. Quant à nous, nous allons mener notre enquête jusqu'au bout, ici même. Nous avons déjà commencé à surveiller le restaurant dans lequel travaillait Mlle Andrews ; en ce moment, l'un de mes meilleurs détectives doit être en train de cuisiner le gérant. Nous ferons tout ce qui est en notre pouvoir, et si nous pouvons travailler avec nos collègues de Kobé il ne devrait y avoir aucun problème. Maintenant vous savez pourquoi j'ai sollicité ce rendez-vous. »

L'ambassadeur gonfla les joues et avala la dernière bouchée de son vacherin. Il commanda des cigares.

« Oui, bien sûr, je suis très content que vous ayez téléphoné, mais j'ai une proposition à vous faire. Aujourd'hui même j'ai appelé le ministre des Affaires étrangères qui lui-même s'est entretenu avec votre grand patron, le ministre de l'Intérieur. D'autre part, j'ai eu une brève conversation avec l'ambassadeur japonais et j'ai également appelé l'ambassade des États-Unis. Jusqu'à présent, tout le monde est favorable à mon projet et j'ai la certitude que nous aurons toute l'aide nécessaire. La C.I.A. jubile et Mr. Johnson est impatient de vous voir, demain matin si possible. Mr. Johnson et ses collègues japonais sont des gens qu'on ne peut se permettre d'ignorer. Mais, en fin de compte, tout dépend de vous.

— De moi ? s'étonna le commissaire. Que puis-je faire d'autre que mon travail ? Et je vous assure que je le fais du mieux que je peux ; il se trouve que j'aime bien mon boulot.

— Je n'en doute pas. » L'ambassadeur devint carrément obséquieux ; il offrit même au commissaire le cigare qu'il avait choisi pour lui. « Votre réputation est excellente, non seulement parce que vous êtes intelligent mais surtout parce que vous êtes un lutteur. En fait, la proposition que je vais vous faire n'entre pas vraiment dans le cadre de vos fonctions. Je pensais que vous auriez pu vous rendre au Japon et vous faire passer pour un amateur d'art, un acheteur. Les yakusa ont le monopole du trafic, il n'y a aucune raison pour qu'il n'y ait pas de concurrence. Voilà pourquoi, voyez-vous, les Hollandais pourraient très bien déléguer certains de leurs représentants pour s'occuper des achats là-bas. Nous sommes d'autant plus en mesure de vous aider que la C.I.A. est décidée à jouer le jeu.

» La C.I.A. travaille en étroite collaboration avec les services secrets japonais, ces derniers vous fourniront des auxiliaires tout à fait efficaces. Normalement, vous ne devriez rien avoir à craindre. Vous pourrez donc travailler avec eux tout en vous faisant passer pour un acheteur d'objets d'art volés. Bien entendu vous ne devrez vous intéresser qu'aux objets les plus rares, le nec plus ultra. Les objets d'art qui sont dans les temples font partie du patrimoine japonais, ils sont même répertoriés, on ne peut donc les voler ou les acheter sans encourir les foudres du gouvernement japonais. Voilà pourquoi il nous faut des preuves pour traduire les yakusa devant la cour suprême. Je ne crois d'ailleurs pas que la police nippone se mêlera de quoi que ce soit. Elle restera dans l'ombre, pour ainsi dire. Bon, cela dit vous pourrez en profiter pour vous occuper de ce trafic d'héroïne ; bien entendu elle n'est pas raffinée au Japon, il n'y a pas suffisamment d'opium là-bas. Les yakusa l'achètent à leurs correspondants chinois de Hong Kong, qui eux-mêmes l'importent de Chine. La drogue arrive à Amsterdam par bateau, directement en provenance de Hong Kong. Les Chinois ont très probablement un contact au Japon, c'est lui que vous devrez dénicher. Lorsque vous saurez qui est le chef des yakusa et quels sont ses lieutenants il ne vous restera plus qu'à organiser une réunion « d'affaires » et le Service secret japonais réussira le plus beau coup de filet de son histoire.

— Je vois, dit le commissaire. D'après vous, ça devrait marcher comme sur des roulettes. Mais je ne comprends pas pourquoi je devrais me rendre là-bas. Le chef des yakusa vit dans un château à côté de Kobé, Mlle Andrews peut me donner l'adresse exacte, elle peut aussi me dire à quoi il ressemble. Je ne vois pas pourquoi les gens que vous connaissez ne pourraient pas se rendre sur place pour l'arrêter ? »

L'ambassadeur rota discrètement derrière sa serviette. « Excusez-moi ! Non, ce n'est pas aussi simple que cela. Le chef des yakusa, le daimyo comme on l'appelle, est un homme très puissant, il est intouchable pour ainsi dire, on ne peut jamais réunir assez de preuves contre lui. Il connaît toutes les " grosses légumes " du pays, intimement : il joue au golf avec eux. Il a toutes les protections possibles excepté celles des Services secrets et de la Cour suprême. Il ne pourrait d'ailleurs pas les obtenir, même s'il essayait. Je ne pense pas que l'homme soit fondamentalement honnête, mais il est capable d'avoir foi en ce qu'il fait et, dès lors, on ne peut pas l'acheter. Les gens que je connais, comme vous dites, veulent vraiment avoir la peau du daimyo. Voilà pourquoi je tiens à ce que vous l'asticotiez suffisamment pour le faire sortir de sa tannière, lui faire commettre un impair et à ce moment-là... » L'ambassadeur s'interrompit pour taper sur la table avec sa serviette qu'il avait roulée en tampon.

Le vieux maître d'hôtel s'approcha de la table le plus rapidement possible. « Il y avait un moucheron, monsieur ? s'indigna-t-il.

— Non, Johan, je mettais simplement l'accent sur quelque chose. »

Le vieux maître d'hôtel étouffa un soupir de soulagement. « En ce cas tout va bien, monsieur. »

« Je commence à comprendre la situation, dit le commissaire.

— Ne craignez rien pour votre sécurité, assura l'ambassadeur. Les yakusa ne jouissent pas d'une impunité totale, il leur est difficile de tuer un étranger sur le territoire japonais. Ils peuvent le passer à tabac ou le menacer, mais pas le tuer. Les seuls étrangers qui se sont fait tuer au Japon cette année résidaient à Kobé. Vous pouvez essayer de ne pas y aller, bien que cela me paraisse difficile. »

Le commissaire voulut dire quelque chose, au lieu de quoi il éternua.

« A vos souhaits, dit l'ambassadeur en allumant son cigare. Tokyo est également un endroit assez dangereux mais vous n'aurez rien à y faire. Les yakusa de Tokyo ne sont pas les mêmes que ceux de Kobé et ils ont leur propre daimyo. Celui-là est spécialisé dans le jeu et la prostitution et, comme couverture, il a une chaîne de supermarchés. Mais lui, je n'en ai rien à faire, celui que je veux, c'est le daimyo de Kobé. C'est de là que viennent certains objets d'art, c'est pratiquement certain car c'est aussi une ville sainte, il y a une multitude de temples, de jardins sacrés, etc. J'aimerais bien être à votre place, mais malheureusement je suis trop connu au Japon. »

Le commissaire avait la bouche en cul de poule et il faisait des ronds de fumée. Il allait dire quelque chose lorsque l'un des serveurs s'inclina respectueusement pour lui murmurer quelques mots à l'oreille.

« Je vous prie de bien vouloir m'excuser, dit le commissaire en se levant, on me demande au téléphone. »

Cinq minutes plus tard il était de retour et le serveur zélé le reconduisit à sa place.

« On dirait bien que nous venons d'arrêter les tueurs, expliqua le commissaire ; les deux hommes qui, selon Mlle Andrews, ont eu pour mission de se débarrasser de son fiancé. On est en train de les interroger ; bien entendu ils nient, mais de toute façon nous avons mis la main dessus.

— Parfait, s'exclama l'ambassadeur. Prenons donc un peu de ce cognac et portons un toast pour rendre hommage à la célérité et à l'efficacité de votre brigade. Cette arrestation vous facilitera peut-être les choses au Japon, si toutefois vous êtes décidé à vous y rendre. Qu'avez-vous décidé ? »

Le commissaire ne répondit pas.

« Ce ne sera pas une mission tellement dangereuse, mais je pense que vous feriez bien d'emmener l'un de vos hommes avec vous. Vous avez probablement quelqu'un qui parle bien anglais et qui sait se battre ?

— Effectivement, j'ai dans mon service un sergent qui est tireur d'élite, très fort en judo et qui parle presque couramment l'anglais.

— C'est exactement l'homme qu'il nous faut. Bon. Alors, commissaire, qu'est-ce que vous pensez de tout cela ? Je vous soutiendrai inconditionnellement. Dans quelques jours je reprends mon poste au Japon et j'y ai pas mal d'amis, je pourrai donc commencer à tâter le terrain, d'une façon légale, s'entend, car une chose est sûre : les yakusa ne sont pas des enfants de chœur. » Il secoua la tête. « Pourtant, je suis très étonné qu'ils aient commis un meurtre ici. Ou alors M. Nagai avait plus d'importance que l'on ne supposait et, dans ce cas, Mlle Andrews ne s'en est pas rendu compte. Finalement, il n'est pas mauvais que nos " amis " aient eu tant d'audace car nous avons maintenant quelque chose de solide. Vous allez faire du bon travail au Japon. Je ne plaisantais pas en disant que nous avions une dette envers eux à cause de Deshima. Les Japonais s'en souviennent et nous entretenons d'étroites relations commerciales avec eux. Nous avons davantage besoin de leurs bons offices qu'ils n'ont besoin des nôtres. N'importe quel autre pays européen serait bien content de signer des accords avec eux. Rien ne les empêche d'aller à Bruxelles, à Paris ou à Londres. Voilà pourquoi votre mission est si importante, et je ne suis pas le seul à le penser ; ici même, j'ai l'aval de deux de nos ministres. De plus, il y a la C.I.A., et il ne faut quand même pas oublier les Japonais. Vous verrez que leur Service secret ne manque pas d'intérêt.

— Sous quel prétexte m'y rendrai-je ? Il me faut une couverture », s'enquit le commissaire.

L'ambassadeur soupira. « En effet, c'est une question qui demande réflexion. Avez-vous de la famille en Extrême-Orient ? »

Le commissaire réfléchit quelques instants. « Un cousin issu de germain à Hong Kong. Il travaille pour une compagnie maritime.

— Il a le même nom que vous ?

— Oui.

— Le même âge ?

— Il a cinq ans de moins que moi. D'après ce que je sais, il n'est pas marié. C'est un directeur de personnel, pas le genre d'homme à transgresser les lois. »

L'ambassadeur eut un large sourire. « Parfait. Est-ce qu'il vous ressemble ? »

De nouveau, le commissaire réfléchit. « Peut-être un peu, mais lui ne boite pas et il est plus grand que moi. J'ai dans les jambes des rhumatismes qui ne me laissent aucun répit. Vous devriez peut-être faire appel à quelqu'un qui soit en meilleure santé. Là-bas, je peux très bien être trop malade pour pouvoir faire quoi que ce soit. Il m'arrive parfois de m'évanouir et il faut alors que je garde le lit durant quelques jours.

— Vous ne suivez pas un traitement médical ?

— Si, mais ça ne me guérit pas. Cela ne fait qu'atténuer la douleur. Les bains très chauds, c'est encore ce qu'il y a de mieux.

— Les bains très chauds ! dites-vous, s'exclama l'ambassadeur en frappant dans ses mains, mais le Japon, est le pays rêvé pour vous ! Il y a des bains de vapeur partout. Qui plus est, ce sont des sources naturelles, des eaux thermales si vous préférez. Avec un peu de chance nous vous dénicherons une auberge qui en possède une. Je ne sais pas si à Kyoto même il y en a, mais dans la banlieue certainement. De toute façon, les bains que prennent habituellement les Japonais devraient vous suffire. Vous pouvez rester assis à faire trempette dans un tub en bois pendant toute la journée, l'eau y est limpide et chaude à souhait. Leur système est tout à fait au point ; ce sont des tubes en cuivre disposés sous un petit siège en bois d'une façon telle qu'il n'y a aucun risque pour que vous vous brûliez ; au surplus, il y a un type à côté, celui qui entretient le feu. Vous pouvez aussi avoir droit à quelque chose de plus moderne : le chauffage électrique. Mon cher ami, vous ne pouviez pas mieux tomber. Les bains seuls valent le déplacement !

— C'est parfait », dit le commissaire.

L'enthousiasme de l'ambassadeur le gagnait ; déjà une bienfaisante chaleur envahissait ses os tandis que le cognac lui faisait oublier tous les efforts qu'il avait dû faire pendant la journée, mais ça, c'était beaucoup moins psychosomatique.

« Bien, voilà qui est excellent, reprit l'ambassadeur. Vous pouvez peut-être me donner le nom et l'adresse de votre cousin à Hong Kong, et la C.I.A. entrera en contact avec lui pour le mettre hors circuit pendant quelque temps. Je suppose que votre sergent n'aura pas de couverture, lui ? Qu'à cela ne tienne, je ne pense pas que les yakusa s'en soucieront. Il n'a qu'à se faire passer pour votre garde du corps, un jeune homme d'Amsterdam du genre plutôt coriace. Est-ce que par hasard les yakusa l'ont déjà vu ?

— Non, uniquement les deux hommes qu'il a arrêtés aujourd'hui.

— Parfait, ils sont sous les verrous et nous allons faire en sorte qu'ils soient tenus au secret.

— Mlle Andrews le connaît également.

— Je sais, mais elle est chez votre nièce actuellement, n'est-ce pas ?

— Oui, effectivement. La police la surveille de près. »

L'ambassadeur demanda l'addition qu'il signa d'un étonnant paraphe.

« Je suis très content que nous soyons tombés d'accord ; je suis sûr que vous ne regretterez pas votre décision. Le Japon est probablement le pays le plus intéressant du monde : vous y trouverez le mystère, l'exotisme et l'efficacité. Vous n'aurez aucune difficulté à voir l'ambassadeur japonais, je me charge de tout. D'ici une semaine vous aurez votre billet d'avion, peut-être même plus tôt. Vous vous rendrez d'abord à Hong Kong pour mieux vous mettre dans la peau de votre personnage, et pendant ce temps-là le sergent ira directement à Tokyo pour y rencontrer les hommes que le Service secret japonais vous déléguera. »

Le commissaire marmonna un vague remerciement pour le dîner et l'ambassadeur l'assura de sa sympathie en tapotant sa frêle épaule de sa large main particulièrement velue.

« J'ai été très content de bavarder avec vous ce soir. Remettez-vous-en à moi. Quand je suis motivé les choses ne traînent pas et, en ce moment, je suis particulièrement motivé. »

Ils s'aidèrent à enfiler leur pardessus et sortirent. L'ambassadeur n'avait pas sa voiture et, les mains croisées derrière le dos, il s'éloigna à grandes enjambées sous la bruine qui s'était mise à tomber. L'air maussade, le commissaire le suivit des yeux.

« Comment ai-je pu me fourrer là-dedans ? marmonna-t-il en rentrant dans la Citroën. Dans un an, je serai à la retraite. Pourquoi faut-il que ça tombe sur moi ? »

Il ne trouva pas la réponse en suivant les rues de La Haye ; il n'y vit que des piétons attardés qui se hâtaient de rentrer chez eux.

6

Le sergent de Gier ne savait pas trop ce dont il avait envie. La journée lui avait paru longue et fastidieuse, il était fatigué au point de ne pratiquement plus sentir ses membres engourdis. Derrière lui, le Quartier général de la police fonctionnait au ralenti. Seuls demeuraient éclairés quelques couloirs, mais les fenêtres étaient presque toutes éteintes ; l'édifice faisait penser à un gigantesque squelette. En face de l'arrêt du tram, l'eau du canal semblait plus sombre que jamais et même les voitures qui passaient dans Marnix Street paraissaient fantomatiques dans toute cette obscurité.

Pourtant, il n'était pas du tout déprimé. Grijpstra et lui ne s'en étaient pas si mal tirés, il était même assez fier de la façon dont ils avaient exécuté le Prélude de Bach. Il avait encore en mémoire le rythme soutenu et lancinant que faisait Grijpstra en balayant sa caisse claire tandis que lui-même exécutait un trille sur sa flûte. Lorsque Grijpstra était arrivé, il l'avait directement conduit au fond du bâtiment, dans la cellule qui abritait les deux suspects. Ces derniers les avaient accueillis en grognant et en leur serrant la main d'une façon plutôt gauche. Une fois de plus, MM. Takemoto et Nakamura avaient protesté de leur innocence, utilisant le peu de vocabulaire anglais dont ils disposaient. Bien sûr ils connaissaient M. Nagai, c'était d'ailleurs un homme très courtois. Ils n'en voulaient pour preuve que le repas qu'ils avaient pris avec lui, repas copieusement arrosé de cette délicieuse bière hollandaise. En tout cas, ce n'étaient pas eux qui l'avaient tué. C'étaient de simples touristes qui avaient rencontré M. Nagai dans le restaurant japonais et qui avaient sympathisé avec lui. Jamais auparavant ils ne l'avaient vu. Ils étaient vraiment sincèrement désolés d'apprendre qu'il fût mort. M. Takemoto n'en revenait pas, il secouait sa tête chauve, l'air atterré. M. Nakamura, quant à lui, se moucha plusieurs fois d'une façon particulièrement sonore. Ils voudraient bien qu'on prévienne leur consul et qu'on leur apporte une tasse de thé. De Gier était allé leur chercher deux bouteilles de limonade. Ils n'avaient pas oublié les traditionnelles courbettes avant de boire leur soda. Une fois qu'ils eurent vidé leurs bouteilles, de Gier les ramassa en faisant un signe de la tête à Grijpstra. Les suspects les accompagnèrent à la porte et s'inclinèrent une nouvelle fois. Dans le couloir le gardien contemplait le spectacle en faisant nerveusement sauter ses clefs dans la paume de sa main.

« Qu'est-ce que tu en penses ? avait demandé de Gier lorsqu'ils eurent regagné leur bureau.

— Saaaaah », s'était contenté de répondre Grijpstra en secouant la tête. Il raconta à de Gier ce qui s'était passé au restaurant et se saisit de ses baguettes. De sa poche intérieure, de Gier sortit sa flûte qu'il assembla rapidement.

Ils se mirent alors à jouer du Bach. De Gier n'avait pas cru qu'ils en fussent capables, mais de nouveau Grijpstra lui avait fredonné le thème et il avait même griffonné quelques notes de musique, ce qui eut pour effet de débloquer de Gier, qui commençait à s'y retrouver. Les yeux fermés, il s'était efforcé de se replonger dans l'ambiance qui régnait ce fameux soir, quand ils avaient écouté le disque. Certains passages lui revenaient en mémoire, il hochait la tête, en signe d'approbation autant que de compréhension. Pendant toute cette approche, ce « prélude », Grijpstra n'avait pas cessé de fredonner en effleurant la peau tendue de ses différentes caisses. Bien entendu, ils ne jouèrent pas la totalité du morceau, mais après coup de Gier s'était rendu compte qu'ils en avaient saisi l'essence. Sidéré, il secoua la tête. Comment se pouvait-il que des gens comme eux, des néophytes, qui ne connaissaient pratiquement pas la musique et qui ne disposaient que d'une flûte et d'une batterie aient pu rendre audible l'ineffable ? Peut-être n'était-ce que par intuition pure qu'il avait pénétré un secret que, jusqu'à présent, il n'avait qu'appréhendé ? Par quel miracle aurait-il su ce que Bach avait en tête en composant sa musique ? N'importe, en rentrant chez lui, il écouterait à nouveau le disque ; comme ça, la prochaine fois, s'ils s'essayaient à rejouer ce prélude, ils pourraient peut-être le jouer entièrement. Il en doutait car jamais ils ne retrouveraient une ambiance aussi parfaite. Grijpstra et lui étaient suffisamment détachés ce soir-là ; c'était sans doute lié à la plainte qu'avait déposée Mlle Andrews, ou au visage de M. Nagai qui fixait l'objectif d'un air si sérieux, ou à la BMW blanche tachée de sang.

Le tramway arriva, de Gier monta et se dirigea en chancelant vers le siège le plus proche. Il était fatigué, mais il l'était déjà en se levant. Le rythme lancinant du tram le berçait et il s'assoupit. Il se réveilla juste à l'arrêt où il changeait ; il n'eut pas à attendre, le bus était déjà là.

La première chose qu'il vit en descendant du bus fut un attroupement sur la voie publique, la Van Nijenrodweg. Cela faisait maintenant quelques années qu'il y vivait et il n'ignorait pas qu'il y avait souvent des accidents de la circulation sur ce boulevard, des accidents graves la plupart du temps. Environ une semaine plus tôt il avait vu une petite voiture française dont l'avant s'était carrément encastré dans un platane. Les deux vieilles dames, la conductrice et sa compagne, qui étaient à l'avant, s'étaient affaissées sur le tableau de bord. La bouche ouverte, elles semblaient scruter les ténèbres comme si elles espéraient y trouver la réponse à ce qui avait bien pu interrompre leur conversation. Il avait eu du mal à ne pas sourire en les voyant, probablement à cause de leurs chapeaux démodés et grotesques qui avaient glissé sur le côté, leur donnant l'aspect de coqs qui n'auraient pas eu leur crête au bon endroit. De quoi s'agissait-il à présent ? A cet endroit, le boulevard ressemblait à une autoroute, un conducteur épris de vitesse avait-il poussé une pointe sur l'un des terre-pleins médiocrement éclairés ? Quelqu'un avait-il traversé sans faire attention ? Le car de police-secours était déjà sur place ainsi que deux voitures de patrouille. Les policiers traînaient sur le macadam une forme blanche de la taille d'une poupée humaine. De Gier était suffisamment près maintenant pour distinguer les détails. On avait dessiné à la craie une silhouette sur la surface goudronnée à côté du trottoir, les policiers y déposèrent la poupée, grossièrement confectionnée avec des espèces de serpillières, lui forçant les membres afin qu'elle épousât les contours de la silhouette.

Un sergent s'affairait autour d'un appareil photo posé sur un tripode. De toute évidence la victime avait dû être atrocement mutilée et ils avaient permis à l'ambulance de l'emmener immédiatement ; pour l'instant ils se contentaient de dessiner la position qu'elle avait occupée sur l'asphalte.

De Gier s'arrêta pour parler au sergent ; c'était un vieux copain qu'il avait connu alors qu'il n'était encore qu'agent de première classe et qu'il effectuait ses rondes en uniforme. Cela remontait à plus de dix ans mais il s'en souvenait comme si c'était hier.

« Bonsoir, sergent, on dirait que tu fais toujours des heures supplémentaires ?

— Tiens, de Gier, fit le sergent en prenant un cliché. Tu habites dans le coin, non ?

— Oui. Un grave accident ? Il s'en produit beaucoup trop souvent ici. Tes supérieurs devraient bien se décider à essayer d'en déterminer les causes, un jour ou l'autre. Il n'y a aucune raison que les gens continuent à se faire tuer sur le boulevard Van Nijenrodeweg. Peut-être que les réverbères sont trop espacés, ou alors ils devraient mettre en place un dispositif pour ralentir le trafic, surtout la nuit. »

Le sergent grommela en changeant son tripode de position. De Gier regarda un agent mettre en place la poupée ; le fait que la « créature » était sans visage la rendait encore plus sinistre.

« Ce chat doit toujours être dans les fourrés quelque part par là, sergent ; est-ce qu'il faut que j'essaie de le retrouver ?

— Un chat ? » s'enquit de Gier. Les battements de son cœur s'étaient considérablement accélérés. « Quel genre de chat ?

— Un siamois, répondit le sergent. Du moins c'est ce que nous a déclaré un témoin. C'est un chat qui vit dans un de ces appartements, juste au-dessus. On a dû laisser la porte ouverte et il en a profité pour s'enfuir. La dame qui vit dans l'appartement s'est lancée à sa poursuite mais il était arrivé jusqu'ici avant qu'elle ne réussisse à l'attraper, c'est à ce moment qu'elle s'est fait heurter de plein fouet par un camion. Elle ne regardait rien, elle voulait avant tout rattraper le chat. Le camion qui l'a happée était bougrement gros et il fonçait, on peut le savoir grâce à la traînée qu'il a laissée là-bas quand il a freiné. J'ai déà pris les marques de pneus en photo. A mon avis il roulait à quatre-vingts kilomètres à l'heure. Cela dit, on ne peut pas trop lui en vouloir car la dame s'est pratiquement jetée sous les roues. Il dit que, quand il l'a heurtée, elle tenait le chat dans ses bras. Le pauvre zèbre est assis dans sa cabine, en ce moment même il pleure toutes les larmes de son corps. »

Il désigna un camion à moitié garé sur le trottoir à quelque cent mètres de là.

De Gier avait de plus en plus de mal à avaler sa salive. « Quel âge avait la dame ?

— La trentaine environ. Une folie femme d'ailleurs, bien qu'il soit toujours difficile de savoir à quoi ressemble la victime une fois qu'elle est morte et pratiquement défigurée.

— Et la couleur de ses cheveux ?

— Bruns. » Le sergent releva brusquement la tête et faillit renverser son tripode. « Nom de Dieu ! c'est pas ta petite amie, au moins ? Ça me revient maintenant, tu as un chat, un siamois. Je l'ai su au commissariat, un des agents t'a vu jouer avec lui sur ton balcon. Il a d'abord cru que c'était un bébé parce que tu le tenais dans tes bras. »

De Gier n'écoutait plus, il se dirigeait vers les fourrés comme un automate. Elle est morte, ne cessait-il de se répéter. Esther est morte. Elle a laissé s'échapper Oliver. Je l'avais avertie pourtant, je lui avais même dit de ne jamais chercher à le rattraper s'il s'enfuyait. Une fois, j'ai failli me faire tuer à cause de lui, moi aussi. Il court toujours vers le parc, c'est là qu'on peut l'attraper, c'est beaucoup trop dangereux d'essayer de le faire sur le boulevard, avec toute cette circulation Ça ne change rien, elle a essayé de le faire et elle est morte.

Il était absolument désorienté, ses pensées se succédaient dans un ordre complètement anarchique. Quand l'avait-il connue ? Il y a un an environ. Est-ce qu'il l'aimait ? Sans aucun doute. Elle ne s'était jamais pliée à ses quatre volontés et avait toujours su conserver une certaine indépendance. Par exemple, elle ne passait pas toutes ses nuits avec lui. Elle avait gardé son propre appartement et avait refusé qu'il l'épousât. Il avait accepté ses conditions en y trouvant même des bénéfices secondaires. Jamais ils n'avaient eu de scènes de ménage. Ne s'ennuyant pas et ne s'agaçant pas mutuellement, ils avaient même vécu l'amour fou, presque. Il s'essuyait le visage tout en se frayant un chemin dans les fourrés. Il l'avait toujours trouvée très belle. Étroite de hanches, ses longs cheveux bruns révélaient un cou parfait lorsqu'elle les faisait voler en s'ébattant ou en se débattant. Elle avait en outre, ce qui ne gâchait rien, de belles jambes bien galbées, des attaches si fines qu'il s'était toujours demandé comment elle réussissait à marcher avec autant de grâce. Il revoyait sa grande bouche sensuelle et l'arête délicate de son nez.

Le chat était allongé sur le bord de la pelouse. De Gier s'agenouilla pour caresser la fourrure souillée. Immédiatement une patte ensanglantée vint lui toucher la joue. Oliver cherchait le nez, mais apparemment l'animal n'y voyait plus clair et respirait avec difficulté, comme s'il était sur le point d'étouffer. Ça faisait partie de leur complicité, le chat avait toujours aimé lui mettre la patte sur le nez.

« Oliver », dit de Gier. Le chat leva légèrement la tête mais elle retomba presque aussitôt. De nouveau de Gier le palpa. La fourrure de la bête était trempée, un mélange de sueur et de sang, la sueur indiquait qu'il souffrait terriblement et qu'il ne tarderait pas à mourir. Le chat avait fermé les yeux et continuait à haleter. De Gier prit son pistolet et, d'un geste mécanique, enleva le cran de sûreté, l'arma, en appuya le canon contre l'oreille du siamois. La détonation résonna lugubrement dans le parc silencieux et désert, comme si sonnait le glas. Il se releva, remit son pistolet dans le holster qu'il portait sous le bras et s'éloigna rapidement.

Suivi de deux agents le sergent arrivait en courant. De Gier s'effondra dans ses bras.

« Non, dit l'un des agents. Il ne s'est pas flingué, il a achevé le chat. »

De Gier n'avait pas complètement perdu la tête. Il marmonna un nom et un numéro de téléphone. Le sergent téléphona du car de police-secours, il eut le commissaire au bout du fil.

« Entendu, dit le commissaire. Je vois, sergent ; étendez-le sur une civière ou quelque chose comme ça, j'arrive. Je vais l'emmener chez moi. Vous n'auriez pas une drogue assez forte à lui administrer ?

— Si, monsieur.

— Alors faites-le et veillez sur lui. Je serai là dans dix minutes. »

Le sergent était sur le point de raccrocher.

« Sergent ?

— Oui, monsieur ?

— Enlevez le corps du chat. Il ne faut plus qu'il le voie.

— J'ai une pelle, monsieur. Je peux l'enterrer dans le parc.

— Parfait. Faites ça proprement et mettez un repère sur la tombe. »

7

Il y avait six hommes dans la pièce qui servait de salle de réunion à l'agent-chef. En cette fin d'après-midi, aucun d'eux ne supportait la chaleur moite qui y régnait et ils étaient bien contents d'avoir pu au moins tomber la veste. Visiblement, l'ambassadeur japonais semblait souffrir plus qu'eux ; il est vrai qu'il portait une épaisse culotte de golf car il avait l'intention d'aller faire un petit parcours après la réunion. Il soupirait en souhaitant qu'il y eût l'air conditionné. C'était un luxe que ne se permettait pas la police hollandaise, et il est probable qu'il n'y aurait jamais l'air conditionné dans les locaux du Quartier général d'Amsterdam. Pourtant, en Hollande, les étés ne duraient jamais bien longtemps, mais celui-ci s'éternisait. Mr. Johnson, le représentant de la C.I.A., partageait le même désir que l'ambassadeur japonais, mais il n'en laissait rien paraître, s'arrangeant même pour avoir l'air à l'aise, tant était grand son désir de conciliation. En ce qui concernait Mr. Johnson, il n'y avait absolument rien à dire. Il semblait avoir la faculté de se fondre partout, de s'adapter à toutes les situations ; c'est probablement cette faculté qui lui avait permis de rester en vie, à plusieurs reprises et dans différents pays. Il n'y avait rien en lui qui ne fût gris, même sa peau ; peut-être ses dents l'étaient-elles aussi, mais Mr. Johnson ne les découvrait jamais. Son enjouement se limitait exclusivement à un rictus et un vague battement de cils ; en aucun cas il ne riait ni ne souriait. Quand il parlait, il marmonnait, c'était ce qu'il était en train de faire.

« Ne vous en faites pas pour votre cousin, commissaire, on prend bien soin de lui, déclara-t-il. Il est à Hawaii, dans un hôtel de luxe. Il y est arrivé par avion, un avion de l'armée, on l'a embarqué la nuit dernière à Hong Kong. Personne ne l'a vu partir, tout ce qu'il vous reste à faire c'est aller à Hong Kong et y rester un jour ou deux pour vous familiariser avec la ville. De là, vous prendrez un vol régulier pour le Japon ; on vous donnera un passeport dès que vous débarquerez à Hong Kong.

— Comment mon cousin a-t-il pris la chose ? »

Les yeux de Mr. Johnson se rétrécirent imperceptiblement. « Nous n'avons pas lésiné, il va résider dans l'une des îles les moins fréquentées de l'archipel.

— Il n'aura rien à craindre en rentrant chez lui ? »

L'homme de la C.I.A. fit un vague geste. « Il y a toujours un risque mais nous serons probablement là. »

Le commissaire avait toujours l'air soucieux. L'agent-chef, la cinquantaine, les cheveux poivre et sel, sourit : il ne se doutait de rien. L'habit faisant le moine, le chef de la brigade criminelle se devait d'être soucieux en ce moment. Le procureur général souriait lui aussi. L'ambassadeur hollandais grimaçait davantage qu'il ne souriait ; il réfléchissait et en quelques secondes il eut vite compris ce qui se passait. Ce n'est pas à un vieux singe qu'on apprend à faire la grimace, songeait-il à propos du commissaire. Il posa les mains sur la table en jetant un regard circulaire. L'agent-chef hocha la tête en signe d'approbation.

« Bien, commença l'ambassadeur, nous pouvons donc nous y mettre. Nous avons le plaisir d'avoir avec nous mon collègue japonais et il est entièrement d'accord avec ce que nous avons l'intention de faire. » Il se tourna vers l'ambassadeur japonais et se courba cérémonieusement.

« Absolument, absolument, enchaîna aussitôt l'ambassadeur oriental et vénérable. Mon gouvernement est très touché, il apprécie les efforts que vous allez faire et se tiendra à votre entière disposition. Nous vous sommes extrêmement reconnaissants d'essayer de mettre fin à ce scandaleux trafic. » Il baissa la tête pour jeter un coup d'œil sur les notes qui étaient posées à côté de sa tasse de café. « Oui, scandaleux, c'est le mot. La drogue et les objets d'art volés. Nous nous affligeons qu'une organisation japonaise, même si elle est illégale, puisse être impliquée dans ce trafic et nous aussi souhaitons la démanteler. Oui, la mettre complètement hors d'état de nuire, mais ce qu'il nous faut ce sont des preuves et si vous pouvez nous les fournir, nous vous en saurons gré. De toute façon, nous vous apporterons toute l'aide nécessaire. » Lorsqu'il eut fini la lecture de ses notes, il sourit largement, découvrant ses canines couronnées d'or.

Le commissaire l'avait écouté attentivement. Il était convaincu de la sincérité du discours, bien que les mots lui aient semblé un peu formels. Il regarda l'ambassadeur japonais dans les yeux, dans lesquels il décela intelligence et compassion. Il leva légèrement la main droite et l'ambassadeur s'inclina imperceptiblement.

« En ce moment, nous avons deux suspects en prison, déclara l'agent-chef. Je suppose que le procureur peut nous dire quelque chose en ce qui les concerne.

— Effectivement », répondit ce dernier. Il ne semblait pas souffrir de la chaleur. « Les rapports de police ne m'impressionnent guère. A première vue, il semble que les charges retenues contre ces deux messieurs soient bien minces. Dans le fond, nous n'avons que le témoignage d'une employée d'un restaurant japonais d'Amsterdam. C'est elle qui les accuse d'avoir assassiné Kikuji Nagai, son petit ami, qui est, paraît-il, affilié à une association de malfaiteurs japonais — du moins le fut-il, nous ne sommes même pas sûrs que le fragment de crâne retrouvé dans la voiture de M. Nagai lui appartienne — et que ladite organisation se sert de lui comme vendeur, et peut-être comme acheteur d'objets d'art religieux de très grande valeur. O.K. Il n'y a qu'une personne pour affirmer ça. On ne peut garder en détention des suspects en se fondant sur une pareille déclaration. On ne peut même pas considérer que quelqu'un est suspect parce qu'on l'accuse de ceci ou de cela. Tout ce que nous savons, c'est que les deux hommes en question ont déjeuné avec M. Nagai le jour de sa disparition. C'est ce qu'affirment le gérant du restaurant, sa femme et Mlle Andrews. Partager le repas de quelqu'un n'est pas un acte criminel. La police d'État a retrouvé trois témoins. Le premier a déclaré avoir vu un oriental, un Chinois ou un Japonais, acheter une pelle dans un magasin d'Abcoude, une ville en bordure de l'autoroute entre Amsterdam et Utrecht ; mais il n'était sûr ni de la race ni de la nationalité. Nous avons mis ce témoin en présence des deux suspects, l'un après l'autre ; il a d'abord déclaré que le premier individu avait acheté la pelle, mais quand il a vu l'autre il a dit que ç'aurait tout aussi bien pu être lui. Nous avons répété l'expérience avec les deux autres témoins, ceux qui avaient remarqué un Chinois ou un Japonais en train de laver une BMW d'un modèle récent à côté d'un étang près de l'autoroute entre Utrecht et Amsterdam. Et on dirait bien que nos concitoyens confondent tous les Japonais. »

Gêné, il regarda l'ambassadeur, comme pour s'excuser, mais celui-ci se contenta de sourire.

« Certes, gloussa l'ambassadeur, il en est de même chez nous, on appelle tous les étrangers des *gaijin* parce que nous n'arrivons pas à les différencier. C'est d'ailleurs étrange car il y a des étrangers qui sont grands et qui ont les cheveux roux, d'autres qui sont petits avec des cheveux noirs, châtains ou blonds. Cependant, pour nous, ils se ressemblent tous. Personnellement, je m'y retrouve, mais il faut avouer qu'au cours de ma carrière j'ai rencontré pas mal d'étrangers.

— Certainement, reprit le procureur ; tout cela veut dire que les témoins ne nous sont d'aucune utilité. Officiellement, rien ne justifie qu'on puisse garder les suspects en détention et, dans un sens, je serais content qu'on les remette immédiatement en liberté. D'un autre côté, je suis perplexe. J'ai eu l'occasion de voir MM. Takemoto et Nakamura et je n'ai pas eu l'impression que c'étaient des voyageurs de commerce pour un laboratoire de produits chimiques. Il se peut très bien qu'ils soient des gangsters, des tueurs à gages, et non d'innocents touristes comme ils le prétendent. Si vous voulez mon avis, je trouve qu'ils ne s'inquiètent pas assez, étant donné leur situation. Le consul japonais d'Amsterdam a bien voulu servir d'interprète et je les ai bombardés de questions. C'est aussi ce qu'a fait le juge qui m'accompagnait. Aucune des questions ne semblait les toucher, ils se contentaient de sourire en buvant du thé et en fumant, assis sur leur couchette.

— Les Japonais sont réputés pour avoir une attitude tout à fait différente de la nôtre face à certaines situations, commenta l'agent-chef.

— Qu'est-ce qu'a dit mon consul après l'interrogatoire ? »

Tout le monde se tourna vers l'ambassadeur japonais qui ne souriait plus. Il regardait fixement le procureur général.

« Il a dit qu'ils pouvaient être très dangereux.

— C'est cela, reprit l'ambassadeur ; c'est aussi ce qu'il m'a dit au téléphone. Je me fie à son jugement. Pendant la guerre, il était officier de marine et nos officiers de marine représentaient l'élite de nos forces armées. Je serais plutôt enclin à le croire.

— Bien. En ce cas je pense que nous devrions les garder à l'ombre un peu plus longtemps, interrompit l'agent-chef, bien que les charges recueillies ne soient pas suffisantes, jusqu'à présent du moins. Voilà pourquoi nous allons les transférer dans une autre prison, les assigner à résidence si vous préférez, et veiller à ce qu'on leur fasse parvenir des plats du restaurant qu'ils fréquentaient. Pendant ce temps, l'adjudant Grijpstra poursuivra l'enquête. C'est le premier nom qui me vient à l'esprit parce que je crois que c'est l'un de vos meilleurs éléments. Qu'en pensez-vous, commissaire ? »

Ce dernier hocha la tête en signe d'assentiment.

« Parfait, s'écria l'ambassadeur hollandais en se frottant les mains. Excellent. Dans quelques jours le commissaire va partir pour Hong Kong, puis il se rendra au Japon. Maintenant se pose le problème de savoir qui assistera le commissaire. J'ai entendu dire qu'il y avait un sergent-détective qui était vraiment qualifié pour cette mission. Il parle raisonnablement bien anglais, il sait se servir d'un pistolet et il est ceinture noire de judo. De plus, il est à la brigade criminelle depuis pas mal de temps. Si je ne me trompe, il s'agit du sergent de Gier. Est-ce qu'il est prêt à partir en mission ? »

L'agent-chef mit la main devant sa bouche et toussa.

« Ces temps derniers, le sergent a perdu un de ses proches, un être qui lui était cher. Avant-hier, en fin de soirée, sa petite amie a été tuée dans un accident de la circulation et, par la même occasion, son chat, qu'elle essayait de rattraper, a été sérieusement atteint. On a dû abattre l'animal, c'est le sergent qui s'en est chargé. Cela faisait pas mal de temps qu'il avait le chat. »

L'agent-chef regardait devant lui, dans le vague ; il avait l'air quelque peu embarrassé.

« Un chat ? s'étonna l'ambassadeur hollandais. J'aurais plutôt pensé que la perte de sa fiancée lui fût plus douloureuse, mais d'après ce que vous dites, la mort du chat semble plus importante. »

L'ambassadeur avait baissé la voix, ses interlocuteurs savaient désormais comment il fonctionnait, ses sautes d'humeur et de ton ne les dérangeaient plus. Il n'y avait rien de sournois dans sa question, il semblait vraiment étonné, d'une façon touchante autant qu'innocente.

« Eh bien oui, reprit l'agent-chef en s'éclaircissant la voix. Le sergent est un homme séduisant et il attirait vraiment les femmes. Ses incartades et autres amourettes étaient l'objet des conversations dans tout le service, surtout parce qu'elles ne duraient jamais longtemps et semblaient toujours bien finir. Il est indéniable que le sergent a vraiment du charme. Ce n'était pas lui qui draguait, on le draguait ; cela dit, ses " conquêtes conquises " ne l'aliénaient aucunement, il restait libre. Le seul être vivant qui comptait pour lui, c'était son chat, un siamois complètement névrosé, j'en ai peur. Il faut vous dire que l'animal tournait toute la journée en rond dans le petit studio du sergent. Il y a un an, il semble que le sergent soit réellement tombé amoureux. On m'a dit que quelque chose le rapprochait encore davantage de l'élue de son cœur. L'année précédente le frère de la dame en question avait été assassiné et c'est de Gier qui avait été chargé de l'enquête. Il avait résolu l'affaire et c'est ainsi que leur amitié avait débuté et qu'elle s'était transformée en amour. Il voulait l'épouser mais elle n'était pas consentante. Je ne connais pas tous les détails mais je vous raconte ce que je sais et, si je le fais, c'est parce que ça peut influencer votre choix. Le sergent vit chez le commissaire en ce moment, il est encore secoué, évidemment. Personnellement, je pense que nous devrions l'envoyer au Japon. Hier, j'ai eu un entretien avec lui ; il n'était pas bien et je pense qu'un changement d'air lui ferait le plus grand bien. Enfin, il s'entend parfaitement avec son supérieur. » L'agent-chef balaya la salle du regard et fixa son attention sur le commissaire. « J'ai la certitude que c'est le meilleur garde du corps que l'on puisse souhaiter pour mon collaborateur ici présent.

— Sans aucun doute, déclara l'ambassadeur hollandais.

— Vous êtes d'accord ?

— Oui. »

Il y avait comme une lueur d'interrogation dans les yeux de l'agent-chef.

« Il nous arrive de mieux fonctionner lorsque nous sommes en état de tension, si nous subissons un stress, pour employer un mot à la mode, expliqua l'ambassadeur. Je ne souhaite à personne de perdre sa petite amie et un animal auquel on est particulièrement attaché, et cela en même temps. C'est d'autant plus horrible que le sergent a dû achever la bête. Il n'en reste pas moins qu'en pareille occasion un homme peut rester lucide ou devenir fou ; le commissaire et vous avez observé le sergent et vous êtes persuadés qu'il est en état de remplir une mission qui peut s'avérer très dangereuse. Un officier assermenté du C.I.D. ne peut se permettre des crises de nerfs comme le commun des mortels. En outre, le sergent est bon judoka, il a une technique de combat que, personnellement, j'admire. Le judo, vous savez, est une forme de mystique, du moins à son plus haut niveau. Le sergent est ceinture noire, il connaît donc toutes les esquives et toutes les prises. C'est à ce moment-là que commence la véritable initiation, on apprend le détachement qui conduira finalement à la libération totale. Mais mon collègue doit en savoir bien davantage que moi sur ce sujet. »

Il fit un vague geste pour indiquer qu'on pouvait prendre la parole à sa place.

« C'est vrai, c'est vrai », fit l'ambassadeur japonais en compulsant fiévreusement ses notes. Les autres attendaient, tout ouïe. « Oui, c'est vrai, répéta-t-il en prenant une profonde inspiration. Mon collègue ne se trompe point. Vous savez tous qu'il y a différentes couleurs dans les ceintures de judo. Celle du débutant est blanche, par exemple. Au degré suivant, elle est jaune, orange, etc. Lorsqu'on est ceinture noire, cela veut dire qu'on a réussi à passer les épreuves et que le maître est satisfait. En réalité, celui qui porte la ceinture noire n'est encore arrivé nulle part. Dans mon pays, très peu de personnes ont dépassé le stade de la ceinture noire. Cependant on peut encore aller au-delà, dépasser la simple " capacité ", et j'ai entendu dire qu'en Hollande un homme avait suivi l'initiation jusqu'au bout. C'était le disciple d'un grand maître, un Coréen qui vit à Londres. Au fur et à mesure de l'initiation, l'élève devient l'élu, il se met à oublier, sans régresser bien entendu. Il oublie tout, jusqu'à sa propre identité. Il n'a plus envie de porter des ceintures de couleur pour que les autres l'admirent. Finalement, lorsqu'il sera suffisamment détaché, son plus grand honneur sera de porter une ceinture blanche ; mais alors, jamais plus il ne combattra en public, il se fera oublier. »

L'ambassadeur regardait toujours la feuille de papier qu'il avait devant lui. Lorsqu'il releva la tête, il sembla très surpris d'être dans une pièce et entouré de gens particulièrement attentifs. Mr. Johnson avait les yeux qui papillotaient ; l'ambassadeur hollandais avait l'air très sérieux ; quant au procureur général, il avait déchiqueté son cigare à force de le mâcher. Seuls demeuraient sereins l'agent-chef et le commissaire. Le silence dura quelques secondes et brusquement, comme s'ils étaient mus par une impulsion secrète, tous les participants à la réunion se levèrent pour échanger une poignée de main. Les deux ambassadeurs retrouvèrent leur solennité et assurèrent les policiers de leur étroite collaboration en leur souhaitant bonne chance. Mr. Johnson promit de revenir plus tard pour revoir les détails du plan qu'ils avaient échafaudé. Le procureur les pria de l'excuser et il se retira, serrant précieusement entre ses doigts les restes de son cigare. L'agent-chef regarda s'éloigner les ambassadeurs. Ils se rendaient dans la cour où les attendaient leurs limousines et leurs chauffeurs en livrée.

« C'est comme au bon vieux temps, fit remarquer Mr. Johnson à l'adresse du commissaire. Moi aussi je vais prendre l'avion pour Hong

Kong, mais pas le même que le vôtre. Il était grand temps, j'aime bien un peu d'action par moments. Cela fait maintenant deux ans que je suis en poste en Hollande et je n'ai encore rien eu à me mettre sous la dent de bien intéressant. Je me demande même pourquoi je suis ici ; peut-être a-t-on jugé que j'avais fait mon temps.

— Jamais de la vie, le rassura le commissaire en lui donnant une tape amicale sur l'épaule. Vous êtes encore dans la force de l'âge. Cela dit, vous avez raison, c'est un pays qui est très paisible. Moi-même, je ne dédaigne pas un peu d'action de temps à autre.

— Vous n'en manquerez pas et vous pouvez me croire. J'ai déjà eu affaire aux yakusa. Si j'étais japonais et que je ne puisse travailler dans leur service secret, je me rallierais certainement aux yakusa. » Il en était convaincu et il hochait vigoureusement la tête pour montrer au commissaire qu'il ne plaisantait pas.

8

« Il est difficile de se rappeler mon véritable nom, déclara l'homme, mais les amis étrangers que j'ai à Tokyo m'appellent Dorin, je ne sais d'ailleurs pas pourquoi. C'est moi qu'on a chargé de vous aider, dans la mesure de mes moyens, bien entendu. »

Le commissaire esquissa un sourire et faillit lui tendre la main, il se ravisa juste à temps, sachant que la coutume exigeait les courbettes. Gêné, il s'inclina ; c'était un peu tard, l'homme avait accompagné chacune de ses paroles d'une sorte de révérence. Il avait un visage franc, ouvert et anguleux, ses dents étaient en excellent état. C'est ce qui frappa le plus le commissaire car la plupart des Japonais qu'il avait vus avaient les dents couronnées d'or ou plombées.

Son voyage de Hong Kong à Tokyo s'était bien passé et il ne s'était pas ennuyé au Crown Hotel, l'endroit où il était descendu en arrivant. Il s'était promené sans rien faire de spécial. Il s'était bien reposé et son nouvel environnement l'avait diverti au point de lui faire oublier tout ce qui l'agaçait tant à Amsterdam : le bruit des tramways qui changeaient de direction juste devant chez lui, les bavardages des amies de sa femme et les racontars de la police. Ses rhumatismes ne le faisaient pas autant souffrir qu'à Amsterdam, le climat était moins humide ; et il avait eu l'occasion de prendre des bains très chauds et de s'y détendre en sirotant du jus d'orange et en fumant ses petits cigares — il en avait apporté plusieurs centaines avec lui. Les Chinois qu'il avait rencontrés s'étaient montrés très courtois envers lui, non pas à cause des pourboires qu'il avait distribués ni des achats qu'il avait effectués, non, ils avaient reconnu un homme capable de cerner leurs traditions, un homme qui ne leur était pas tout à fait étranger.

Assis dans la cafétéria de l'aéroport de Tokyo, il se sentait très bien. Sur une chaise en plastique, sa petite valise à ses pieds, il sirotait un café glacé en écoutant le Japonais dont le surnom était invraisemblable et qui était apparu comme par magie, exactement comme l'avait prédit Mr. Johnson. Dorin, se dit le commissaire, c'est peut-être un nom viking, après tout. Il se pouvait très bien que les amis étrangers que ce jeune homme mentionnait soient des Scandinaves, et qu'il les assimile à des guerriers. Il y avait d'ailleurs quelque chose de martial dans l'allure de Dorin. Il était plus grand, plus « délié » que tous les gens qui s'agglutinaient autour de leur table. Le commissaire remarqua que si le pantalon de Dorin était bien ajusté, sa veste était trop grande. Lorsque le Japonais bougea le bras gauche, une ligne se dessina dans le coton du veston. Il devait très probablement s'agir d'un pistolet, un gros calibre, une arme qui pouvait tuer à une distance d'environ quarante-cinq mètres. Le commissaire, lui, n'était pas armé. On ne l'aurait pas autorisé à avoir une arme dans l'avion, mais il aurait facilement pu obtenir le permis d'en avoir une dans ses bagages. Ça ne lui était pas venu à l'idée.

A Hong Kong la C.I.A. l'avait contacté, il avait parlé à Mr. Johnson par téléphone et il l'avait même rencontré dans un musée, ils avaient tous les deux eu l'air très absorbés par un tableau. Mr. Johnson jouait son rôle jusqu'au bout, il se prenait pour un espion, ce qui ne manquait pas d'amuser le commissaire. Pour faire plaisir à l'homme de la C.I.A., il avait visité l'usine où travaillait son cousin, on lui avait résumé les fonctions que ce dernier occupait afin qu'il fût capable d'assumer sa couverture. Il n'avait pas été tellement coopératif, tout cela ne rimait à rien. Il savait pertinemment qu'il n'était qu'un appât destiné à faire sortir les yakusa de leur tannière. Tout ce qu'il avait à faire au Japon, c'était de se balader en faisant croire qu'il était prêt à les concurrencer en leur raflant un monopole. Celui des objets d'art volés et de l'héroïne. Jamais ils n'auraient cure de son passé. S'il pouvait vraiment se permettre d'acheter de la drogue, des objets d'art et de les convoyer en Hollande, cela suffirait à prouver aux yakusa qu'il était un rival sérieux, capable de leur porter préjudice. Alors ils essaieraient de le tuer ou de lui faire suffisamment peur pour qu'il prenne ses cliques et ses claques. Il secoua la tête. D'un autre côté, Mr. Johnson avait peut-être raison. Il était possible que l'identité qu'il avait empruntée à son cousin suffise à convaincre les yakusa ; après tout, le directeur du personnel d'une importante compagnie maritime de Hong Kong pouvait très bien appartenir à une organisation illégale. D'autant plus facilement qu'il était censé avoir des contacts partout dans le monde.

« Oui, reprit Dorin, je vous garantis que vous ne vous ennuierez pas à Tokyo. On m'a dit que vous n'étiez pas particulièrement pressé et Tokyo est exactement la ville qu'il faut pour se familiariser avec les coutumes japonaises. A Kobé, vous serez plus au calme, songez que la population de Tokyo est dix fois plus importante que celle de Kobé. Si vous vous adaptez bien pendant votre séjour ici, vous n'aurez aucun problème à Kobé. Préférez-vous descendre dans un hôtel genre Hilton ou dans une auberge typiquement japonaise ? Votre adjoint réside actuellement dans une auberge, mais il a dit qu'il ferait ce que vous décideriez.

— De Gier ? interrogea le commissaire. Comment va-t-il ? Cela fait plusieurs jours qu'il doit être arrivé, non ?

— Effectivement », répondit Dorin. Il parlait anglais couramment, avec un fort accent américain ; manifestement, le jeune homme était resté pas mal d'années aux États-Unis. Ce n'est pas à l'école qu'il avait pu apprendre à maîtriser aussi bien la langue. « Quelques jours ; il s'est produit un petit incident, mais tout va bien maintenant. Votre adjoint est un homme très efficace. C'est exactement le garde du corps qu'il vous faut, je ne pouvais rêver mieux.

— Un incident ? s'étonna le commissaire en levant les mains, tant sa surprise était grande. Que s'est-il passé ? Nos ennemis nous auraient-ils déjà repérés ? Nous n'avons même pas encore commencé à travailler. »

Dorin inclina légèrement la tête. Il avait l'air embarrassé et il tripotait nerveusement sa cigarette en cherchant les mots justes.

« Oui, un incident, on peut dire, dit-il finalement. J'en connais presque tous les détails ; voulez-vous que je vous raconte ?

— Je vous en serais reconnaissant. Plus j'en saurai, mieux cela vaudra, bien qu'il m'en parlera lui-même, cela fait suffisamment longtemps que nous travaillons ensemble. Mais je pense qu'il est préférable d'entendre deux sons de cloche.

— De Gier-san », commença Dorin en regardant le commissaire.

Celui-ci fit un léger mouvement de tête pour lui montrer qu'il comprenait. Il savait déjà qu'au Japon " san " est une formule de politesse qu'on place derrière le nom.

« J'ai donc rencontré de Gier-san il y a cinq jours à l'aéroport et je l'ai conduit dans une auberge japonaise située dans la banlieue de Tokyo. C'est un homme posé et son anglais est suffisamment bon pour que nous n'ayons eu aucune difficulté à nous comprendre. Je savais qu'il aimait bien le judo, alors je lui ai donné rendez-vous pour le lendemain matin afin de l'emmener à mon club. Nous nous sommes entraînés pendant plusieurs heures. Il est très fort, vous savez.

— Je sais, mais il peut encore être plus fort que ce qu'il vous a montré. Je l'ai souvent observé, il est vraiment différent s'il se bat pour de bon ou s'il s'entraîne. J'ai toujours pensé qu'il ne connaissait pas ses limites. Il est intelligent et rapide, c'est sûr, mais parfois il va trop loin.

— Je ne l'ai pas remarqué ce jour-là, répliqua Dorin. Mes moniteurs ont été impressionnés. " Il est rusé ", ont-ils déclaré, mais c'était la première fois qu'ils le voyaient.

— " Rusé ", répéta le commissaire. Alors, racontez-moi ce qui s'est passé.

— Pendant quelques jours il n'est rien arrivé de spécial. Je lui ai fait visiter Tokyo. Deux soirs de suite, nous sommes allés au Ginza : le jour c'est un centre commercial, et la nuit un lieu où l'on se divertit. Il a apprécié les repas que nous avons pris ensemble et il m'a même emmené dans un restaurant chinois qu'il avait lui-même déniché. A l'auberge, on l'apprécie beaucoup. C'est un endroit très modeste que tient l'un de mes oncles. La chatte avait eu des petits et de Gier-san a tenu compagnie à l'animal toute la nuit. C'est une jeune chatte et c'était sa première portée. Il a aussi joué de la flûte, et comme ma tante joue du piano ils nous ont donné un petit récital. Votre adjoint est vraiment un homme très discipliné qui ne rechigne pas à la besogne.

» Il désirait consulter les plans de Kobé et de Kyoto, je lui ai procuré tout un jeu de cartes et il les a soigneusement étudiées. Après quoi il m'a demandé de lui poser des questions, il connaissait pratiquement tout, le nom des rues, des avenues, etc. Il se souvenait même des numéros des bus et de leur destination ; d'autre part, ma tante lui a traduit certaines indications relatives aux magasins et autres musées, tout ce qui intéresse les touristes. Les informations qu'il a récoltées devraient vous servir. A Kyoto, par exemple, vous découvrirez vraiment ce qu'est l'art japonais. D'ailleurs, je me propose de vous y emmener afin que vous puissiez vous familiariser avec tous ces fameux temples, puisque c'est la raison qui vous amène ici ; du moins c'est ce que nous voulons que les " autres " croient. Il y a aussi des collections privées qui ne manquent pas d'intérêt.

— Vous avez raison, dit le commissaire. J'ai acheté quelques livres et j'ai bien appris ma leçon, mais rien ne vaut la pratique, c'est une excellente idée. Et à part ça, qu'est-ce que le sergent a fait ?

— Nous avons trouvé des prêtres qui sont prêts à entrer dans notre jeu, continua Dorin en sirotant son café glacé. Je crois qu'on peut très facilement arranger le coup des objets d'art volés. En revanche, pour l'héroïne, il nous sera plus difficile de trouver le contact. Peut-être devrions-nous nous passer d'intermédiaires et nous adresser directement à la Délégation commerciale de Chine populaire. Bien entendu ils prétendront qu'ils ne sont pas au courant de ce trafic, qu'ils n'en ont même jamais entendu parler, mais ils ne manqueront pas de nous envoyer un émissaire peu de temps après. Je pense qu'il faudra que nous allions à Kobé.

— Et le sergent dans tout ça ?

— Il a manifestement développé de grands pouvoirs de concentration, répondit Dorin en faisant des cercles avec son gobelet sur le formica qui recouvrait la table. C'est agréable d'être avec lui, mais je le trouve un peu abattu. »

Le commissaire soupira. Il se souvenait d'un précepte qu'il avait lu dans un livre de philosophie chinoise : « La plus grande erreur, c'est de s'agiter. » Il regarda les mains de Dorin, elles étaient couleur miel et non jaunes. Il se demanda pourquoi les occidentaux se figuraient que les Japonais étaient de race jaune.

« Oui ? » fit-il. Il avait adopté le ton compréhensif et paternel qu'il affectionnait dans les situations délicates.

« On dirait que votre sergent a quelque chose sur le cœur, qu'il bout d'une rage mal contenue. Cela se voit dans son comportement. Je crois que je le comprends, moi aussi j'ai ça en moi. Comme vous le saviez probablement, je travaille pour le Service secret japonais. Certains de mes collègues se défoulent d'une façon tout à fait banale, c'est ce qu'on peut appeler de l'agressivité. Ils sont mal dans leur peau mais ils ne savent pas à qui ils peuvent se frotter. Vous devez comprendre ce que je veux dire, on m'a dit que vous étiez un officier de police spécialisé dans la criminalité et la violence.

— Vaguement, mais continuez, je vous en prie, que s'est-il passé ? »

Dorin fixa son attention sur le mur, bien au-dessus de la tête du commissaire.Il se mit à parler d'une façon maladroite, marquant de fréquentes pauses.

« Un soir, il y a deux jours, nous sommes sortis ensemble. Votre adjoint aime bien le saké, c'est notre gin à nous, de l'alcool de riz qu'on sert dans de petites tasses. Nous en avons bu quelques-unes puis nous nous sommes promenés. Nous nous sommes retrouvés dans la partie la plus minable du quartier réservé. Il était plutôt tard et les rues étaient pratiquement désertes. Nous étions dans une contre-allée et nous sommes tombés sur trois jeunes gens qui jetaient des pierres à un chat. C'étaient ce qu'on appelle des " durs ", les cheveux longs, en blouson de cuir. Ce sont généralement des dealers et des souteneurs, à une petite échelle. Des rats stupides qui ont le cerveau gros comme un petit pois. »

Le commissaire approuva de la tête. « Oui, je connais le genre, on trouve ces voyous partout.

— Donc, ils jetaient des pierres à un chat. L'animal agonisait, il avait l'échine brisée et le sang jaillissait de sa gueule, mais il n'était pas encore mort. Les trois loubards le bombardaient de pierres en rigolant. De Gier-san leur a sauté dessus à une vitesse telle qu'ils ne l'ont même pas vu venir, je n'ai pas eu le temps de le retenir. Il les a attaqués avec l'intention de les tuer. Je lui ai fait lâcher prise et le premier type est tombé, mais je n'ai pas réussi à le maintenir et il s'en est pris aux deux autres. Ils n'avaient aucune chance, pourtant je suis sûr qu'ils étaient habitués à se battre dans la rue et qu'ils avaient probablement des lames sur eux. Le temps que je parvienne à maîtriser le sergent, ils étaient tous les trois étendus par terre et pas près de se relever. Malheureusement quelqu'un avait vu la bagarre et a téléphoné à la police.

— On ne l'a pas arrêté ? Si ? s'inquiéta le commissaire.

Dorin eut un sourire malicieux. « Non, rassurez-vous, nous nous sommes enfuis en vitesse. Nous avons couru dans des directions différentes et je l'ai perdu de vue. Le matin suivant, il a rappliqué à l'auberge. Il s'en est très bien sorti car, au Japon, il est très difficile pour un gaijin, un étranger, de se cacher. Eh bien de Gier-san y est parvenu. Il m'a raconté qu'il avait sauté un mur et atterri dans le jardinet d'une maison particulière. La propriétaire était une vieille dame, une ancienne prostituée, et elle n'a pas été effrayée outre mesure quand elle l'a vu marcher dans son parterre d'azalées. Il a eu la présence d'esprit de lui tirer sa révérence en lui faisant des courbettes, tout sourire. Il lui a souhaité une bonne nuit en la priant de bien vouloir l'excuser. Il avait appris deux cents mots de japonais par cœur et ma tante lui avait appris à les prononcer correctement. Il a donc dit *komban-wa,* pour bonne nuit, et *sumimasen,* pour excusez-moi. Ils ont pris le thé ensemble et elle l'a gardé chez elle pour la nuit. »

Le commissaire fit une vague grimace. « Parfait. Le sergent sait s'y prendre avec les femmes ; d'ailleurs je suis plutôt content d'apprendre ce détail, ça prouve qu'il a gardé tout son charme. Dernièrement, il a perdu deux êtres qui lui étaient très chers, sa petite amie et son chat, dans un accident de la circulation. Il a fait une dépression nerveuse mais il s'en est remis. C'est probablement ce qui explique la façon dont il s'est conduit, mais je vous en prie, continuez, je suis désolé de vous avoir interrompu. Il avait réussi à s'enfuir, disiez-vous ?

— Exactement. La police est arrivée sur les lieux très rapidement. Pendant que je courais, j'entendais même leur sirène, mais je ne craignais rien, je me suis mêlé à la foule dans la première grande rue sur laquelle je suis tombé. Le lendemain, je me suis débrouillé pour savoir ce qui était arrivé aux victimes du sergent. On avait emmené les trois loubards à l'hôpital, ils y sont encore. Ils ont des fractures, des vertèbres démises, des côtes fêlées et autres contusions. Il ne les a vraiment pas ratés.

— Risquent-ils de mourir ?

— Au début les docteurs se demandaient si le type qui avait eu les vertèbres cervicales démises n'y passerait pas, mais maintenant il est hors de danger. Il faudra qu'il porte une minerve pendant quelques mois, c'est tout. »

Le commissaire respira profondément et, se tournant à demi, il fit signe à la serveuse. Il commanda du café. « Bon, fit-il, je n'aurais peut-être pas dû lui laisser autant de liberté de mouvements, ou bien j'aurais dû demander à l'ambassadeur de vous prévenir qu'il avait les nerfs plutôt fragiles en ce moment. Cela n'aurait pas dû se produire. Comme vous le dites il les a attaqués sans aucun avertissement et il aurait pu aisément les tuer si vous n'aviez pas été là. Je vous avoue que cela me surprend. A l'école de la police on ne lui a enseigné que les “ prises ” et autres méthodes qu'utilisent les judokas pour neutraliser l'adversaire, mais d'une façon défensive plutôt qu'agressive. »

Dorin hocha pensivement la tête. « Pourtant si, on nous enseigne des techniques de combat agressives, du moins dans le commando du Service secret auquel j'appartiens. La plupart des prises que je connais tueraient l'ennemi instantanément. Lorsque j'ai vu bondir le sergent, ça m'a fait penser à un commando qui se ruait à l'assaut. Il n'a pas hésité une seule seconde. Voilà pourquoi je me suis permis de penser qu'il refusait instinctivement une certaine forme de barbarie, qu'il pouvait bouillir de rage. Les loubards étaient en train de torturer un chat ; à présent que je connais son histoire personnelle, je comprends un peu mieux le sergent.

— Une tentative d'homicide volontaire parfaite, remarqua le commissaire, avec circonstances aggravantes, qui plus est. S'il était passé en justice, il serait dans de bien mauvais draps. Je ne pense pas qu'un juge hollandais l'aurait laissé en liberté. Est-ce qu'on a lancé un avis de recherche contre lui ?

— Oui, répondit Dorin, mais les renseignements que possède la police sont très vagues. Il n'y avait pas de témoins et les victimes n'ont pas de souvenirs très précis. Ils ont donné le signalement d'un gaijin qui était grand, l'un d'eux a déclaré qu'il avait une moustache et des cheveux bouclés, un point c'est tout. Je ne crois pas que la police donnera suite à l'affaire, surtout si le Service secret leur dit que le sergent est ici en mission. Non, je ne pense vraiment pas qu'il y ait lieu de s'en faire. D'ailleurs, c'est peut-être une chance que le sergent soit dans cet état. Nous avons affaire à forte partie, et, dans la mesure où personne ne nous couvre officiellement, puisque nous avons une couverture bidon, nous sommes plutôt vulnérables. J'ai tous les moyens que je veux pour anéantir les yakusa, des forces dix fois supérieures aux leurs, mais je n'ai pas le feu vert, ce sera donc pour plus tard. N'oubliez pas qu'en ce moment nous ne sommes que trois.

— Et je ne suis pas ce que l'on peut appeler un “ combattant ”, ajouta le commissaire en souriant.

— Effectivement, je vois ce que vous voulez dire. Vous ne pensez donc pas qu'il faille adresser de reproches au sergent ?

— Non, je ne crois pas, affirma-t-il en riant pour donner plus de poids à ses paroles. Le sergent se bat contre le destin qui lui a pris sa petite amie et son chat. Comme vous l'avez dit, c'était un accident, on ne peut donc en vouloir à personne. Cela dit, le sergent en veut à quelqu'un, jusqu'à présent il n'en veut qu'au destin, bientôt il en voudra aux yakusa. »

Le commissaire enleva ses lunettes et les posa sur la table avant de se frotter les yeux. « Je crois que maintenant j'aimerais bien aller à l'auberge de votre oncle. Est-ce qu'ils servent de la cuisine japonaise ?

— Il n'y a que le petit déjeuner qui soit occidental, répliqua Dorin en grimaçant, mais rien ne vous empêche d'aller prendre vos autres repas ailleurs. C'est ce que fait de Gier-san, généralement. Les Occidentaux peuvent apprécier ce que nous mangeons, mais il leur faut du temps pour déguster vraiment les mets qu'on leur sert. Malgré tout, il se peut très bien que vous aimiez beaucoup la cuisine de ma tante ; son *sukiyaki* est l'une de ses spécialités que vous ne dédaignerez pas. »

Il paya l'addition et prit la valise du commissaire. Lorsqu'ils partirent les deux hommes qui étaient à la table voisine les suivirent ; ils montèrent dans une Datsun grise, garée immédiatement derrière la petite voiture de Dorin.

« J'ai l'impression qu'on nous suit », fit remarquer le commissaire.

Dorin esquissa un sourire. « Ce sont des hommes à nous, répondit-il. Je pense que mon service en fait un peu trop. Je suis tout à fait capable de veiller sur vous, surtout ici. A Kobé, il se peut que la situation soit différente, nous verrons. Mais quand mon supérieur a appris que vous étiez le chef de la Brigade criminelle d'Amsterdam, ça l'a mis dans tous ses états. J'ai bien peur qu'il y ait toujours quelqu'un pour vous suivre.

— Est-ce qu'on suit de Gier également ?

— Dans la contre-allée, ils étaient derrière nous mais ils ne sont pas intervenus officiellement, ils n'étaient là que pour nous protéger.

— Ils ne s'en seraient quand même pas pris aux forces de l'ordre, si ?

— Ils en auraient tout à fait été capables, déclara Dorin en donnant un coup de volant pour éviter un triporteur. Ce sont des gens très obéissants et quand ils reçoivent un ordre ils le suivent aveuglément. Cela dit, je suis content qu'ils ne soient pas intervenus. Je déteste avoir à expliquer des situations embarrassantes à la police. Ils n'ont pas le même point de vue que nous, vous savez.

— Je sais, répliqua le commissaire.

9

« Vous avez dû avoir une expérience intéressante », déclara le commissaire en s'étendant sur la natte qui lui servait de matelas et qu'une servante avait déroulée pour lui. Elle l'avait fait sortir comme par magie du placard astucieusement dissimulé dans le mur où il était enroulé, et elle avait fait son lit avec une économie de mouvements remarquable. Bien qu'il n'y eût pas de sommier et que le " lit " fût plutôt dur, le commissaire s'y était glissé en grognant de plaisir.

De son lit situé à l'autre bout de la pièce, de Gier avait observé en souriant le manège du vieil homme. Il y avait bien entendu d'autres chambres de libres, mais quand l'aubergiste leur avait proposé de partager la même pièce, de façon qu'ils soient ensemble et que ça leur coûte moins cher, le commissaire s'était empressé d'accepter. Dès qu'il avait vu que ses hôtes étaient bien installés, Dorin était parti en leur promettant de revenir un peu plus tard dans la soirée.

« Épatant, ce bain, fit le commissaire à mi-voix.

— C'est la seule façon concevable et civilisée de prendre un bain, répliqua de Gier qui l'avait entendu marmonner. C'est là où je m'aperçois que nous ne sommes que des barbares ; jamais il ne m'était venu à l'idée que l'on pouvait prendre un bain autrement que chez nous, eh bien je me trompais, il n'y a vraiment aucune comparaison.

— Effectivement. » Le commissaire fumait un cigare en regardant une porte coulissante qui n'était en fait qu'un papier blanc tendu dans un cadre de bois. Dans le petit jardin la lune éclairait des roseaux qui ondulaient gracieusement, c'était comme une lanterne magique. « Effectivement, sergent, le plus agréable, c'est évidemment de rester dans l'eau, et la façon dont nous, Occidentaux, le faisons, est stupide. Nous marinons dans notre jus puisque nous nous lavons d'abord et trempons ensuite dans une sorte d'eau de vaisselle. Ici, nous nous lavons d'abord également, mais hors du bain, sur le carrelage ; ensuite seulement nous prenons notre bain dans une eau chaude et limpide. C'est merveilleux, mes jambes ne me font pas du tout souffrir. » Il s'étira de plaisir.

« Vous disiez quelque chose à propos d'une expérience intéressante, monsieur. Vous vouliez parler du bain ?

— Non. Je voulais parler de votre tentative d'homicide volontaire. On m'a raconté que vous aviez presque tué un homme et que vous en aviez sérieusement blessé deux autres. Ceux qui torturaient un chat. Ce dont vous vous êtes rendu coupable est grave, sans aucune commune mesure avec ce qu'ils étaient en train de faire, de sorte qu'on peut vous arrêter et vous juger. En outre, pour ne pas vous être rendu aux forces de l'ordre, vous êtes désormais en fuite. Je suis sûr que c'est la première fois que ça vous arrive. »

De Gier fit la grimace. « Maintenant, je vois ce qu'il en est, monsieur. Je n'avais pas vraiment songé à tout cela. Serais-je arrivé au bout du chemin ?

— Non. » Le commissaire regarda ses orteils. On eût cru dix crevettes grises frétillant au pied du matelas. Il eut comme un éclair et replongea dans le monde de son enfance, lorsque sa mère le sortait du bain et l'emmaillotait dans une serviette chaude, c'était comme un retour aux sources, à l'univers idéal que constituait le ventre de la mère, un univers chaud et aqueux. Désormais, il ne restait plus rien qu'il pût souhaiter, mais la présence de De Gier, sa silhouette dégingandée recroquevillée dans un coin de la magnifique pièce, le réconfortait. Il songea quelques instants au délicieux repas qu'ils venaient de partager. On leur avait servi du poisson frit, du riz et des légumes sur une table basse sur laquelle il y avait maintenant un plateau avec deux carafons et deux petites coupes assorties.

En voyant de Gier se lever pour servir le saké, le commissaire se dit que, décidément, il connaissait bien son subalterne. Il prit la coupe que lui tendait le sergent et en but une gorgée. Il sourit à de Gier qui lui fit un clin d'œil. « C'est de la bonne gniole, sergent. Je ferais bien d'y aller doucement, demain nous aurons peut-être des choses à faire.

— Ne vous en faites pas, monsieur, vous n'avez rien à craindre si vous en buvez quelques coupes. Ces carafons sont à la mesure de l'estomac des Japonais et ils sont beaucoup plus petits que ceux dans lesquels nous mettons notre genièvre. S'ils n'en boivent qu'un, ils seront gais, en revanche le second les soûlera. Je présume donc que nous pouvons très bien boire deux carafons et rester parfaitement lucides. »

Le sergent avait l'air très à l'aise quand il s'assit en tailleur, le dos bien droit appuyé contre un poteau soutenant le plafond. Ce n'était plus le malade neurasthénique dont avait pris soin le commissaire chez lui, à Amsterdam. Les tous premiers jours, le docteur avait maintenu de Gier dans un sommeil artificiel grâce à de puissantes drogues, et malgré cela le sergent se réveillait toutes les deux ou trois heures en balbutiant les noms d'Esther et d'Oliver, en cherchant à tâtons la main de la fille et la patte du chat. Il appelait le commissaire « papa » en le regardant de ses grands yeux remplis de larmes. Lorsque les médicaments ne lui firent pratiquement plus d'effet et que prit fin la cure de sommeil, le sergent faillit avoir une grave crise et le commissaire dut passer la nuit à son chevet en lui bassinant les tempes avec une serviette humide, en lui faisant boire du thé et en lui tenant la main alors qu'il lui parlait comme à un tout petit garçon. Puis de Gier s'était mis à délirer en se tournant et retournant très violemment dans le lit, il avait même été jusqu'à déchirer convulsivement l'oreiller et les draps. C'est là qu'il avait commencé à être fou de rage, et cela expliquait pourquoi il s'était jeté sur les trois loubards japonais qui torturaient un chat dans une contre-allée.

Le commissaire se demanda si cette fureur pourrait tuer un yakusa. Ils n'étaient pas venus au Japon dans ce but. Ils n'étaient que des appâts, des vers se tortillant au bout des lignes que manipulait le Service secret japonais. Il grimaça en se demandant si le gouvernement hollandais aurait l'indélicatesse d'envoyer une facture au gouvernement japonais, en paiement des services rendus par deux Hollandais dans leur pays. Cela n'aurait rien d'étonnant, c'était déjà arrivé. Il se rappelait qu'une fois il avait demandé à l'armée d'envoyer des hommes-grenouilles pour rechercher un cadavre qui était censé être au fond d'un lac. Les plongeurs avaient trouvé le corps et la brigade criminelle avait reçu une facture d'un montant exorbitant, il y avait le détail des heures de plongée, à tant de l'heure. Il avait alors dit aux comptables de la police d'envoyer à l'armée une addition encore plus salée pour une affaire qu'il avait jadis résolue au sujet de la mort d'un officier. Les deux factures avaient été soigneusement épluchées, on les avait contestées mais personne ne les avait jamais payées. Le commissaire haussa les épaules. L'eussent-elles été, ça n'aurait été, une fois de plus, que l'argent des contribuables que l'on gaspillait.

Il tendit sa tasse et le sergent se leva d'un bond pour la remplir ; l'ayant vidée, il claqua la langue en signe d'approbation. Malheureusement il s'étrangla et fut pris d'une quinte de toux. Le sergent retourna dans son coin.

« Comme ça, vous vous plaisez bien ici, hein, sergent ?

— Oui, monsieur. Ils sont en avance sur nous. La nourriture est délicieuse, l'architecture est moins anonyme, les femmes sont serviables ; enfin, les gens sont aimables et charmants. Cela ne fait qu'une semaine que je suis ici et pourtant il semble que je sois déjà adopté, que je fasse partie de leur communauté. Hier je me suis perdu. Les rues se ressemblent toutes un peu et comme je musardais, je me suis complètement paumé ; je n'avais pas la moindre idée de l'endroit où j'étais. Eh bien, figurez-vous que, lorsque j'ai demandé mon chemin à un jeune type en moto, il m'a dit de monter derrière lui et m'a raccompagné directement ici. »

Le commissaire sourit. « C'est sympathique. Et à part cela, qu'est-ce que vous appréciez d'autre ? »

De Gier se leva, ouvrit la porte et s'accouda au balcon. « Les jardins où il y a de la mousse, dit-il. On en trouve partout. Pas en ville malheureusement ; dans le centre, la pollution est telle qu'on ne pourrait même pas faire pousser une plante verte, mais ici nous ne sommes pas à proprement parler dans ce qu'on appelle la ville. Ici, chaque maison particulière a son petit jardin, et dans la plupart il y a de la mousse. J'ai vu les propriétaires jardiner sur leur petit carré de mousse. Ils le font centimètre par centimètre, amoureusement, il y pousse tout un tas de mauvaises herbes, alors il faut ratisser la mousse, la peigner et l'humidifier, mais ça en vaut la peine, le résultat est magnifique. J'aurais dû en faire pousser sur mon balcon à Amsterdam. »

Le commissaire s'était levé et avait rejoint le sergent. Dans le jardin de l'auberge on eût dit qu'il y avait de minuscules collines et des cours d'eau qui serpentaient autour d'un étang ; bien qu'en miniature, l'agencement était parfaitement harmonieux. Çà et là on avait planté quelques buissons derrière les collines, on aurait facilement pu croire que les collines étaient des montagnes, les buissons des forêts. Le sol était partout couvert d'une épaisse mousse qu'éclairait une seule ampoule électrique nichée dans le creux d'un pilier en pierre dont le sommet était lui aussi recouvert de mousse.

« Dans ce seul jardin, il y a au moins dix variétés de mousse, poursuivit le sergent. Le matin, l'aubergiste se lève de très bonne heure pour désherber. Parfois il se fait aider par son fils, et à les voir on ne dirait pas qu'ils travaillent mais qu'ils observent un certain rite, une discipline pour avoir l'esprit en paix. C'est du moins ce que m'a affirmé Dorin.

— Magnifique. Et qu'est-ce qui vous a encore frappé ? »

Le sergent vida le second carafon dans leurs coupes et les deux hommes se remirent au balcon.

« Parfois, il m'arrive de ne pas me sentir très à l'aise, monsieur. C'est à cause de ma taille, je suis trop grand. Quand je marche dans la rue, je les dépasse tous d'au moins deux ou trois têtes. Ce pays n'est pas à la mesure des Occidentaux, à cause de leur corps, s'entend. Il m'est arrivé de souhaiter être un Japonais. Les gens sourient ou ricanent en me voyant, les mômes se poussent du coude en pouffant de rire et n'arrêtent pas de crier HELLO HELLO. Je pense que c'est le seul mot d'anglais qu'ils connaissent. Au bout d'un moment on a envie de les abattre en leur tirant dessus.

— En leur tirant dessus ! » s'exclama le commissaire en ajustant l'étroit cordon qui maintenait en place le kimono gris que les hôteliers lui avaient prêté. « Vous avez une arme, sergent ?

— Oui, monsieur. » De Gier sortit un pistolet du holster qu'il portait sous son kimono. « C'est Dorin qui me l'a donné ; j'ai laissé le mien au Quartier général d'Amsterdam. Il m'en a donné un autre pour vous, c'est un Walther, un pistolet allemand. Il y a deux jours nous nous sommes entraînés sur une plage et je peux vous dire qu'il est léger et très précis. J'ai obtenu de meilleurs résultats qu'en Hollande et pourtant j'étais deux fois plus loin que dans le stand de tir du Q.G. » Il alla farfouiller dans le placard et revint près du commissaire avec le pistolet. « Tenez, monsieur, voyez si ça va. Il est suffisamment petit pour ne pas faire de bosse comme celui de Dorin. D'ailleurs, vous avez dû le remarquer, il se trimballe avec un énorme revolver, ce qui ne manque pas d'attirer l'attention, mais il prétend que c'est son arme de commando et qu'il ne peut pas s'en séparer. »

Le commissaire alla chercher sa ceinture, la mit sur son kimono et y glissa le pistolet.

« Parfait, commenta de Gier ; maintenant, nous sommes parés, les yakusa peuvent venir se frotter à nous. On peut en descendre six chacun ; en outre j'ai quelques chargeurs en réserve. S'ils ne bougent pas et ne se défendent pas trop, on pourra faire un carton. Pendant que j'y suis, monsieur, pour en revenir à cette tentative d'homicide volontaire, je pense que ce serait mieux que je donne ma démission lorsque nous serons de retour à Amsterdam. J'ai l'impression que je ne me contrôle plus, que je n'ai pas les réflexes qu'il faut, et le pire, c'est que ça ne me préoccupe guère. Je suppose que je devrais me sentir coupable d'avoir envoyé trois jeunes gens à l'hôpital, eh bien non. Qu'ils restent en vie ou qu'ils meurent, je m'en moque pas mal maintenant, mais quand je leur ai sauté dessus j'avais vraiment l'intention de les tuer.

— Ne vous en faites pas, dit le commissaire, et ne démissionnez pas. Nous reparlerons de tout ça plus tard mais ce ne sera peut-être même pas nécessaire. Occupons-nous du boulot dont nous sommes chargés et laissons tomber vos motivations.

— Alors, vous ne m'en voulez pas trop, monsieur ?

— Pas en ce moment, sergent. Bien, je propose que l'on dorme un peu. »

De Gier enleva son kimono, sortit son lit du placard et se laissa tomber dessus en tirant la couverture à lui. En accomplissant tous ces mouvements, il avait trouvé le moyen d'éteindre la lumière.

Une fois dans le noir, le commissaire fit la grimace. Un homme libre, songea-t-il, son traumatisme lui a révélé son identité et il a compris qu'il devait l'assumer. Il s'en était rendu compte lorsque de Gier était sorti en courant de l'auberge et qu'il lui avait serré la main, après avoir ouvert la portière de la voiture de Dorin. Seulement, voilà, être libre, se moquer de tout, ça pouvait être dangereux. Le commissaire se souvenait de l'un de ses subalternes quand il était dans l'armée des ombres, c'est-à-dire dans la résistance hollandaise durant la guerre. L'homme était nerveux, pusillanime et mort de peur, jusqu'à ce que les Allemands embarquent sa jeune femme et la fassent mourir sous la torture. C'est ce qui l'avait rendu libre et il avait changé du tout au tout. Ses collègues l'avaient baptisé le démon de la mort. Il était volontaire pour les missions les plus impossibles et il en revenait toujours. Il était devenu spécialiste de la capture des agents de la Gestapo, il les traquait sans pitié et ne leur laissait aucune chance ; quand il avait tiré d'eux les informations qu'il voulait, il les tuait d'une balle dans la nuque, non sans leur avoir demandé au préalable de bien vouloir regarder une chose ou une autre.

L'homme en question vivait toujours. Il avait monté sa propre entreprise de textiles et il la dirigeait d'une façon tout à fait distanciée, comme lorsqu'il jouait à la guerre. Le commissaire le voyait encore de temps à autre, dans le luxueux appartement que possédait le type. Il vivait seul en compagnie d'un corbeau apprivoisé dont le plus grand plaisir était de déchiqueter les tentures et papiers peints.

« Tout n'est qu'illusion, déclara soudain de Gier, comme s'il avait suivi les pensées du commissaire.

— Je vous demande pardon ?

— Tout n'est qu'illusion, répéta de Gier. C'est ce qu'a déclaré l'aubergiste quand je l'ai complimenté pour son jardin de mousse. Voilà la sagesse japonaise. Toute cette aventure, les yakusa, les objets d'art volés et la drogue, tout cela n'est peut-être qu'illusion. Est-ce que Dorin vous a raconté ce qu'il est en train de tramer à Kyoto ?

— Vaguement, j'aimerais que vous me donniez des détails.

— Il est allé au Daidharmaji. *Ji* signifie temple. Daidharma, c'est le patronyme du temple. *Dai* veut dire grand ; j'ai oublié pour Dharma [1]. Quelque chose comme illumination intérieure, je suppose, tous les temples ont des noms comme ça. En fait, ce Daidharmaji n'est pas un temple, mais un ensemble de bâtiments. Il y a un monastère avec un grand maître initié, des grands prêtres et un immense édifice qui abrite les nombreux moines et prêtres qui y travaillent. C'est un endroit réputé pour ses collections d'œuvres d'art, mais les yakusa n'ont jamais été capables de s'en emparer. Il faut dire que le Daidharmaji est un lieu de culte et que les prêtres ne s'intéressent pas à l'argent, ils ont la vocation.

» Dorin a des amis là-bas et il s'est entretenu avec le grand prêtre qui s'occupe des intérêts du temple, qui le gère, si vous préférez. Ce grand prêtre a donc demandé à l'un de ses disciples de se balader en ville, pour s'y soûler la gueule et aller voir les putes. Cet homme s'est alors rendu dans un bar de Kyoto, le Dragon d'Or, qui est le quartier général des yakusa. Bien entendu il était en civil, mais il a bien joué son rôle de prêtre corrompu, de sorte que les yakusa ont mordu à l'hameçon. Ils lui ont présenté de jolies femmes et lui ont proposé de tenter sa chance au jeu. Au début, il a un peu gagné puis il a perdu, et de plus en plus ; sur le moment, les yakusa ne lui ont rien réclamé, ils ne se sont manifestés qu'hier. Ils le tiennent maintenant puisqu'il leur doit quelques milliers de dollars ; désormais il faut qu'il leur apporte quelques tankas, de ceux qui sont dans le temple dont il a la charge. Dans le vaste ensemble que compose le Daidharmaji, il y a beaucoup de petits temples et un prêtre dans chacun d'eux, pour l'entretien de ces fameuses collections que le public peut admirer une fois l'an.

— Tout cela s'annonce bien, remarqua le commissaire. Ainsi il va falloir qu'il s'exécute, ce prêtre ?

1. Le Dharma, c'est la grande roue de la vie, la « loi » bouddhique. (*N.d.T.*)

— Non, et c'est là que ça devient intéressant. Le prêtre a promis qu'il leur apporterait ce qu'ils voulaient puis il s'est ravisé. Il a raconté aux yakusa qu'il avait des tankas de grande valeur mais qu'il avait aussi un autre acheteur qui était bien décidé à lui en offrir beaucoup plus que la somme qu'ils lui proposaient, ce qui lui permettrait de s'acquitter de la dette qu'il avait envers eux et de gagner de l'argent.

— Et c'est nous les acheteurs ?

— Exactement, monsieur. Nous allons nous rendre à Kyoto et descendre dans une auberge proche du Daidharmaji. Le prêtre viendra alors nous rendre visite et nous achèterons ses marchandises. Ainsi il pourra payer les yakusa ; ces derniers prendront l'argent mais ils n'apprécieront pas qu'une partie de cette fameuse collection leur échappe et ils suivront le prêtre pour voir ce qu'il fait de sa camelote. Dorin s'est débrouillé pour que d'autres prêtres et des moines viennent nous voir eux aussi. Nous allons mettre sur pied un trafic qui n'aura pas l'air d'être occasionnel du tout. Comme nous serons à Kyoto, qui est une ville sainte, les yakusa n'oseront rien nous faire. Il y a bien là-bas un quartier réservé que délimitent des saules, les yakusa ont la mainmise dessus mais ils ne s'y montrent jamais vraiment méchants. N'oublions pas que ce sont des Japonais et qu'ils ont peut-être peur de transgresser la Loi, religieuse s'entend, à moins qu'ils ne craignent qu'en commettant un crime à Kyoto ils ne fassent la une des grands quotidiens et que l'opinion publique ne commence à s'intéresser à eux. Ils n'ont donc guère le choix, ils devront attendre en rongeant leur frein.

— Je vois, fit pensivement le commissaire. Jusqu'au moment ou ils seront tellement exaspérés qu'ils tenteront quelque chose. Nous allons les forcer à se découvrir.

— Dorin a quand même eu quelques difficultés pour convaincre les gens du Daidharmaji. Ils possèdent les plus belles collections d'art qui puissent exister au Japon. Il y a beaucoup d'œuvres chinoises qui datent de plusieurs millénaires. Si on les perdait ou si on les abîmait, ce serait une véritable catastrophe. Si Dorin a obtenu gain de cause, c'est uniquement grâce au maître du monastère, un maître Zen. On m'a dit qu'au temple on enseignait le bouddhisme Zen. Dorin a demandé au grand prêtre chargé de la discipline et des affaires courantes de nous faire confiance. Ce maître Zen a déclaré que de toute façon ces objets d'art n'étaient jamais que des objets et qu'il ne fallait pas s'en soucier, même et surtout si on les perdait. Il a ajouté qu'il se moquait pas mal que les yakusa les volent pour les revendre, comme ça ils circuleraient et les gens pourraient les voir ; au Daidharmaji, on les garde dans des caveaux. »

Le commissaire pouffa de rire. « Ce doit vraiment être un curieux type, ce maître Zen. Mais n'est-il pas aussi le grand prêtre ? J'avais toujours cru qu'un maître représentait l'instance suprême.

— Je suppose effectivement que c'en est un, répondit de Gier, mais ce n'est pas lui qui s'occupe des affaires courantes. Sa tâche est d'initier les moines, je ne sais du reste pas exactement en quoi cela consiste. Dorin m'a dit que les moines passaient la majeure partie de leur temps assis en méditation dans une grande salle. Le maître est peut-être assis avec eux.

— C'est quand même lui que l'on consulte pour prendre des décisions importantes, remarqua le commissaire, comme notre agent-chef. Après tout, il se peut très bien que nous soyons également une organisation religieuse, sergent. En faisant respecter les lois, nous n'avons fait que prendre la relève de la religion originelle, les tables de la loi en tout cas. »

Appuyé sur un bras, de Gier tourna légèrement la tête et regarda la forme recroquevillée sur elle-même, à l'extrémité de la pièce. Le commissaire s'était mis à ronfler doucement. Le sergent commençait à s'endormir lui aussi. Il voyait le visage d'Esther et sentait son chat s'installer entre ses pieds.

Il eut une crampe dans le bras et reprit conscience. Peut-être démissionnerai-je de toute façon, lorsque je serai de retour à Amsterdam, se dit-il. Il faut que je ramène le vieil homme sain et sauf, ensuite, je verrai. Cela fut sa dernière pensée avant d'entrer dans un rêve. Il était dans une forêt et il suivait un sentier assez large, Oliver le précédait en agitant frénétiquement sa longue queue mouchetée d'argent. Ils marchaient sur un épais tapis d'aiguilles de pin et on devait être en fin d'après-midi, car le soleil couchant étalait démesurément leurs ombres devant eux. Au bout du chemin, il y eut brusquement comme une illumination et Oliver se mit à courir. De Gier se retourna sur sa couche, il ne rêvait plus.

10

« Vous voulez que j'éteigne la lumière juste après leur avoir donné un journal japonais, que je dise aux gardiens d'oublier de leur servir du thé, que je demande à quelqu'un de qualifié de pousser la chaudière au maximum alors que dehors il fait trente degrés à l'ombre. C'est bien ce que vous voulez que je fasse ? »

Grijpstra avait formulé ces questions d'une façon très narquoise, sa grande carcasse appuyée contre le mur blanc du bureau de l'inspecteur. Il avait refusé la chaise qu'on lui avait offerte et ne faisait pas le moindre geste pour empêcher la cendre de son cigare de tomber sur le sol immaculé, au contraire, il faisait des ronds de jambe pour mieux l'étaler sous la semelle de sa chaussure droite. L'inspecteur était nerveux, il n'arrêtait pas de tripoter les objets soigneusement alignés sur son magnifique bureau et il n'arrivait pas à réprimer le tic de son œil gauche.

« Voyez-vous, dit l'inspecteur, ce n'est pas de mon ressort. Tout ce que j'en disais, c'était pour vous aider. Je sais que c'est *vous* que l'on a chargé de l'affaire. Cela dit...

— Eh bien ? » Grijpstra avait parlé sur un ton quelque peu menaçant.

« Bon Dieu ! » s'écria l'inspecteur. Il regarda l'adjudant et continua, plus doucement. « Vous n'êtes donc pas capable d'écouter les conseils qu'on vous donne ? Ce genre d'affaire, c'est ma spécialité, j'ai même eu un diplôme pour ça. A l'École militaire, je n'ai jamais raté un cours sur le dépistage, la détection des crimes. On m'a même envoyé un an à Londres pour apprendre quelles étaient leurs méthodes là-bas, à la brigade criminelle. Est-ce que c'est torturer un prisonnier que de le priver de son confort ? Je ne vous demande pas de leur arracher les ongles à ces gangsters japonais ! Si ? Moi, si je le faisais, je suis sûr qu'ils comprendraient et, mieux, ils l'accepteraient, et ils parleraient. Tous les hommes ont un point faible, même les plus endurcis. J'ai vu les suspects, ce sont des tueurs. *Vous,* ils vous tortureraient sans la moindre hésitation, simplement parce que quelqu'un leur en aurait donné l'ordre. Toute cette histoire est ridicule, nous sommes en train de les dorloter. Ils sont détenus à Amstelveen, la prison la plus confortable du pays. Ils sont dans une cellule spacieuse, bien aérée et parfaitement éclairée. On leur fait parvenir des repas fins qui proviennent des restaurants japonais les plus sophistiqués et les plus chers, et le plus fort c'est que nous payons l'addition, à moins que ce ne soit le ministère des Affaires étrangères. Vous ne pensez pas que c'est complètement absurde ?

— Je ne suis pas spécialement en train de penser », répliqua Grijpstra.

L'inspecteur se leva si brusquement qu'il renversa sa chaise et qu'elle alla heurter le mur derrière lui avant de tomber. « Écoutez-moi bien, adjudant, dit-il d'une voix froide, n'essayez pas de jouer à ce petit jeu-là avec moi. Je suis un gradé que la reine a doté de pouvoirs, ce n'est pas votre cas. Ne l'oubliez pas, il suffit que je fasse intervenir quelques relations pour que vous soyez muté. Par exemple, on demande du personnel au service de l'immigration. Vous pourriez bien vous retrouver assis derrière un bureau crasseux, dans une pièce où l'air est confiné et où les Arabes se présentent devant vous munis de documents que vous devez éplucher. Des documents sur lesquels figurent des paraphes, des cachets et autres alinéas, de quoi vous rendre dingue. Il y a cent Arabes par jour, trois cents jours par an. Le soir, lorsque vous rentrerez chez vous, vous ne sentirez même plus le bout de vos doigts à force d'avoir feuilleté des fiches signalétiques, vous puerez l'ail, la sueur et la misère humaine et tout ça pour rien. Lorsque la police militaire renvoie chez eux par avion les immigrés qui ne sont pas en règle, ils reviennent toujours dans votre bureau ; c'est une simple question de semaines, parfois de jours. Et là, de nouveau, ils prétendront qu'ils ne parlent pas hollandais et ils essaieront de vous apitoyer en vous touchant de leurs mains sales et ils se remettront à gémir en vous suppliant. »

Grijpstra regardait par la fenêtre ; il serrait les dents mais les muscles de ses mâchoires se contractaient imperceptiblement.

« Est-ce que vous m'écoutez, adjudant ?

— Oui, monsieur. Mais en ce moment ce n'est pas aux Arabes que nous avons affaire, c'est aux Japonais. MM. Takemoto et Nakamura. Je suis d'accord avec vous, il est fort probable que ce soient des gangsters. Je les ai bien vus une vingtaine de fois et ils prennent la chose avec trop de sang-froid, compte tenu bien sûr de ce dont on les accuse. Je suis le premier à reconnaître que ce sont des durs et qu'ils peuvent être dangereux. Cela dit, nous n'avons pas grand-chose contre eux. Vous avez lu les rapports, nous ne pouvons pas tenir compte des déclarations des témoins, d'ailleurs nous n'avons pas de témoins. D'abord ils reconnaissent les suspects et ensuite, ils se rétractent. Le procureur général considère que cette affaire n'est pas sérieuse et que nous n'avons pas le droit de placer et de maintenir des personnes en garde à vue à moins qu'une instance supérieure ne nous y autorise. En outre, étant donné la façon dont se présentent les choses, je ne suis pas vraiment sûr que nos suspects aient tué M. Nagai. »

L'inspecteur se rassit. Il semblait s'être calmé bien que son œil fût toujours agité d'un tic.

« Bon. L'affaire va bientôt prendre une autre tournure. On sait qu'on a enterré le corps de Nagai en bordure de l'autoroute qui relie Amsterdam à Utrecht. Nous trouverons l'endroit, cela ne fait aucun doute. Ce matin, je me suis entretenu avec la police d'État, ils intensifient les recherches. Étant donné que l'autoroute ne fait qu'une cinquantaine de kilomètres et qu'on a vu la voiture à côté d'un étang, lorsque ces " fameux " Japonais la lavaient, il est très probable que le corps soit dans le coin. En tout cas, la police d'État n'a pas lésiné, elle a mis une centaine d'hommes sur le coup, sans compter tous les gendarmes du coin, il ne fait aucun doute qu'ils ne tarderont pas à découvrir la " tombe ", du même coup ils trouveront le corps, et alors nous pourrons le montrer à nos suspects. A ce moment-là, même si le cadavre est un peu décomposé et répugnant, nous leur mettrons le nez dessus, si besoin est. Ce n'est pas parce que le commissaire est au Japon que nous devons rester assis ici à nous tourner les pouces. »

Il ferma l'œil et regarda l'adjudant dans les yeux. Grijpstra ne voulait pas avoir affaire à un borgne. De nouveau il regarda par la fenêtre. Sur le toit d'en face il y avait des mouettes, il en avait compté trente-sept.

« Vous avez tout à fait raison, monsieur, dit Grijpstra. Maintenant si vous voulez bien me le permettre, il faut que je m'en aille. J'aimerais bien savoir ce qu'ont découvert les gars de la brigade des stupéfiants, ils se sont intéressés au restaurant dans lequel j'ai dîné. On m'a dit qu'ils avaient appréhendé un marin — je crois que c'est un quartier-maître — pour lui poser quelques questions. L'homme débarquait d'un bateau qui venait de Hong Kong, or il se trouve que les détectives de la brigade des stupéfiants avaient saisi huit kilos d'héroïne dans la vieille ville. Ils ont la preuve que la came provenait du bateau sur lequel avait embarqué cet homme, il y a même de fortes chances que ce soit lui qui l'ait convoyée. Cet homme, ce suspect, n'aime pas particulièrement la nourriture japonaise et pourtant, ces derniers jours, on l'a vu deux fois dans ce fameux restaurant.

— Je sais, dit l'inspecteur. Vos collègues ont fait preuve de beaucoup de zèle. » Il mit l'accent sur le mot « collègues ». En quittant la pièce, Grijpstra hocha la tête et ferma la porte avec précaution. En regagnant son bureau il montrait les dents, mais sans sourire.

11

Dans le Tokaido Express on informait les honorables passagers qu'ils auraient bientôt l'occasion d'apercevoir sur leur gauche le mont Fuji, la plus sacrée et la plus haute montagne japonaise. L'express allait bon train, sans aucun bruit. Lorsqu'on répéta le message en anglais, le commissaire fut surpris qu'une voix humaine pût sortir de son accoudoir. Il commençait à se faire à tous les signes qu'il apercevait : autant de charades codifiées en trois idéogrammes qu'il n'arrivait ni ne cherchait à déchiffrer. Il se contentait de regarder défiler le paysage ; l'inquiétante étrangeté des fermes et des temples s'étendait sur de fertiles champs ou au sommet des collines ; portant de grands chapeaux de paille et vêtus de raphia, les paysans s'abritaient sous des parasols ornés d'immenses diagrammes. C'était la première fois que le commissaire se rendait en Extrême-Orient, et bien qu'il ne fût pas préparé à « admettre » tout ce qu'il voyait, il ne cherchait pas à faire de comparaison entre l'Orient et l'Occident. Il se contentait simplement d'apprécier les couleurs, les formes et la musique. Le haut-parleur venait de cracher un mot qu'il n'avait même pas besoin de traduire : Fuji-Yama. Dissociant les syllabes il se prit à penser à Maya, elle non plus n'avait pas besoin d'interprète ni de traducteur, puisque déesse de l'illusion.

Il avait vu des reproductions du mont Fuji, sur des cartes postales et autres dépliants touristiques. Lorsqu'ils passèrent devant la montagne sacrée, il y eut parmi les voyageurs un respect tel, que personne n'aurait osé dire ou faire quoi que ce fût. Les voyageurs étaient bouche bée, les yeux écarquillés. Le commissaire inclina légèrement la tête sans quitter la montagne des yeux. Il comprenait. Brusquement il se sentit très proche de ce peuple ; cent millions de personnes qui étaient restées innocentes, prêtes à jouer le jeu de l'émerveillement, au point de s'harmoniser avec la splendeur de l'environnement.

Lorsqu'il s'était rendu au Ginza, il avait été frappé d'épouvante. Tout semblait l'agresser, les néons, les prostituées et les jeunes voyous, la musique de rock que déversaient les juke-boxes à plein volume et le bruit des flippers sur lesquels s'acharnaient toutes sortes d'imbéciles. Il s'était cru descendu en enfer. Heureusement ce qu'il découvrait maintenant l'apaisait, le réconciliant du même coup avec un pays dont il ignorait tout. Les gens qu'il apercevait dans le compartiment voisin avaient perdu leur allure mécanique pour redevenir d'innocents enfants ; en contemplant le sommet du Fuji-san ils étaient transfigurés, c'était comme si les neiges éternelles leur transmettaient un peu de l'éternité et de l'essence qui faisaient du Japon un pays si profondément respectueux des traditions. C'était dans cet état d'esprit qu'ils avaient construit leurs temples, leurs pagodes, et qu'ils continuaient à cultiver leurs jardins. Du plus petit caillou en passant par la mousse et les pruniers, tout était prétexte à créativité.

Dorin regardait la montagne lui aussi. Il était en train de parler quand les haut-parleurs avaient annoncé qu'on n'allait pas tarder à l'apercevoir, il s'était alors arrêté au milieu d'une phrase. Son visage s'adoucit et ses yeux s'illuminèrent ; il fixait la montagne avec une telle intensité que, malgré la vitesse du train, c'est à peine si son regard se déplaçait. Quelques minutes plus tard le Fuji avait disparu mais Dorin expliqua que, pendant une heure encore, il réapparaîtrait par intervalles, chaque fois que le train sortirait des tunnels qu'il était obligé de traverser pour franchir les montagnes avoisinantes.

« Vous étiez en train de me parler du maître Zen », lui rappela le commissaire.

Dorin éclata de rire. Le commissaire et de Gier attendaient, mais Dorin se contenta de regarder un point imaginaire situé juste entre eux deux.

« C'est ça votre réponse, demanda de Gier, rire ?

— C'est une réponse typiquement Zen, fit humblement Dorin. Ils éclatent toujours de rire, ou bien ils vous crient quelque chose d'incompréhensible, ou encore ils vous frappent sur le sommet de la tête. C'est exactement ce que font les maîtres Zen.

— Dans quoi sont-ils passés maîtres ? interrogea de Gier. Dans le bouddhisme ou quelque chose comme ça ?

— Le Zen fait effectivement partie du bouddhisme, c'est une

méthode pour se réaliser. Les maîtres Zen sont censés être illuminés, avoir atteint le stade de la réalisation totale.

— Comment font-ils ? »

Dorin écarta les mains. « Qui sait ? Par la méditation, je présume, c'est du moins ce qui semble constituer la principale activité des moines ; ils restent tranquillement assis dans une grande salle, les yeux fixés à terre. Le maître leur donne un sujet de méditation et, de temps à autre, ils vont le voir pour lui montrer où ils en sont. Avant de pouvoir exercer ce métier, j'ai bien entendu subi tout un tas d'entraînements, mais on m'a aussi demandé de me retirer trois mois dans un monastère Zen, un peu plus au nord, dans les montagnes. J'ai passé la robe, comme eux, et ils m'ont rasé la tête. Eh bien, je vous garantis que ça n'a pas été une période facile, c'était beaucoup plus difficile que l'entraînement de commando. Je préférerais me faire parachuter au cœur de la jungle plutôt que passer une semaine dans une salle de méditation. Cela dit, je suppose que ça m'a fait du bien. Quand j'ai quitté le monastère, tout me semblait radicalement différent.

— En quel sens ?

— Tout était plus réel. Pour leur enseignement, les maîtres Zen se servent de sujets qu'ils puisent dans la vie quotidienne. La plupart des mystiques essaient d'échapper à la réalité, dans le Zen, c'est l'inverse. En outre, les maîtres Zen ne font pas de réflexions morales dans une intention édifiante. C'est ça qui m'a vraiment plu dans l'initiation que j'ai suivie. Tout ce qu'ils vous demandent, c'est de rester assis tranquillement et de vous concentrer afin de trouver vos propres réponses, ils n'essaient jamais de vous influencer, de vous dire ce qui est bien et ce qui ne l'est pas. En ce qui me concerne, la morale ne m'a jamais beaucoup impressionné, probablement parce que, bien qu'élevé en Amérique, mes parents m'emmenaient quand même très fréquemment au Japon. J'ai partagé mon temps entre deux mondes et ce qui était bon dans l'un ne l'était pas dans l'autre. Par exemple, au Japon, il est poli de roter à la fin d'un repas, mais c'est très mal vu de le faire en Amérique.

— Le maître Zen se moquait pas mal de ce trafic d'objets d'art volés, intervint le commissaire. Il a déclaré qu'on devait diffuser tout ce qui était matériel, du moins si j'ai bien compris ce que m'a raconté le sergent.

— Sûrement, répondit Dorin. Pourquoi pas, d'ailleurs ? Lorsque mon père m'emmenait à Kyoto, nous devions demander une autorisation pour voir une sculpture ou une peinture, ou même une fontaine en rocaille. Je n'étais qu'un enfant, mais déjà je pensais que ce n'étaient pas les prêtres qui devaient avoir le monopole de l'art. Pour cela, je trouve que le système occidental est meilleur, les musées sont ouverts à tout le monde.

— Et la drogue ? reprit le commissaire. Vous vous en fichez qu'on la diffuse partout dans le monde ? »

Jusqu'à présent Dorin souriait, il soupirait et son visage se fit très dur. « Ça non, je ne m'en fiche pas. Les yakusa aident les Chinois à rétablir l'équilibre. Avant c'étaient les nations occidentales qui empoisonnaient la Chine avec l'opium, maintenant, c'est l'inverse.

— Et au Japon, qu'en est-il ? Qui vend la drogue ici ? J'ai vu beaucoup de toxicos à Tokyo.

— Les yakusa, dit sèchement Dorin. C'est la raison pour laquelle je me suis porté volontaire pour cette mission. »

Une hôtesse apparut ; portant un plateau avec des gobelets en carton et du café, elle gazouillait d'une façon tout à fait charmante. « Ko-hi. Ko-hi. »

« Arigato, merci », firent en chœur le commissaire et de Gier. Dorin avait retrouvé son sourire.

« Vous vous êtes porté volontaire ? s'étonna le commissaire.

— Oui, dès que j'ai su qu'il s'agissait aussi d'héroïne. C'est très difficile d'arrêter les gros trafiquants, ils réalisent de tels profits qu'ils peuvent se permettre d'acheter pratiquement n'importe qui. Si les yakusa n'avaient pas commis l'erreur de se lancer dans le commerce des œuvres d'art, on ne pourrait rien contre eux. Mais là, ils s'attaquent au patrimoine national et ça le gouvernement ne peut pas le tolérer. Si nous ne pouvions retenir contre eux que le trafic d'héroïne, c'est la police qui serait chargée de l'affaire, et en ce cas-là on l'étoufferait bien vite.

— Pourquoi, que se passerait-il ?

— Rien. La police se contenterait probablement d'arrêter des petits revendeurs, des boucs émissaires, des types dont les yakusa se seraient débarrassés de toute façon, ça n'irait pas plus loin. Mais étant donné qu'il s'agit d'objets d'art volés qui sont très précieux, nous avons vraiment un atout dans notre jeu. On m'a donné carte blanche. Si je le désire, je peux même déployer des commandos et, avec un peu de chance, nous raserons le château du daimyo, jusqu'aux fondations. Tout ce que demande la Cour suprême, ce sont des preuves et des témoins. Ils ne seront pas trop regardants quant aux méthodes employées au cours dê l'enquête.

— Nous serons les témoins, déclara le commissaire, dès que nous aurons les preuves.

— Cela ne saurait tarder, répondit Dorin d'une voix forte, comme s'il voulait redonner confiance à ses interlocuteurs. Avant de travailler pour le Service secret, j'ai passé un an dans la police. J'ai trouvé que leurs méthodes étaient fastidieuses et trop lentes. Il y a tellement de gardiens pour protéger le suspect que le détective chargé de l'interroger ne peut même pas l'approcher, ainsi l'enquête n'avance pas et le flic piétine et patauge dans d'innombrables difficultés administratives. Heureusement, cette affaire ressemble davantage à une aventure qu'à une enquête. Je suis content d'y participer. Ce sera comme si je regardais un film ; cependant je ne me contenterai pas d'être spectateur, j'aurai un rôle à jouer dans l'histoire et je devrai être capable, dans une certaine mesure, d'en changer le déroulement.

» J'ai peut-être l'opportunité de devenir un vrai samouraï, il n'y en a jamais eu dans ma famille. Mes ancêtres étaient des marchands, et dans notre pays les marchands n'appartiennent pas à la classe supérieure : même de nos jours, alors que les sociétés et les différents consortiums contrôlent tout le Japon, les marchands forment toujours une caste inférieure. Dans la hiérarchie, viennent en premier les samouraïs, les guerriers. Ils sont réputés pour leur courage, leur loyauté et leur calme détachement. Après les samouraïs, viennent les fermiers ; bien entendu, ils sont moins détachés à cause des soucis que leur posent le bétail et les moissons, mais ils sont proches de la nature et contribuent à la beauté du paysage. Les pêcheurs ont le même statut que les fermiers puisqu'ils sont en contact direct avec la mer, l'origine de la vie et la source de l'éternelle inspiration. Ensuite et en dernier viennent les marchands, rien ne les motive excepté leur propre avidité. Tout ce qu'ils veulent, c'est satisfaire leurs désirs ; ils ont de petites bouches, d'énormes estomacs et ne songent qu'à se nourrir. Les marchands sont à l'origine de la dernière guerre, pas les samouraïs, ils voulaient s'enrichir en s'appropriant tout le marché asiatique et, pourquoi pas, peut-être aussi le marché mondial. La différence fondamentale entre les marchands et les samouraïs, c'est que les premiers ont recours à *l'avoir* et les seconds à *l'être,* pas l'être en-soi, l'être pour-soi, celui qu'ils peuvent révéler au fur et à mesure du déroulement de leur existence, quitte à y perdre leur être.

— Facticité et existentialité de l'existence, murmura le commissaire en approuvant vigoureusement de la tête.

— C'est aussi votre avis ? s'étonna Dorin.

— Théoriquement, oui, répliqua le commissaire, mais ce n'est pas si facile à réaliser dans la pratique. A propos, vous êtes-vous occupé de vos agents qui nous suivaient partout, ou bien sont-ils quelque part dans le train ?

— Ne vous en faites plus, désormais nous avons toute liberté d'action. Au ministère, je me suis entretenu avec mon supérieur et il s'est arrangé avec votre ambassadeur. On leur a confié une autre mission, maintenant nous ne pouvons plus compter que sur nous-mêmes. Toutefois on m'a donné un numéro de téléphone qu'il faut que vous sachiez par cœur tous les deux. Je ne pense pas que nous ayons jamais à nous en servir, mais on ne sait jamais. Au bout du fil il y aura toujours un opérateur, jour et nuit. Normalement vous n'avez qu'à indiquer l'endroit où vous êtes, et aussitôt quelqu'un viendra à votre secours. Quant à moi, je n'y crois guère. Je pense tout simplement que ce numéro est relié au standard de la police ; les mouvements de personnel y sont tels que l'opérateur ne sera jamais exactement au courant de ce qui se passe. »

Le commissaire ouvrit la bouche pour dire quelque chose mais il se ravisa et, pour ne pas perdre la face, il se gratta la lèvre inférieure, comme pour en chasser un grain de tabac.

« Tenez, le voilà », poursuivit Dorin.

De Gier prit la feuille de papier et la montra au commissaire. Après que les deux hommes eurent mémorisé le numéro en remuant silencieusement les lèvres, Dorin reprit la feuille et gratta une allumette. Lorsque le papier se fut consumé, il souffla l'allumette, la mit dans le cendrier et, sans aucun avertissement, sauta sur de Gier pour le saisir à la gorge, tout cela sans se départir de son sourire. De Gier para la prise en levant les mains et en pressant de ses pouces la paume de la main de Dorin de façon à rejeter violemment en arrière son agresseur et à le contraindre à s'agenouiller ; il passa ensuite à l'attaque en frappant du plat de sa main Dorin dans les côtes. Tandis que ce dernier tombait, le commissaire avait sorti son pistolet. Dorin se releva et se rassit en se frottant vigoureusement le dos.

« Excellent », dit-il. Le commissaire rangeait son arme. « Vous n'aviez pas enlevé le cran de sûreté de votre revolver, fit remarquer Dorin. Je crois que vous devriez le faire systématiquement. En ce qui me concerne, je vous fais toute confiance, je suis certain que vous n'auriez pas appuyé sur la gâchette sans réfléchir, ni sans avoir convenablement analysé la situation.

— J'aurais très bien pu, répliqua le commissaire. Je suis un vieil homme et mes réflexes sont plutôt lents. Mais, à l'avenir, je tiendrai compte de votre conseil. C'est à ces petits jeux-là que vous vous êtes amusés de Gier et vous ces temps derniers ?

— Oui, monsieur, répondit de Gier, mais Dorin est plus rapide que moi.

— Vous faites des progrès, reconnut Dorin. Cela fait plusieurs années que je suis ce genre d'entraînement. Dans mon peloton, il y avait neuf élèves officiers et, chaque fois que nous étions ensemble, nous nous attaquions les uns les autres. Une fois je me suis fait surprendre alors que j'étais assis sur la cuvette des toilettes en train de lire le journal. Mon ami a fait irruption avec la porte qu'il avait arrachée de ses gonds. C'était une salle de bains à l'occidentale et heureusement le siège des toilettes était assez loin de la porte, de sorte que je n'ai pas reçu la porte sur moi mais je n'avais pas beaucoup de liberté de mouvements puisque j'avais le pantalon baissé.

— Alors qu'est-ce que vous avez fait ? » demanda le commissaire.

Dorin esquissa un sourire. « Comme rien d'intelligent ne me venait à l'esprit, je lui ai jeté mon journal au visage. Il était plié, de sorte qu'au lieu de le toucher mollement, ça l'a vraiment frappé et aveuglé le temps nécessaire pour que je puisse bondir et lui donner un coup de boule dans l'estomac. Pour finir, je l'ai immobilisé en lui faisant une clef au bras. En fait, c'est celui qui attaque qui est en position d'infériorité. Il est plus vulnérable car il présente toujours une faille, une faiblesse dont le défenseur peut profiter. La prochaine fois, ce sera à de Gier de m'attaquer.

— Vous faites ça à tour de rôle ? Mais alors vous vous y préparez, non ?

— Nous ne respectons jamais la règle du jeu. Je peux très bien l'attaquer deux fois de suite.

— En tout cas, ne m'attaquez pas *moi,* s'empressa d'ajouter le commissaire. Vous pourriez m'estropier ou me tuer et ça contrarierait ma femme. En outre, je tiens à rencontrer ces prêtres. Est-ce que nous nous rendons directement au monastère ?

— Non, nous allons descendre dans une auberge proche du Daidharmaji. Ce soir un prêtre viendra vous voir pour vous apporter l'une des peintures de son temple. Il parle très correctement l'anglais, il servait de guide aux touristes, et, en plus, il a un diplôme d'anglais ;

encore que ce dernier point ne signifie pas grand-chose. Il nous est très difficile, à nous Japonais, de bien maîtriser une langue étrangère, je ne sais d'ailleurs pas pourquoi. Nous n'avons aucun mal à être reçus à l'écrit, lorsque nous passons des examens. Nous avons beau tout connaître de la grammaire, savoir vingt mille mots par cœur, nous sommes nuls à l'oral, nous n'arrivons pas à parler la langue, voilà tout. Pour moi c'est différent, j'ai été élevé en Amérique. Mon père était diplomate, alors forcément je suis allé dans des écoles américaines et tous mes petits camarades étaient américains. Je commençais même à penser en anglais quand j'étais tout môme. Le prêtre dont je vous parle n'a jamais quitté le Japon.

— Est-ce que vous pensez que les yakusa s'intéressent à ses faits et gestes ?

— Normalement, oui. Dans le train il y a des téléphones et je viens juste de parler à un collègue de Kyoto. La nuit dernière, les yakusa ont fait au prêtre une dernière proposition mais il l'a rejetée, très poliment bien entendu. Il n'a pas opposé un refus catégorique, il a simplement dit qu'il avait besoin de réfléchir à la question. En jouant avec les filles au bar et en flambant, il a réussi en trois nuits à ce que sa dette se monte à quelques milliers de dollars environ. Il ne pourra jamais s'en acquitter car les prêtres ne touchent que très peu d'argent, en fait, leurs supérieurs leur donnent un petit peu d'argent de poche, c'est tout. Il y en a bien quelques-uns qui ont des revenus personnels, mais celui-ci n'en a pas. Les yakusa s'imaginent donc qu'ils le tiennent ; d'autant qu'ils pensent toujours recourir au chantage. Il leur suffirait de raconter au grand prêtre ce qu'a fait un de ses disciples et l'on chasserait probablement le prêtre, en raison de sa conduite infamante. Ils pourraient faire cela en douceur, simplement en présentant l'addition à ceux qui sont chargés de la trésorerie du Daidharmaji, mais je ne pense pas qu'ils se résignent à le faire. Si l'on chasse le prêtre, plus personne ne voudra de lui. La société japonaise n'admet pas les écarts de conduite chez ceux qui ont fait vœu de religion et il lui sera pratiquement impossible d'exercer de nouveau sa fonction de prêtre. Or, les yakusa ont tout intérêt à avoir un prêtre dans la place, pour la simple et bonne raison qu'il n'y a que lui qui puisse accéder aux trésors qui sont dans les temples.

— Alors ce soir, pour la première fois, il va peut-être se passer quelque chose, s'excita de Gier.

— Ce ne sera pas la première fois, objecta le commissaire. Vous ne vous souvenez pas que vous vous êtes déjà distingué à Tokyo ? Il va falloir que vous vous contrôliez, sergent, je ne tiens pas à avoir un cadavre sur les bras, même pas un cadavre de yakusa.

— A vos ordres, monsieur », fit de Gier en fermant les yeux.

Le commissaire s'endormit un petit moment plus tard. Seul Dorin revit la montagne sacrée et son dôme blanc qui se perdait dans l'éther.

12

« Attendez ! hurla l'adjudant. Je n'ai rien compris. Vous ne pourriez pas recommencer depuis le début, s'il vous plaît.

— C'est la police d'État, adjudant, lieutenant Block à l'appareil. On m'a dit qu'en ce moment c'était vous qui étiez chargé de l'enquête concernant le cadavre japonais et que vous cherchiez à mettre la main dessus. C'est ça, non ?

— Oui, cria Grijpstra. C'est bien ça, monsieur. Alors, vous l'avez trouvé ?

— Ne criez pas, adjudant. Effectivement, je crois que nous l'avons trouvé. Mais nous n'avons pas creusé encore assez profondément. Nous avons touché le corps et n'avons déterré qu'une main. J'ai dit à mes hommes de vous attendre avant de continuer.

— Où êtes-vous, lieutenant, chuchota Grijpstra.

— Au pub du Cheval Blanc à Abcoude [1], adjudant. Si vous vous mettez en route tout de suite, vous pouvez y être en une demi-heure, ce n'est pas encore l'heure de pointe, mais ne tardez pas, sinon vous mettrez des heures.

— Je suis déjà en route, monsieur », cria Grijpstra en balançant le récepteur sur la fourche. Il se rua hors de la pièce, attrapant sa veste au passage.

— Non, gueula-t-il au vieux sergent qui s'occupait du garage. Ce n'est pas de ma voiture dont j'ai besoin. Je suis excessivement pressé, je veux une voiture de patrouille avec sirène et feu de priorité. Allez, vite !

— En ce moment, il n'y en a pas, expliqua patiemment le sergent. Qu'est-ce que vous reprochez à votre voiture ? Nous l'avons entière-

1. Une petite ville de la banlieue d'Amsterdam.

ment révisée ce matin, la portière avant droite ne fait plus de bruit et le klaxon marche. Nous avons même changé les lampes de vos phares et envoyé la carabine à l'armurerie pour...

— Ah ! s'écria Grijpstra en voyant entrer une VW blanche dans le garage. Voilà ce qu'il me faut. Allez, allez, sortez, les gars ! »

Sidérés, les deux agents en tenue le regardèrent.

« Nous effectuons une patrouille, adjudant, nous ne sommes venus que pour prendre de l'essence.

— Sortez de là ! »

La voix de Grijpstra s'enfla démesurément tandis qu'il ouvrait la portière du conducteur. Les agents sortirent en regardant le sergent d'un air inquiet ; celui-ci fit un geste d'impuissance.

« Une urgence pour la brigade criminelle ? s'étonna le chauffeur. On a abattu quelqu'un ? Pourtant je n'ai rien entendu à la radio, l'après-midi a été plutôt calme. Nous n'avons eu affaire qu'à une dame complètement ivre, elle poussait un landau plein de bouteilles. Il y avait un bébé coincé entre les bouteilles et nous avons embarqué le tout au poste. Le chef nous a dit de confier le bébé à l'assistante sociale, mais nous, nous n'avions pratiquement plus d'essence. Nous avons vraiment besoin de la voiture, adjudant.

— Prenez la mienne, proposa Grijpstra. On a mis de nouvelles lampes aux phares et la carabine fonctionne parfaitement.

— Mais... » commença le chauffeur.

C'était trop tard, Grijpstra était derrière le volant et il exécutait une manœuvre pour sortir du garage. Sur le toit la lumière bleue clignotait déjà et, lorsqu'il franchit en trombe les portes du garage, la sirène hurlait.

« Qu'est-ce qui *lui* prend ? demanda le chauffeur au sergent.

— Sa petite amie a appelé. Il fait trop chaud et elle a des vapeurs, alors elle s'est foutue à poil et elle ne peut pas supporter d'être seule. Prenez la voiture grise qui est là-bas.

— Nous n'avons pas le droit, constata tristement le chauffeur, ce n'est pas une voiture de patrouille. »

A ce moment-là une autre VW entra dans le garage, elle était conduite par un élève officier.

« Vous avez un grade plus élevé », souffla doucement le sergent.

Le chauffeur se rua sur la VW. « Sors de là, mon gars ! brailla-t-il. Il nous faut cette voiture !

— Mais je devais faire une course pour l'inspecteur-chef », se lamenta le jeune agent. Le sergent fut seul à l'entendre, la voiture avait déjà quitté le garage.

« Loin d'ici ? demanda le sergent.

— Non.

— Alors prenez une bicyclette, conseilla le sergent. Il y en a justement une belle là-bas dans le coin, celle qui a un garde-boue rouillé. Je vous conseille de vous dépêcher sinon quelqu'un pourrait se précipiter pour vous la faucher sous le nez ; et puis il fait très chaud et j'en ai marre. »

Grijpstra gara la voiture et s'extirpa avec difficulté du siège. En regardant sa montre, il sourit. Il avait mis vingt et une minutes en grillant tous les feux rouges, un exploit ! Il avait toujours en tête le bruit de la sirène lorsque le lieutenant lui donna une ferme poignée de main. L'homme était bien baraqué.

« Vous n'avez pas encore dîné, si ? lui demanda le lieutenant.

— Non, monsieur. Il n'est que quatre heures et demie. Mais j'ai déjeuné.

— En tout cas j'espère que vous avez bien digéré parce que je crois que ce cadavre ne sera pas très ragoûtant à voir. »

Ils se rendirent à l'endroit où l'on avait inhumé le corps, près de la magnifique Porsche du lieutenant. Impeccables dans leur tenue bleue immaculée, une demi-douzaine d'agents de la police d'État se tenaient avec déférence autour de la tombe ; le contraste était sinistre, d'autant qu'alentour les prairies étaient vert pomme. A côté de l'un des agents se tenait un garçon d'une dizaine d'années. On expliqua à Grijpstra qu'en entendant ce que la police cherchait, le garçon s'était rappelé avoir vu un homme creuser dans un champ.

« Un seul homme ? demanda Grijpstra.

— Oui, un seul.

— Un homme jaune, avec des yeux bizarres ? Un Japonais ?

— Nous avons déjà interrogé le garçon plusieurs fois, chuchota le lieutenant à l'oreille de Grijpstra. Comme il ne sait pas à quoi ressemble un Japonais, nous lui avons suggéré que c'était peut-être un Chinois. Pas très loin d'ici il y a un restaurant chinois où il a souvent mangé avec ses parents. Ça n'a servi à rien. Il déclare qu'il était trop loin pour bien voir ce à quoi ressemblait notre suspect. Tout ce dont il se souvient, c'est d'un homme plutôt petit vêtu d'un complet sombre. Il se souvient aussi de la voiture, une BMW blanche qui était juste à l'endroit où est garée la mienne. Ce qui lui a paru bizarre c'est de voir un homme dans le champ de son oncle. Le champ était en friche depuis quelques années et, comme vous pouvez le voir, l'herbe et les orties l'ont complètement envahi.

— C'est bien dommage qu'il ne se soit pas arrêté pour essayer de savoir ce que l'homme faisait vraiment.

— Eh oui, je sais, mais le garçon allait au cinéma et il ne voulait pas manquer la séance. Enfin, c'est déjà bien qu'il soit venu nous voir. Nous aurions probablement trouvé l'endroit où l'on avait inhumé le corps, nous avions localisé le champ, mais ça nous aurait pris beaucoup plus longtemps ; d'ailleurs, rien ne prouve que nous allions creuser au bon endroit. Le temps est tellement orageux que les herbes recouvrent tout très vite. »

Grijpstra tapota amicalement la tête du garçon. « Très bien, quand vous voudrez. »

Le lieutenant fit un signe de tête à ses hommes, puis il dit au garçon de rentrer chez lui tandis que les agents commençaient à creuser. A partir de la main, qui seule émergeait, ils dégagèrent le bras et ne purent s'empêcher de jurer quand ils s'aperçurent que les vers avaient déjà commencé leur travail. Ils maniaient leurs petites pelles comme s'ils avaient en main des instruments chirurgicaux. Lorsque apparut la tête Grijpstra était à genoux au bord du trou afin qu'aucun détail ne lui échappât. Le corps de Kikuji Nagai était recroquevillé sur lui-même ; dans la mort il avait retrouvé la position fœtale. Les genoux repliés contre le menton, la tête enfoncée dans les épaules ; seul un de ses bras s'était détendu vers le haut, c'est ce qui avait permis aux agents de commencer à déterrer la main. Il était complètement nu. Deux photographes en civil se mirent à mitrailler la tombe, ils prenaient des photos dans des positions impossibles et faillirent même tomber dans le trou. A la lumière des flasches, le visage et le crâne à moitié éclatés étaient épouvantables à voir. Comme dans un film expressionniste.

« Est-ce que c'est bien la victime ? » s'enquit le lieutenant.

Grijpstra sortit une photo de son portefeuille. Ensemble ils la comparèrent à la funèbre découverte. « Oui, c'est bien lui, grogna le lieutenant. La vermine n'a pas laissé grand-chose des cheveux et du crâne mais on peut encore reconnaître le visage. C'est un citoyen oriental, sans aucun doute. Voilà le trou qu'a laissé la balle, elle est entrée en haut de la nuque pour ressortir par-devant, lui emportant une partie du front, vous voyez ? C'est un de ces fragments d'os de la boîte crânienne qu'a dû trouver l'un de vos experts. Je me demande où sont passés ses vêtements. Vous ne trouvez pas que c'est stupide ? On n'identifie pas un cadavre uniquement grâce à ses vêtements ; de plus ça a dû être un boulot monstrueux de le déshabiller. Je suppose que le meurtrier a mis les vêtements dans une poubelle quelque part et qu'ils ont été incinérés par le service d'hygiène. Peu importe, voici votre cadavre, adjudant, avec les compliments de la police d'État. Où voulez-vous qu'on vous le mette, sur le siège arrière de votre VW ?

— Pour l'amour du ciel », fit Grijpstra exaspéré.

Le lieutenant réprima une grimace. « Je plaisantais, c'est tout. Nous vous le ferons parvenir à votre morgue ce soir. On l'enveloppera dans du plastique et nous nous chargerons du transport. Ne vous en faites donc pas, adjudant. »

« Du travail d'amateur, songeait Grijpstra en remettant la voiture au garage. Un professionnel n'aurait jamais déshabillé le corps. D'après Joanne Andrews et le consul japonais, nos deux suspects sont des gangsters, d'ailleurs moi aussi je le pense. Deux petits mecs grassouillets qui ne s'en font pas en tôle car ils sont sûrs d'être relâchés d'ici peu. Et pourquoi en sont-ils aussi sûrs ? » Il gara la voiture et tendit les clefs au sergent.

« Est-ce que c'était chouette ? demanda le sergent.

— J'ai trouvé un chouette cadavre, répliqua Grijpstra. Manque de pot, les vers l'avaient trouvé avant moi. C'était donc quelque chose d'un peu étrange, d'un vert pâle, vous voyez ; quant aux yeux...

— Je vous en prie, dit le sergent en prenant ses distances. C'était une simple formule de politesse. Vous auriez dû vous contenter de répondre " oui, merci ". Je ne veux rien savoir en ce qui concerne les yeux et les vers.

— En fait, il n'y avait plus d'yeux », insista Grijpstra. C'était peine perdue car le sergent s'était retranché derrière une porte vitrée en se bouchant les oreilles.

« Simplement parce que ce ne sont pas eux qui ont tué le pauvre M. Nagai. » Grijpstra avait repris son monologue. « Alors, qui a bien pu le faire ? »

En montant l'escalier qui menait à l'étage où se trouvait le bureau de l'inspecteur, il était à bout de souffle. Ne jamais contrarier un gradé, se répétait-il. S'il te fout en rogne, tu peux très bien lui tirer dans le dos sans que personne ne le remarque. Ne perds surtout pas ton sang-froid avec ce pauvre petit con, juste parce que la façon dont il parle t'horripile. Tout ce que tu as à faire, c'est ton rapport, ne te soucie pas du reste, il n'a aucun pouvoir sur toi. C'est le commissaire à qui tu as à rendre des comptes et tu peux lui téléphoner ce soir, sans même avoir besoin d'un standardiste, il te suffit de composer un certain nombre de numéros.

13

Fasciné le commissaire regardait faire le prêtre. Après moult courbettes et force sifflements, celui-ci avait sorti un tanka d'une vulgaire boîte en bois et il le tenait à bout de bras. Dorin s'était religieusement agenouillé et il se contentait de hocher la tête. De Gier était assis en tailleur, légèrement en retrait ; il fumait l'un des petits cigares du commissaire mais quand il sentit les vibrations dans la pièce, il se hâta de l'éteindre.

Le prêtre avait environ quarante ans et portait la traditionnelle robe en coton brun. Il releva sa petite tête qui semblait d'autant plus minuscule qu'elle était rasée. De son regard calme il balaya la pièce, fixant les trois hommes dans les yeux. « Très bonne peinture, ça », dit-il. Il éprouvait visiblement des difficultés à trouver les mots. « Faite par un grand maître, un peintre chinois, pas juste un peintre, beaucoup plus, un grand maître, avec une grande sagesse. »

Il marqua une pause, attendant en vain des mots qui ne viendraient pas.

Dorin s'éclaircit la gorge. « Vous pourriez peut-être dérouler la peinture, comme ça nos amis la verraient et les explications seraient superflues. »

Le prêtre sourit avec gratitude, se releva d'un mouvement aussi vif que souple sans pour autant lâcher le tanka. De Gier ne put retenir un sifflement d'admiration. Il s'était entraîné, quand il était assis en tailleur, à se lever sans s'aider des mains et il y arrivait relativement bien, mais le mouvement était hésitant et il oscillait toujours un peu, sans doute parce qu'il n'arrivait pas à coordonner l'action de ses muscles. Le prêtre s'était levé sans aucun effort apparent, lui. De Gier se demanda s'il pratiquait le judo ou quelque autre art martial au monastère, ou si tout simplement ces gens bizarres étaient naturellement très souples. Lorsque le prêtre libéra la partie inférieure du rouleau, celui-ci se déroula, révélant un dessin à l'encre. Avec de simples touches, le peintre avait brossé l'image d'un homme en haillons qui appuyait son épaule droite et sa tête sur un tigre endormi. L'animal était étendu, tous les muscles en repos, on aurait dit un gros chat assoupi. Il avait les yeux fermés, ses grosses pattes bien à plat sur le sol, les griffes sorties. L'homme, un vieillard, avait lui aussi les yeux fermés. L'expression du visage de l'homme et celle de la gueule de l'animal étaient absolument identiques.

« Shih K'o, expliquait le prêtre. Maître chinois, XXe siècle, mais ce n'est pas l'original. L'original est en Chine, dans un musée. Ça, c'est une copie du XVIIIe siècle, par un maître japonais inconnu. » De nouveau il chercha ses mots. « Anonyme, mais grand maître tout de même. Tanka de beaucoup de valeur, une fortune à l'Ouest.

— Magnifique, vraiment magnifique », murmura le commissaire. Le dessin était parfait, l'homme et la bête en complète harmonie, tous les détails témoignaient de la grande maîtrise du peintre. Mais il y avait plus qu'un savoir-faire : les traits figurant la robe de l'homme semblaient avoir été tracés au hasard et c'était justement le contour de cette robe qui donnait au dessin une telle force.

« Le titre de la peinture : *Deux Patriarches harmonisant leurs esprits*, déclara timidement le prêtre.

— Qu'est-ce qu'un patriarche ? demanda de Gier.

— Un maître, un vieux maître qui a initié beaucoup de disciples, beaucoup de moines, beaucoup de profanes.

— Un maître ? s'étonna de Gier en s'approchant. Alors le tigre est un maître lui aussi ? Comme dans un conte de fées ? »

Le prêtre ignorait la signification de « conte de fées », Dorin traduisit rapidement. Le prêtre sourit. « Oui, mais ça, un vrai conte de fées. Tigre est maître. Vieillard est maître. Deux maîtres se rencontrent. Deux esprits se réunissent, un esprit.

— Vraiment magnifique, répéta le commissaire. Cela dit, nous ne voulons pas prendre la responsabilité de garder cette pièce de grande valeur ; il pourrait y avoir un accident et elle risquerait d'être détériorée. Vous feriez peut-être mieux de la remettre dans votre temple et nous, de notre côté, nous pouvons laisser entendre que nous ne sommes pas prêts à payer parce que vous demandez un prix trop élevé. Vous n'êtes pas seul, j'espère, car sinon, si les yakusa veulent cette peinture, ils peuvent très bien vous la prendre sur le chemin du retour.

— Il n'y a rien à craindre, déclara Dorin. Les yakusa ne se

mouilleront pas pour un seul objet d'art ; ils en veulent un maximum et ils ne peuvent les avoir que grâce au prêtre. S'ils se mettent à voler au grand jour, ça attirera la police et ça éveillera l'opinion publique. Croyez-moi, ils n'y tiennent pas. Kyoto, c'est le cœur du Japon, on y trouve la plupart de nos trésors nationaux ; tous les Japonais y vont au moins une fois dans leur vie. Voler des œuvres d'art à Kyoto c'est un crime impardonnable, plus qu'une trahison, à l'échelle nationale. Non, les yakusa vont devoir agir dans l'ombre, sinon ça mettrait tout le pays en émoi.

— Parfait. Eh bien, je crois que maintenant nous pourrions peut-être offrir une bière à notre ami. Aimeriez-vous boire une bière bien fraîche, monsieur ? »

Le prêtre eut un petit sourire. « S'il vous plaît. Les nuits passées, j'ai bu beaucoup de bière, très bon. Aussi j'ai joué et rencontré des prostituées. Très bizarre occupation pour un prêtre. Les grands prêtres disent que c'est un exercice spirituel. »

Tout le monde éclata de rire. Une servante apporta la bière et les quatre hommes se départir de leur solennité. Le prêtre rangea le tanka dans sa boîte qu'il mit dans un coin de la pièce. Après deux verres, les langues se délièrent. Le commissaire posa au prêtre des questions sur Deshima et il se lança dans un long discours sur les premiers contacts du Japon et de l'Occident. Il raconta comment au XVIIe et au début du XVIIIe siècle, les Japonais découvrirent les Occidentaux sur une petite île de la taille d'un grand bateau, lorsque seuls les Hollandais avaient le droit d'entretenir des relations commerciales avec le Japon. A l'époque, on avait même inventé une nouvelle science, le *Ran'gaku, Ran* était l'abréviation de Oranda ou Hollande et *gaku* signifiant « l'étude ». Des érudits japonais s'étaient débrouillés pour apprendre à lire le hollandais et ils avaient pris connaissance de tous les ouvrages concernant la médecine, l'astronomie, la botanique, les mathématiques et l'art de la guerre. Les Japonais s'étaient plus spécialement intéressés à la balistique, ayant entre-temps maîtrisé les armes à feu.

« Très utile, fit le prêtre en rigolant, mais ici les gens croyaient que la Hollande était un pays immense et puissant qui dominait tout le monde occidental. Pas vrai. Plus tard, il a fallu apprendre l'anglais, une langue beaucoup plus importante. Le hollandais sûrement très intéressant, mais seulement très peu de gens le parlaient.

— C'est toujours vrai maintenant, dit le commissaire en grignotant une galette. C'est très savoureux, ça.

— C'est à base d'algues, expliqua Dorin. Ça a un peu le goût des bretzels, vous ne trouvez pas ? A la différence que ça vient directement de la mer.

— Humm », apprécia le commissaire. Il mit le reste de la galette dans sa poche en désignant un pin qu'on pouvait apercevoir à travers les portes à coulisse qui donnaient sur le balcon de leur chambre. L'auberge était presque en tous points semblable à celle dans laquelle ils étaient descendus à Tokyo, mais plus grande et plus luxueuse. Le prêtre leur expliqua que c'était un ancien temple, comme énormément de bâtiments de Kyoto. Avec le déclin du bouddhisme et la pénurie de prêtres et de moines, ils tombaient en ruine ; d'autant que l'aide de l'État était pratiquement inexistante et la désaffection du public totale. Ce n'était que depuis dix ans environ qu'on avait commencé à faire revivre ces architectures grandioses.

« Pourtant le bouddhisme semble être très à la mode maintenant en Occident, objecta de Gier.

— En Occident, mais ici il est agonisant. Il n'y a probablement plus que cinquante maîtres au Japon ; chacun d'eux n'a qu'une poignée de disciples et ceux-ci ne sont pas toujours très studieux. Les moines savent qu'au bout de quelques années ils seront prêtres, or un prêtre peut vivre librement dans un temple en ayant des avantages. Beaucoup ne suivent l'enseignement que pour se faire prendre en charge par la suite, les étudiants sérieux sont très peu nombreux. Tout cela était prédit : la religion s'éteindra presque, elle gagnera l'Occident et reviendra. Mais ici, elle ne mourra pas, les maîtres y veillent et ils ont une grande sagesse.

— Comment cela se passe-t-il avec votre propre maître ? » demanda le commissaire en regardant le prêtre dans les yeux.

Brusquement ce dernier fit la grimace. « C'est pour moi une source de grande exaspération. Il a toujours quelques millimètres d'avance. Qu'est-ce que ça représente ? » Il étendit la main et rapprocha le pouce de l'index pour montrer ce qu'il entendait par quelques millimètres. « C'est une distance infime. Quand je suis confus, je médite de nombreuses heures, je fais çi et ça et je le rejoins. Mais alors même que j'y arrive, il est de nouveau à quelques millimètres en avant et il faut que je recommence tout. Toujours la même chose, j'arrive à son niveau et à ce moment-là... »

Une servante entra et vint dire quelque chose à Dorin. Le commissaire reconnut le mot *denwa :* discours par l'électricité, ce n'était pas la première fois qu'il l'entendait. « Téléphone. »

« Téléphone, déclara Dorin. C'est pour vous, monsieur. Il y a un appareil dans le bureau en bas. On vous appelle de Hollande.

— Ah bon ? Comment se fait-il qu'ils sachent que nous sommes ici ?

— Notre ami américain qui est dans la capitale connaît notre numéro, il a dû le leur communiquer. »

Le commissaire descendit dans le petit bureau et prit l'appareil que lui tendait un employé souriant et stylé à en juger par le nombre de courbettes qu'il effectua.

« Commissaire ?

— Oui, Grijpstra. Comment allez-vous ?

— J'ai sommeil, monsieur, ici il est quatre heures du matin. Il m'a fallu pas mal de temps pour réussir à vous joindre.

— Je m'en doute, vous avez téléphoné à Tokyo et nous sommes à Kyoto.

— Ce sont deux villes différentes ?

— Tokyo c'est la nouvelle capitale et Kyoto l'ancienne. Il y a environ cinq cents kilomètres de distance, je crois. C'est très beau ici, nous sommes entourés de jardins et de temples.

— Parfait, monsieur. La police d'État a trouvé le cadavre, monsieur. »

Le commissaire regarda la tasse de thé vert que l'employé avait mise devant lui avant de se retirer. Il en but une gorgée tout en écoutant Grijpstra lui narrer les événements récents.

« Vous pensez que c'est l'œuvre d'un amateur ? » demanda le commissaire en avalant une nouvelle gorgée de thé tandis que Grijpstra lui donnait tous les détails. « Je vois, je vois. En un sens c'est dommage, nous pensions que l'affaire était réglée dès le départ. Je vais y réfléchir ; en tout cas, ne libérez pas encore nos deux suspects. Je vous dirai ce que j'en pense dans un jour ou deux, par télex.

— Comment va le sergent, monsieur ?

— De Gier ? Je pense qu'il aimerait bien vous entendre. Inutile de lui parler de l'affaire, je le mettrai au courant plus tard. »

De Gier descendit et le commissaire quitta le bureau en emportant sa tasse avec lui. Dans le hall il rencontra l'employé. *O-cha*[1], lui dit-il doucement. *Yoroshii. Arigato.*

Le visage de l'employé se fendit d'un large sourire. Il sortit

1. *Cha* signifie thé, *O* est un préfixe de politesse.

précipitamment et revint avec une immense bouilloire pour verser une autre tasse au commissaire. Celui-ci prit la tasse, mais l'employé se mit à siffler en s'inclinant presque convulsivement. Il reprit la tasse des mains du commissaire et la tint à deux mains, faisant mine de boire.

« Ah, je vois, s'exclama le commissaire. Comme ceci ?

— Oui, dit l'employé. Solennel, cérémonies. Important quelquefois. Pas maintenant mais quelquefois. »

Épuisé par son effort de linguistique anglaise, l'employé se hâta de sortir en emportant la bouilloire.

« Est-ce que tu as beaucoup de boulot, là-bas ? demanda de Gier.

— Non, c'est très calme. Une vieille dame est venue porter plainte parce qu'on lui avait tiré dans les jambes avec un pistolet à air comprimé alors qu'elle attendait à l'arrêt du tramway. On a dû la conduire à l'hôpital pour extraire le plomb et elle a boité pendant un jour. Cardozo a découvert le coupable, un imbécile au chômage qui vivait dans une chambre de bonne et qui n'avait rien d'autre à faire que de regarder par la fenêtre toute la journée, un jeune type. Cardozo avait mis six agents sur le coup et ça leur a pris deux jours. Il est très patient, tu sais.

— Mais *toi ?* Qu'est-ce que tu as fait ?

— Je me suis baladé, payé quelques bons repas, et tous les jours j'ai lu les rapports de police. Ah ! si, tu te souviens de cet inspecteur qui a une tête de rat ?

— Oui.

— Il m'emmerde.

— Vraiment ?

— Oui, vraiment. Il m'a très fermement conseillé d'arracher par n'importe quel moyen des aveux aux deux Japonais, alors qu'il n'est même pas sur cette affaire. En fait, il m'a menacé.

— Je vois, fit de Gier. C'est vraiment dommage que tu n'aies pas été à Tokyo avec moi. On m'y a envoyé cinq jours avant le commissaire, je me demande bien pourquoi. On voulait peut-être que je prenne contact avec quelques-uns de nos collègues japonais. J'aurais pu demander la raison au commissaire mais je ne l'ai pas fait. Il n'aime guère qu'on lui pose ce genre de questions.

— C'est sûr. Et tu as aimé les cinq jours que tu as passé seul là-bas ?

— Beaucoup, mais j'ai presque tué un homme en lui dévissant la tête.

— Légitime défense ?

— Non. Il jetait des pierres sur un chat. »

Grijpstra passa la main dans ses cheveux gris coupés en brosse et regarda le récepteur comme s'il eût été coupable. De Gier avait une voix très calme à l'autre bout du fil.

« Merde ! Et on a porté plainte contre toi ?

— Je suppose, mais j'ai réussi à m'éclipser.

— Le commissaire est au courant ?

— Oui.

— Et tu travailles toujours avec lui ?

— Bien sûr.

— Ah bon, fit Grijpstra soulagé. Envoie-moi une carte postale à l'occasion. Et si jamais tu te fais piquer, je viendrai te sortir de tôle. Ça changera pour une fois. D'ailleurs je pourrai peut-être demander l'aide des deux petits gros qui sont ici pour te faire évader. Je suis devenu vraiment copain avec eux, tu sais, surtout depuis que je leur ai dégoté des journaux japonais. Tiens, oui c'est une bonne idée. » Il était maintenant de très bonne humeur. Ce *serait* un renversement de situation et un acte héroïque en même temps. Il se voyait arpentant les rues de Tokyo avec deux gangsters patentés. De Gier serait en prison, dans un cachot humide, ne mangeant qu'un demi-bol de riz moisi par jour, et lui il sauverait son ami. Son seul ami. En avait-il d'autres ? Non. Grijpstra hocha la tête. « Comment ça va à part ça ? demanda-t-il ?

— Je me sens bizarre, répondit de Gier, très bizarre. C'est comme si j'étais transparent, j'ai l'impression que tout passe à travers moi et que je ne retiens rien. Ici je vois des trucs magnifiques, des temples, des jardins, des jolies filles. Le Japonais qui travaille avec nous est quelqu'un de très chouette et on s'entend bien. Je fais du judo, j'apprends un peu de japonais, j'étudie attentivement les différentes cartes, je pense à la mission que nous avons à accomplir ici. Mais rien ne me touche vraiment, comme si je n'étais pas là. Même quand je bois, je suis absent.

— Ça doit être agréable de se sentir comme ça, remarqua Grijpstra.

— Oh oui, je ne me plains pas. Je crains simplement que ça ne dure pas. Je vais sûrement me rappeler qui je suis, que j'habite à Amsterdam, que je suis policier, etc. Pour l'instant je suis comme un miroir, je reçois les choses, les images, les impressions et je les réfléchis et je ne vois même pas ce que je réfléchis.

— Oui, je crois que je comprends ce que tu veux dire. Moi ça ne m'arrive qu'après le douzième verre, mais à ce moment-là je titube déjà, le corps ne suit pas l'esprit et cette impression n'existe plus, je suis malade et je rends tripes et boyaux.

— Où es-tu ?

— A mon bureau, dans notre pièce. Tu ne t'imagines quand même pas que je téléphonerais au Japon de chez moi, si ? Je ne veux pas savoir ce que coûtera cette communication, une somme astronomique sans aucun doute.

— Alors, tu es vraiment là-bas, hein ? Moi, je suis ici, à l'autre bout du monde. Il va falloir que je te quitte, Grijpstra. Nous sommes en train de conclure un marché avec un prêtre soi-disant véreux. Nous appâtons, demain ça mordra peut-être. »

Grijpstra raccrocha. « Dévisser la tête d'un type parce que le type jetait des pierres à un chat », dit-il à voix haute.

Consterné, il secouait toujours la tête en quittant le bâtiment. Dix minutes plus tard, il frappait à la porte d'un petit hôtel qui servait des boissons alcoolisées toute la nuit. Lorsqu'il s'accouda au bar pour commander deux genièvres, une floppée de barbus et de poètes aux yeux chassieux tournèrent la tête vers lui.

« Deux ? » s'étonna la fille. Elle portait un corsage largement échancré. « Dans un seul verre ?

— Dans deux verres, insista Grijpstra. Je veux trinquer avec mon ami, voyez-vous, mais il est au Japon.

— Je vois », dit la fille en servant les verres. Elle sourit pour rassurer les poètes, mais ceux-ci paraissaient toujours aussi soucieux. Elle quitta son comptoir et leur cria bien distinctement.

« Tout va bien, lui aussi il est fou. »

14

Le commissaire se réveilla en sursaut. Il était en train de rêver que, pris dans une inondation, il était entraîné dans les égouts où il buvait la tasse dans un liquide visqueux et immonde ; il suffoquait. Il hurla en agrippant les draps et roula sur le sol où il se cogna douloureusement l'épaule contre la poignée en cuivre de sa valise. Il se dressa sur son séant en grommelant et en se frottant l'épaule. De Gier s'était levé d'un bond ; appuyé contre le mur, du canon de son Walther il balayait la distance qui séparait la porte du balcon de la porte du corridor.

« Tout va bien, sergent, assura le commissaire. J'ai fait un cauchemar. Qu'est-ce que c'est que cette puanteur ? Vous croyez qu'il n'y a pas de tout-à-l'égout ici ? »

De Gier remit son pistolet dans le holster qu'il avait sanglé par-dessus sa veste de pyjama et s'étira. Il jeta un coup d'œil sur sa montre. « Cinq heures, monsieur, il est encore bien tôt mais je suis sans arrêt réveillé. Qu'est-ce qu'ils font comme boucan dans le temple, de l'autre côté de la rue ; tout y est, les cloches, les gongs, ça doit être une fête assez joyeuse. A l'instant, ils chantaient également ; je suppose qu'il s'agit d'une cérémonie religieuse, il faudra que je demande à Dorin. C'est vraiment étonnant que ça ne vous ait pas réveillé, on les aurait crus dans le jardin, mais quand je suis allé voir sur le balcon je me suis aperçu que les bruits provenaient de derrière les grands murs qui sont là-bas. Hier, j'ai regardé par le portail ; le temple principal est encore à environ cent mètres des murs. D'après moi, les moines se lèvent à trois heures du matin tous les jours. Ce doit être une existence assez bizarre.

— Ce ne sont quand même pas eux qui sont à l'origine de cette infection, si ? demanda le commissaire en pinçant les narines. En tout cas, l'odeur est très forte, ça doit être de l'excrément à l'état pur, des matières fécales d'homme, qui plus est. »

De Gier s'allongea en éclatant de rire. « Exactement, monsieur, c'est de la merde. Ici, il n'y a pas de chasse d'eau. Les conduits se déversent dans des baquets en bois qu'on collecte tous les jours. C'est la charrette dans laquelle on les met que vous avez sentie, quand elle est passée il y a quelques minutes, une charrette tirée par un cheval. Dorin dit qu'ils l'appellent le " char-à-miel ". Il en est de même dans tout le Japon, ça leur sert d'engrais. Dorin a ajouté en plaisantant : " Le fondement de notre économie, c'est de la merde à l'état pur. "

— Ce n'est pas une mauvaise idée, remarqua le commissaire. C'est toujours mieux que de l'envoyer sous pression dans l'eau de mer comme nous le faisons, parce que, ensuite, nous nous baignons au milieu des étrons. Nous polluons tout et nous gaspillons quelque chose d'utile. Nous évitons l'odeur, c'est notre seul avantage. Je l'avais déjà sentie, mais cela ne m'avait jamais paru aussi fort qu'aujourd'hui. »

On entendit un bruit sur le balcon et de Gier dégaina de nouveau. Le commissaire se sentit pris en défaut. Son pistolet était quelque part au fond de sa valise. Il se leva, farfouilla au milieu de ses chemises, et réussit quand même à mettre la main sur le holster.

Dorin passa la tête par la porte-fenêtre du balcon.

« Tout est en ordre, expliqua de Gier. Nous ne pouvons pas dormir, c'est tout.

— J'ai entendu crier. »

Dorin entra dans la chambre. Il portait uniquement un *fundoshi,* un cache-sexe blanc. Dans une pièce aussi calme, il était choquant de le voir avec un revolver dont le canon était aussi long. Il le tenait pointé vers le sol, l'index tendu contre le pontet de la détente.

« Un cauchemar », dit le commissaire. Dorin sourit et s'en fut. Ils l'entendirent enjamber la barrière qui séparait leur balcon du sien, juste à côté.

« Nous sommes bien protégés, constata le commissaire. J'espère qu'il a vraiment fait rappeler les types qui nous suivaient. Ils me mettaient très mal à l'aise à Tokyo, sans arrêt derrière moi, comme des mères poules, deux petits hommes aux larges épaules et aux grands bras.

— Des singes au visage triste, fit de Gier en bâillant et en remontant la couverture sur son épaule. Dorin m'a raconté que, jadis, les Chinois doutaient sérieusement que les Japonais fussent humains. Entre-temps, ils ont pu changer. Moi, je les trouve très humains. A de rares exceptions près, bien entendu, comme ceux qui tuaient le chat, les gardes du corps que vous mentionniez et quelques autres que j'ai eu l'occasion de voir au Ginza de Tokyo. Mais dans l'ensemble ils ont l'air charmants et intelligents également. On dit que leur quotient intellectuel est beaucoup plus élevé que le nôtre. J'aimerais bien être capable de lire leur littérature.

— Il faut du génie simplement pour apprendre à lire le japonais, déclara tristement le commissaire. Comment pourrons-nous jamais les abuser ? Pour lire un journal, il faut que vous ayez appris à distinguer 1 850 caractères chinois et une centaine d'idéogrammes japonais très bizarres. Or, le plus stupide des yakusa est capable de lire le journal.

— Ils ont quand même perdu la guerre, non ? » répliqua de Gier en s'endormant comme une masse.

Plus tard, lorsque le commissaire s'éveilla, les servantes étaient en train de servir le petit déjeuner et de Gier était déjà habillé et rasé. Ils avaient droit à un petit déjeuner à l'américaine, des œufs sur le plat, des saucisses, des toasts et du café. Une fois qu'elles lui eurent souhaité un bon appétit et qu'elles se furent retirées, il se leva et passa son kimono. Après avoir mangé il se rasa et sortit sur le balcon pour contempler l'aubergiste et son jeune fils qui désherbaient la mousse.

L'aubergiste avait mis des lunettes à double foyer et il repérait avec minutie les pissenlits et les boutons-d'or naissants, il les arrachait ensuite en prenant bien garde à ne pas laisser la moindre racine. C'était un travail interminable et il fallait sûrement le recommencer tous les jours, se dit le commissaire en pensant à son propre jardin envahi de mauvaises herbes qui vous arrivaient à la taille ; sa femme en tondait simplement un petit carré afin qu'il pût s'y asseoir et regarder sa tortue se frayer un chemin jusqu'à son assiette où étaient disposées des feuilles de laitue. Il devrait peut-être faire pousser de la mousse, nettoyer la pièce d'eau pour y mettre des poissons rouges et entasser des rochers dans un coin pour simuler une petite cascade. Il secoua la tête. Son jardin resterait comme il était ; il l'aimait bien avec ses mauvaises herbes et son fouillis. Il aimait aussi la perfection de cette mousse. Les deux environnements étaient conformes à la nature des êtres qui les habitaient. Il arrêta là sa comparaison, de Gier avait apporté un coussin et il s'assit avec plaisir, heureux de pouvoir sentir l'after-shave sur ses joues. De Gier s'assit à côté de lui sur le pont en bois et il se mit à graisser son pistolet, nettoyant l'intérieur du canon avec un chiffon doux.

« Une bien belle journée, sergent, dit le commissaire. N'oublions surtout pas de porter cet inestimable tanka à la banque dès qu'elle sera ouverte, à neuf heures et demi, d'après Dorin. Nous allons louer un coffre. Je porterai l'objet et vous m'escorterez avec votre automatique à portée de la main au cas où les affreux yakusa se montreraient.

— Il n'y a peut-être pas d'affreux yakusa, monsieur, répliqua le sergent. Il se peut qu'il n'y ait que de gentilles servantes qui gazouillent, des prêtres qui connaissent l'histoire et des jeunes gens aimables qui me prennent sur leur moto pour me conduire à destination.

— « Oui, fit le commissaire. Nous avons peut-être réussi à gagner le paradis. Ça pue un peu le matin, mais sinon c'est parfait. »

Trois heures plus tard, il n'en était plus aussi sûr. Suant à grosses gouttes, il tremblait et claquait des dents. « En fait il ne s'est rien passé, se répéta-t-il pour la énième fois. Ce n'était qu'un masque, rien qu'un masque. » Cela ne l'empêcha pas de continuer à claquer des dents et il dut s'asseoir dans la première cafétéria qu'il avisa. Il était encore tellement secoué que, lorsque la serveuse lui eut apporté une tasse de thé, il ne put réussir à la porter à ses lèvres, la tasse atterrit sur le sol où elle se brisa. La fille lui donna une nouvelle tasse, attendant qu'il passât sa commande, mais il était complètement paralysé, atteint d'aphasie. Il voulait du café, il connaissait les deux syllabes japonaises, *Ko-hi,* qu'il lui suffisait de prononcer, il en était incapable. Les mains tremblantes, il s'agrippa à la table. La serveuse retourna derrière son comptoir sans le quitter des yeux.

Il essaya de se souvenir exactement de ce qui s'était passé, comme pour se convaincre qu'il n'avait rien à craindre. Après avoir déposé le précieux tanka dans une banque, de Gier et lui s'étaient promenés. Ils s'étaient rendus dans un grand magasin où il avait acheté une cravate. De Gier avait voulu jeter un coup d'œil sur les journaux, dans le kiosque, et le commissaire l'avait laissé aller après lui avoir fixé rendez-vous à l'auberge pour déjeuner.

Il s'était alors baladé sans but précis en regardant les vitrines et les affiches des cinémas. Finalement, il avait échoué dans une cafétéria où il avait parcouru les pages du *Times* qu'il avait acheté dans le grand magasin. Il avait pris un tramway pour rentrer mais il était descendu deux arrêts avant l'auberge. Il était en avance et il voulait en profiter pour faire encore un peu de shopping. Les rues et les temples se ressemblaient tellement qu'à un moment il avait eu peur de ne pas retrouver son chemin, mais lorsqu'il avait aperçu le toit du Daidharmaji, il avait poussé un soupir de soulagement ; il était presque arrivé.

C'est alors qu'il avait rencontré l'étudiant, un jeune homme d'une vingtaine d'années vêtu d'un uniforme noir, une casquette sur la tête. C'était l'uniforme traditionnel des étudiants japonais, comme le lui avait expliqué Dorin à Tokyo. C'était une tradition qui remontait à la Première Guerre mondiale, l'uniforme était seyant bien qu'un peu rébarbatif : une tunique noire avec des boutons dorés et un pantalon très serré. Mais il avait un avantage : le tissu était très solide et les étudiants pouvaient le porter des années sans qu'il s'usât. Ils n'utilisaient donc pas le peu d'argent dont ils disposaient à s'acheter des vêtements et, de fait, ils n'avaient bien souvent que cet uniforme à se mettre sur le dos.

Le jeune homme l'avait abordé en anglais et il avait cru comprendre que l'étudiant voulait parfaire la connaissance de cette langue qu'il ne parlait qu'approximativement. Il avait donc répondu à ses questions. Non, il n'était pas américain, il n'était au Japon que depuis peu mais il aimait ce pays, etc. L'étudiant marchait à côté de lui ; il déclara soudain que non loin de là il y avait un temple qui valait le coup d'œil. Un temple très ancien, l'un des plus vieux de la ville, avec un jardin splendide. Le commissaire n'avait pas très bien saisi les commentaires du jeune homme sur son architecture.

Ils avaient donc franchi côte à côte le portail qui était à lui seul un véritable édifice et, une fois à l'intérieur, ils avaient salué le moine qui avait souri en s'inclinant. Après que le jeune homme lui eut dit quelque chose, le moine les avait invités à le suivre dans le jardin. De toute évidence, ils se connaissaient. Mais le jardin s'était révélé être une splendeur et le commissaire avait suivi l'étudiant comme on suit un guide. Le jeune homme lui avait montré des arbres, un Bouddha en pierre au sourire illuminé, une mare remplie de poissons rouges et, pour finir, la statue d'un guerrier au sourire agressif et sardonique piétinant le corps de quelque victime. « Le cadavre, c'est l'ego, avait expliqué l'étudiant. Le guerrier, c'est la discipline. » Il avait accompagné ses paroles d'un vague mouvement de tête avant de disparaître. Comme par magie, le commissaire s'était retrouvé seul devant la statue.

Elle dégageait une sensation bizarre et il avait enlevé ses lunettes pour les essuyer. Puis il s'était penché pour mieux regarder le cadavre que piétinait le guerrier. Le cadavre avait un visage, c'était le sien.

Incrédule, il s'était approché, c'était impossible, il avait été le jouet d'une hallucination. Mais il n'y avait aucun doute, c'était bien son visage ; tout y était : la chevelure soigneusement peignée, la raie au milieu, les lunettes cerclées, le nez court et bien dessiné, les lèvres fines. Même les oreilles, légèrement décollées, étaient parfaites. En outre, au coin de la bouche, coulait un mince filet de sang. Il s'était accroupi pour regarder de plus près le sang, c'était du ketchup ; quant au visage, c'était un masque, un masque en bois. Il s'était détaché quand il l'avait touché. Il l'avait pris dans les mains, découvrant la véritable face du cadavre, en pierre cette fois, avec des yeux bridés, rien à voir avec son propre visage. Il avait laissé tomber le masque en bois et s'était mis à courir. Il avait fait le tour du jardin avant de revenir à la statue. Le masque en bois n'y était plus. Il ne restait en tout et pour tout qu'un peu de ketchup sur le gravier, la sauce tomate avait dû dégouliner quand il avait retiré le masque. On avait enlevé le masque mais on avait laissé le gravier sanguinolent. Il s'était alors précipité au portail. Le moine n'y était plus.

Tout cela est tellement évident, se dit-il. Ils essaient de te paniquer. Quelqu'un a bien étudié ton visage avant de confectionner ce masque et de le placer sur la statue. Ensuite on a dit au moine et à l'étudiant de t'y conduire et ça a marché comme sur des roulettes.

Il était toujours agrippé à la table, et quand il s'aperçut que ses phalanges étaient blanches, il desserra les doigts. Il avait retrouvé la maîtrise de soi mais, derrière son comptoir, la fille le regardait toujours. Les mots « s'il vous plaît » lui revinrent en mémoire : *Kudasai.* Il réussit enfin à articuler, « *Ko-hi-kudasai* ». Elle comprit, esquissa un sourire et lui apporta du café. Tout était rentré dans l'ordre.

Mais que ce serait-il passé s'il n'était pas allé avec l'étudiant ? Il n'était pas forcé de le suivre. Auraient-ils tenté quelque chose d'autre ? Il ne put réprimer un frisson. Voyons, reprends-toi, se dit-il, tu viens de voir un masque, un portrait de toi qui était très ressemblant, mais c'est tout.

Le sergent avait eu droit à une pièce de théâtre. Lorsque le commissaire regagna leur chambre, il retira sa veste et se lava le visage à l'eau froide. De Gier s'entraînait sur le balcon. Il était debout, apparemment tranquille, et brusquement il levait le bras droit, saisissait le pistolet qu'il portait sous l'aisselle gauche en pivotant et, prenant appui sur son bras gauche qu'il avait levé simultanément, il visait une cible fictive, le tout en quelques secondes. Plusieurs fois de suite il recommença le même mouvement. Ses gestes étaient parfaitement coordonnés.

« Très bien, apprécia le commissaire.

— Non. Je suis plus rapide avec mon pistolet de service. Cette arme est légèrement différente, je n'arrive pas encore à la saisir comme il faut, mais ça viendra. On devrait pouvoir faire ça en deux secondes, mais moi je crois qu'il m'en faut trois.

— J'ai vu un masque », dit le commissaire, et il raconta ce qui lui était arrivé. Assis par terre, de Gier l'écoutait attentivement.

« Un coup bien monté, non ? déclara le commissaire quand il eut fini son récit.

— Effectivement, reconnut de Gier. Moi aussi j'ai vu quelque chose, j'ai assisté à ma mort dans une pièce de théâtre. »

En quittant le grand magasin, de Gier n'avait pas eu envie de prendre le tramway. Il avait bien étudié le plan de la ville et il connaissait le chemin pour rentrer à l'auberge. En marchant il avait rencontré un jeune étudiant, c'était lui qui avait engagé la conversation.

« A quoi ressemblait-il ? interrompit le commissaire.

— Il était petit et assez gros — rondouillard, si vous préférez —, un type nerveux qui n'arrêtait pas d'agiter les mains et qui parlait sans arrêt. Son anglais était très bon. Il m'a expliqué qu'il avait passé un an en Australie, à l'occasion d'un échange culturel.

— Ce n'est pas le même, remarqua le commissaire ; d'ailleurs c'était impossible puisqu'on nous a abordés tous deux à la même heure, mais continuez, je vous prie, je suis désolé de vous avoir interrompu. »

L'étudiant avait invité le sergent à prendre un verre dans un bar. De Gier avait refusé l'alcool mais avait accepté un café.

« Nous autres Japonais, nous buvons du thé généralement, lui avait déclaré l'étudiant. Boire du thé n'est pas à la portée de tout le monde, c'est véritablement devenu un art. Nous connaissons au moins cinq cents sortes de thé, et chaque fois le goût et la qualité sont différents. C'est d'ailleurs un art très sophistiqué : on choisit les tasses ou les coupes qui conviennent, il faut les tenir d'une certaine façon et l'on ne prend pas n'importe quelle théière ; on nous enseigne également comment il faut nous asseoir pour boire, même la conversation obéit à certaines règles. » Le sergent avait répondu qu'effectivement il avait entendu dire que la cérémonie du thé était un événement très important.

L'étudiant s'était incliné en souriant. C'était tout à fait vrai jusqu'à ce qu'apparaisse le café ; les Japonais y avaient pris goût et ils avaient élaboré un nouveau rituel. L'étudiant n'en voulait pour preuve que les multiples pots soigneusement rangés sur l'étagère derrière le bar. Il y en avait une vingtaine, café du Brésil, de Colombie, de Java. « Nous avons même un café simiesque, ajouta l'étudiant. Savez-vous ce que c'est ? »

De Gier avoua qu'il n'en savait rien. L'étudiant semblait ravi de pouvoir lui apprendre quelque chose. En Birmanie, on avait tenté de faire pousser du café en altitude mais, les résultats ayant été plutôt décevants, on avait arrêté l'expérience. Cependant les plants de café y poussaient toujours et les singes en bouffaient les grains ; comme ils n'étaient pas comestibles, les singes les rejetaient sans qu'ils eussent subi la moindre transformation intestinale. C'est alors que les tribus des montagnes venaient les ramasser parmi les déjections, pour vendre à prix d'or ce café dont chaque grain avait été soigneusement nettoyé. Le café simiesque valait à peu près dix fois plus cher que les autres cafés.

De Gier ne cacha pas son étonnement, ce qui réjouit l'étudiant. Ils quittèrent ensuite le bar pour aller se promener. L'étudiant n'arrêtait pas de pérorer et de Gier commençait à en avoir marre de sa voix de fausset, mais le jeune homme avait un certain sens de l'humour qui ne déplaisait pas au sergent. Ils se retrouvèrent soudain au fond d'une ruelle où se dressait un petit bâtiment en brique : c'était un théâtre pour les pauvres de ce quartier populaire ; on y jouait des pièces, on y faisait de la musique et l'on y dansait. L'étudiant déclara qu'il y en avait beaucoup d'autres dans la ville et que les gens venaient s'y divertir une heure ou deux de temps à autre. N'aimerait-il pas assister à un spectacle ? Bien entendu il ne comprendrait pas le dialogue mais il pourrait toujours regarder les acteurs, ça ne manquerait pas d'intérêt. Ils étaient entrés.

A l'intérieur il y avait beaucoup de monde mais il restait quelques places dans le fond. Sur la scène se déroulait une histoire d'amour qui finissait tragiquement par un double suicide. Venait ensuite un vieillard dont la barbe descendait jusqu'au sol, il récitait des poèmes, accompagné par l'orchestre.

« C'est à ce moment-là que ça s'est produit, expliqua de Gier. L'étudiant était parti, prétextant qu'il devait aller aux toilettes ; il ne l'avait jamais revu. Sur la scène étaient apparus deux personnages. Un étudiant joufflu vêtu d'un uniforme noir qui parlait sans discontinuer et un étranger particulièrement grand qui avait des cheveux bruns frisés, une moustache et les pommettes saillantes. L'acteur était japonais mais il était très bien maquillé et il imitait parfaitement la façon dont de Gier occupait l'espace. L'étudiant lui servait de guide et il l'écoutait. Bien que parlant en japonais, leur dialogue était émaillé de mots d'anglais. Le psychodrame était parfait, de Gier s'assistait, comme Antonin Artaud qui assistait à lui-même. Sur scène, quatre nouveaux personnages étaient apparus, poursuivis par un spot lumineux plutôt blafard. Ils avaient entouré l'étranger et l'étudiant tandis que la musique s'était faite plus lancinante, comme si le chanteur voulait lancer quelque avertissement aux deux pitoyables héros. Indécis, le grand étranger avait regardé autour de lui, comme pour s'assurer qu'il n'était pas seul, la musique s'était assourdie et le chanteur avait lancé comme une ultime mise en garde. L'étranger pouvait encore choisir de se retirer. Mais ce dernier avait décidé d'aller de l'avant ; c'est alors que les quatre personnages vêtus de capes et de masques s'étaient rués sur lui. Il y avait eut un éclair lumineux sur la dague que tenait l'un des sbires et la musique allait crescendo ; le plus grand des acteurs, l'étranger, s'était affaissé en râlant et en vomissant du sang, l'étudiant joufflu s'était esquivé.

« Je vois, dit le commissaire.

— C'était parfaitement exécuté, monsieur. Ils ont reproduit tous mes gestes, la façon dont je titille ma moustache quand j'écoute quelqu'un, par exemple. A un moment, l'acteur qui me représentait a sorti une cigarette de la poche de sa veste et il l'a allumée exactement comme j'aurais pu le faire ; je me retrouvais dans chacun de ses mouvements. C'était fascinant.

— Mais après coup, vous n'avez pas eu peur ? demanda le commissaire.

— Non, monsieur. C'est ce que je disais à Grijpstra au téléphone hier, j'ai l'impression que plus rien ne m'affecte. Ce matin, par exemple, quand vous avez crié dans votre sommeil et que vous vous êtes retrouvé par terre, j'étais sur le balcon car je n'arrivais pas à dormir. Quand je vous ai entendu crier, je me suis précipité dans la chambre, pistolet au poing, sans réfléchir, tout ce qui arrivait m'était complètement indifférent. C'était la même chose en regardant la pièce, comme si une partie de mon esprit n'était pas concernée. Je réagis à ce que je vois, mais, après coup, je ne ressens aucune émotion. »

Le commissaire alluma un cigare, sa main droite tremblait légèrement.

« Alors vous êtes parti, tout simplement ? »

De Gier fit une vague grimace. « Non, monsieur, j'ai fait quelque chose de stupide. J'avais ma flûte sur moi, vous savez la piccolo, celle que je peux mettre dans ma poche intérieure. L'orchestre avait vraiment bien exécuté le passage qui devait me terrifier et je me souvenais de ce que jouait la flûte. Lorsqu'on a rallumé, tout le monde m'a regardé. Bien entendu les spectacteurs étaient très surpris. De toute évidence ils ne s'attendaient pas à voir ça et, de leur côté, les acteurs étaient très perplexes eux aussi. Il ne fait aucun doute que ceux qui ont organisé la mascarade dans le jardin du temple que vous avez visité sont les mêmes que ceux qui ont payé les acteurs pour la représentation qui m'était destinée. Cela dit, bien qu'ayant dû toucher une forte somme, les acteurs n'appréciaient guère le rôle qu'on leur avait fait jouer, visiblement ça les ennuyait d'avoir été obligés d'essayer d'intimider quelqu'un qu'ils ne connaissaient même pas. Je les voyais dans les coulisses et ils avaient l'air relativement coupables ; c'est alors que j'ai sorti ma flûte et que j'ai joué le passage dont je me souvenais. Il y avait un silence de mort et toutes les notes se détachaient merveilleusement. Ensuite je suis parti.

— Très bien, s'écria le commissaire en tapant sur la table. Excellent ! Bien joué, de Gier ! Moi aussi, ils ont dû observer mes réactions, mais j'étais dans tous mes états, je courais dans tous les sens, comme une biche aux abois. J'espère que votre conduite leur fera oublier la mienne. » Il ricana en se frottant les mains mais, quelques minutes plus tard, il secouait la tête en grommelant.

« Ne vous en faites pas, monsieur, déclara de Gier tout doucement. Moi aussi j'aurais été pris de panique, en temps normal, *avant l'accident.* Quand j'ai vécu chez vous, j'ai dû vous poser pas mal de problèmes, je m'en souviens vaguement. Je piquais sans arrêt des crises de nerfs, non ? C'est sûrement le contrecoup ; peut-être qu'en ce qui me concerne, j'ai l'impression de n'avoir plus rien à perdre. Je pense toutefois que c'est dangereux d'être asocial. A Tokyo, j'ai failli tuer ces types de sang-froid, avec préméditation, et si Dorin n'avait pas été là, je les aurais tués sans l'ombre d'une hésitation. Il est anormal de s'en foutre. Un homme équilibré ne s'en fout pas.

— Je ne m'en fichais certainement pas, dit le commissaire. C'est d'ailleurs étonnant que je n'aie pas souillé mon pantalon. Je crois que jamais je n'ai eu aussi peur de ma vie, même pendant la guerre lorsque la Gestapo m'a arrêté en me menaçant de m'arracher les ongles. »

Il regarda autour de lui d'un air pensif. On avait fait la chambre et les nattes sur le sol ainsi que les poteaux en bois qui soutenaient les murs blancs lui semblaient complètement étrangers. Il avait l'impression d'être un poussin dans une caisse.

« Où est passé Dorin ? demanda-t-il. L'aubergiste lui a-t-il dit que nous serions de retour pour le déjeuner ?

— Oui, monsieur ; je suis allé voir à la réception, il avait laissé un mot pour dire qu'il serait là. Je suis allé voir dans sa chambre mais il n'était pas encore arrivé. »

Le commissaire regarda sa montre. « Il nous reste une demi-heure. Je vais téléphoner au bureau, ça ne me prendra pas longtemps. »

15

« Allô, Jane, dit le commissaire ; comment ça va aujourd'hui ?

— C'est toi ? répondit la voix. Tu es vraiment un beau salaud, tu sais. Tu me colles cette fille sur les bras et tu t'en vas. Tu sais que ça fait presque deux semaines qu'elle est là ? Je croyais que tu étais au Japon. Tu devrais venir nous voir, Joanne est un peu nerveuse. D'après ce que je sais, tu lui a promis un passeport américain tout neuf et elle a hâte de partir, d'autant qu'elle est complètement perturbée par la mort de son petit ami, la pauvre fille. Comment se déroule l'enquête ? Et ton voyage au Japon, c'était bien ?

— Je *suis* au Japon.

— Sans blague ? Dieu du ciel, cette communication doit coûter une fortune, et moi qui n'arrête pas de discourir. Vas-y, qu'est-ce que tu as à me dire ? »

Le commissaire étendit les jambes sur une chaise pour s'installer plus confortablement. « Ne te préoccupe pas du prix de la communication, ma chérie. Je suis désolé de t'avoir laissé la fille, mais c'est très important que tu veilles sur elle. Elle va avoir son passeport, cela ne saurait tarder. J'aimerais bien résoudre cette affaire avant qu'elle ne parte, trouver le ou les meurtriers de son petit ami. Je suis persuadé qu'elle comprendra. Est-ce qu'elle est avec toi en ce moment ?

— Non, je l'ai envoyée faire quelques courses.

— Parfait. Il semble que ce soit plus compliqué que l'on ne croyait. Nous avons appréhendé deux Japonais grâce aux informations de Joanne Andrews. Mais depuis que nous avons découvert le corps nous ne sommes plus tellement sûrs de leur culpabilité.

— Vous l'avez trouvé ? A quel endroit ?

— C'est la police d'État qui l'a trouvé, il était enterré dans un champ. D'après nos experts, c'est un crime d'amateur, or les deux Japonais que nous détenons sont tout sauf des amateurs. D'ailleurs, tout nous porte à croire que derrière toute cette histoire il n'y a qu'un homme, si l'on excepte la victime, évidemment. C'est du moins ce que je pense. »

Il y eu un silence de part et d'autre de la ligne téléphonique.

« Continue, dit-elle. Tu peux tout me dire ; après tout je suis ta nièce, je ne trahirai pas tes secrets.

— Oui, je le sais et j'apprécie beaucoup ta collaboration. Est-ce qu'elle t'a parlé d'autres hommes dans sa vie ? Elle a déclaré qu'elle était fiancée avec M. Nagai, celui qui est mort, mais comme c'est vraiment une très jolie fille, il se peut très bien qu'elle ait eu d'autres courtisans.

— Ce serait passionnel alors, rétorqua Jane. Un drame de la jalousie, en quelque sorte ?

— C'est ça.

— Quelqu'un aurait tué M. Nagai parce qu'elle allait se marier avec lui ? » Jane ne put réprimer un fou rire. « C'est pas un peu vieux jeu tout ça ? L'autre soir j'ai vu une émission à la télé, on y voyait des couples qui s'échangeaient. On dirait qu'aujourd'hui tout le monde couche avec n'importe qui. »

Le commissaire éclata de rire lui aussi. « D'accord, mais les hommes seront toujours jaloux, c'est dans leur nature. Elle n'a pas parlé d'autres mâles dans sa vie ? Vous étiez seules toutes les deux dans la maison, vous avez bien dû échanger certaines confidences, des propos ultra féminins.

— Non, elle ne m'a rien dit, c'est une fille tranquille et très réservée. D'ailleurs je ne m'en plains pas, j'apprécie beaucoup sa présence ; elle me manquera.

— Essaie d'en savoir davantage, recommanda le commissaire. Je te rappellerai, sans doute demain. Je pense que le meurtrier n'est pas un homme de race blanche. Nous avons des témoins qui ont vu un homme laver la voiture dans laquelle on a assassiné M. Nagai, ils ont également vu un homme acheter une pelle, tout à côté de l'endroit où on a découvert le corps. Dans les deux cas les témoins ont assuré qu'il devait s'agir d'un Chinois. Comme ils ne savent pas spécialement à quoi ressemble un Japonais, on peut avancer sans trop de risques qu'il s'agit d'un homme de race jaune et très probablement d'un Japonais.

— Moi je sais à quoi ressemble un Japonais, répondit la nièce du commissaire. Ils avaient l'habitude de me battre une fois par mois, au minimum, uniquement pour que je me souvienne d'eux.

— Je te crois, ma chérie, mais toi tu as voyagé. J'ai mis les témoins en présence des deux hommes que nous détenons, l'un après l'autre. Quand ils ont vu le premier suspect, ils auraient juré que c'était bien l'homme qu'ils avaient vu ; quand ils ont vu le second, ils n'en étaient plus aussi sûrs. De toute façon il semble bien que ces deux gars n'aient rien à voir avec la mort de M. Nagai.

— Je vois, répliqua Jane. Alors qu'est-ce que tu comptes faire ?

— Eh bien, nous allons trouver le coupable, ma chérie. D'ailleurs je suis persuadé que Joanne Andrews le connaît et tu peux m'aider à démasquer ce " troisième homme " en la questionnant ; ensuite il ne nous restera plus qu'à l'arrêter. Une opération de police tout à fait ordinaire, il n'y a pas à s'en faire. »

Il y eut un silence.

« Tu sais que ton adjudant a téléphoné hier, reprit Jane. Il doit venir cet après-midi pour s'entretenir avec Joanne. »

Le commissaire soupira.

« Tu es toujours là ?

— Oui, je ne quitte pas. Ne t'en fais pas, ma chérie, et laisse tomber toute cette histoire. L'adjudant a suivi le même raisonnement que moi, il est sur la voie. Contente-toi de lui fournir tous les renseignements qu'il te demandera. C'est un homme très bien, tu l'apprécieras. Ne lui dis pas que j'ai téléphoné. De toute façon je suis en train de tout embrouiller. L'adjudant est un détective très compétent, il est tout à fait qualifié pour mener à bien cette enquête.

— Entendu. Alors tu te paies du bon temps ? Tu es allé voir les geishas ?

— Absolument. On nous invite à dîner et à boire tous les soirs, on nous a même réservé des surprises, une pour de Gier et une pour moi, c'était hallucinant. Je te raconterai peut-être un jour.

— Fais attention à toi, conseilla Jane. J'ai été amenée à connaître les Japonais lorsque j'étais dans leur camp pendant la guerre. Ils ne nous ressemblent pas. Ils ont des réactions complètement différentes et ils peuvent se montrer très cruels, d'autant qu'avant d'agir ils pensent, même lorsqu'ils sont en colère.

— Entendu.

— Mais ils ont aussi des qualités qui sont différentes des nôtres, ils sont plus sensibles et plus créatifs. Ils crevaient pratiquement de faim et ça ne les empêchait pas de me battre à mort ; cela dit, c'est une expérience que je ne regrette pas, ces quatre années d'internement m'ont radicalement changée. Maintenant j'apprécie des choses qu'auparavant je ne remarquais même pas.

— Peut-être parce que tu es un peu plus âgée, hasarda le commissaire.

— Je ne suis pas vieille, j'ai le même âge que toi.

— Moi, je suis très vieux et mes jambes me font souffrir. Au revoir, ma chérie, je t'appellerai demain. Tu peux rester chez toi pour attendre mon coup de téléphone ?

— Bien sûr », dit-elle en raccrochant.

Le commissaire ne put réprimer un grognement en composant un autre numéro. L'ambassadeur était là et on le lui passa immédiatement. A Tokyo le commissaire était passé devant l'ambassade de Hollande mais il n'y était pas entré.

« Comment allez-vous ? » demanda l'ambassadeur.

Le commissaire lui relata les événements de la matinée. L'ambassadeur lui exprima toute sa sympathie, comme il convenait de le faire.

« Tout cela est très prometteur, dit-il ; j'espère quand même que vous n'avez pas eu trop peur mais ça veut dire que nous avons établi le contact. La C.I.A. va être contente ; d'ailleurs Mr. Johnson voulait se rendre à Kyoto mais je l'en ai dissuadé. A cette époque de l'année il n'y a pas suffisamment d'étrangers à Kyoto et il serait bien vite repéré. Actuellement il est à Kobé ; là-bas c'est parfait, il y a des milliers d'Occidentaux. Je crois que vous devriez faire semblant d'acheter quelques tankas et tous les objets d'art que le prêtre vous proposera et ensuite quitter cet endroit. J'ai entendu dire qu'on avait rappelé les gardes du corps. Vous n'avez donc plus que le sergent et Dorin pour vous protéger, c'est bien ça ?

— C'est exact.

— Bien ; en ce cas, il ne faut pas que vous traîniez. Nous ne voulons pas qu'il vous arrive quoi que ce soit, ça pourrait créer un incident diplomatique. Vous connaissez le numéro de téléphone qu'il faut appeler en cas d'urgence ?

— Oui.

— Parfait. Eh bien, bonne chance, monsieur. Je ne manquerai pas de penser à vous. Vous rendez un grand service à votre pays. Est-ce que vous avez lu le livre sur Deshima que j'ai fait porter à votre hôtel ?

— Absolument, dit le commissaire en souriant. J'ai bien aimé le passage sur les femmes.

— Les *keisei ?* Oui, nos ancêtres n'ont pas dû s'ennuyer sur l'île, loin de leurs épouses hollandaises acariâtres et de leurs gosses braillards, ils devaient passer leur temps à se faire caresser par les geishas très cultivées et de haute lignée que le gouvernement japonais leur fournissait à l'œil. Une situation qui ne devait pas manquer d'intérêt. Savez-vous ce que signifie *keisei* ?

— Pas du tout.

— Destructrices de barrières. Elles étaient là pour faciliter les rapports entre les Hollandais et les marchands japonais et il faut croire qu'elles ont fait un excellent boulot puisque les relations commerciales ont grimpé en flèche entre les deux pays. Les Japonais nous achetaient des navires et des armes, et nous nous leur achetions des tankas, des poteries et des éventails. Nous avons dû nous retrouver avec des millions d'éventails sur les bras.

— Le prêtre a déclaré qu'il nous en apporterait aujourd'hui. Il a dit qu'ils venaient de la maison d'une geisha et qu'ils dataient de plusieurs siècles. Je me demande comment ils ont bien pu atterrir dans son temple ?

— Les prêtres sont des hommes comme les autres, répliqua l'ambassadeur. Ils sont normalement constitués, ils ne se contentent pas de méditer et de chanter les louanges du Bouddha.

— Oui, c'est juste. »

16

Vêtu d'un complet léger, d'une chemise blanche et d'une étroite cravate, Dorin était impeccable. Le commissaire le regarda d'un air pensif. Depuis qu'on avait réussi à lui faire perdre son sang-froid avec un simple masque, il bouillait d'une rage froide contre tout ce qui l'entourait : la chambre avec ses poutres trop apparentes, le sol avec ses dalles et ses *tatamis* [1] trop soigneusement rangés et si bien décorés ; même le jardin de mousse ne trouvait pas grâce à ses yeux. Cela ne durerait pas mais il n'arrivait pas à chasser de son esprit l'image du filet de sang qui coulait sur son menton, et des lunettes qui avaient glissé de son nez et qui pendaient lamentablement, retenues par l'oreille gauche. Une oreille sculptée avec une habileté diabolique dans du bois. L'étudiant et le moine s'étaient bien payés sa tête, ils l'avaient séduit pour le confronter avec ses propres angoisses, ils lui avaient démontré qu'il n'était pas aussi sûr de lui qu'il le croyait. En fait, c'était contre lui qu'il en avait, il était déçu, jamais il ne se serait cru aussi vulnérable.

Il soupira et adressa un sourire quelque peu forcé à Dorin qui était assis sur un coussin en face de De Gier. Le commissaire avait sorti son matelas du placard et il était allongé, la tête appuyée sur son avant-bras droit. Dorin avait adopté la position du lotus, assis les jambes croisées, chacun de ses pieds reposant sur la cuisse opposée. Le commissaire pouvait lui voir la plante des pieds car Dorin avait retiré ses chaussettes et les avait glissées dans la poche de sa veste. Ils ont quand même des coutumes bizarres, se dit le commissaire. Dans le train, un homme d'un certain âge avait tranquillement retiré son pantalon et l'avait soigneusement plié pour le ranger à côté de sa

1. Sorte de tapis japonais, fait de paille de riz recouverte d'une natte de jonc. (*N.d.T.*)

mallette dans le filet à bagages. Lui aussi avait retiré ses chaussettes avant de s'asseoir en lotus. Il portait un caleçon long. En Hollande, une telle conduite n'aurait pas manqué de provoquer une certaine agitation dans le compartiment.

De nouveau il regarda Dorin : son visage était serein, complètement détendu. Le commissaire se rappela que Dorin était un collaborateur, un ami et, effectivement, il s'était montré plus qu'amical, il s'était sans cesse préoccupé de leur sécurité et de leur confort. Il se demanda de quoi Dorin serait capable s'il était leur ennemi. Aurait-il pensé au masque en bois et à la pièce de théâtre ? Cela n'avait rien d'impossible, c'était la règle du jeu, puisque après tout il s'agissait d'une sorte de jeu, non ? Le commissaire n'avait-il pas pleinement adhéré aux doctrines des nombreux philosophes chinois qu'il lisait en Hollande depuis si longtemps ? Rien n'est réel sur cette planète, tout n'est qu'un jeu d'ombre et de lumière, nous ne voyons que le reflet des choses, c'est aussi ce qu'avait démontré Platon dans le mythe de la caverne. Il n'y avait donc aucune raison pour qu'il se sentît angoissé, et pourtant il l'était au point d'en être malade.

De Gier astiquait sa flûte. Il n'avait absolument pas l'air troublé, il se contentait de frotter le métal avec un bout de flanelle. Quand ils lui avaient raconté ce qui leur était arrivé, Dorin s'était abstenu de tout commentaire, il avait vaguement souri, comme pour les rassurer. A présent il était en pleine méditation et ni le commissaire ni de Gier ne se sentaient en droit de le déranger dans sa concentration. Le commissaire regarda la feuille de papier jaune que Dorin avait placée sur la table, les caractères qui y figuraient ne signifiaient rien pour lui. Il y avait trois colonnes constituées chacune de plusieurs hiéroglyphes, certains étaient chinois, les autres japonais.

Dorin, qui avait les paupières à moitié fermées, ouvrit soudain tout grands les yeux. « J'ai reçu ce mot ce matin, dit-il à voix basse. C'est un petit garçon qui l'a apporté alors que je rendais visite au prêtre. Apparemment le message nous était destiné à tous les deux. Le garçon est parti en courant après m'avoir donné l'enveloppe.

— Qu'est-ce que ça raconte ? demanda le commissaire.

— *Oranda no Toyoo ni. Hae no tsuite kite,* répondit Dorin en regardant la feuille de papier devant lui.

— C'est tout à fait clair, dit le sergent.

— Oh, je suis désolé. Je vais traduire. Ça donne à peu près ça : " Quand les Hollandais se rendent en Extrême-Orient, les mouches

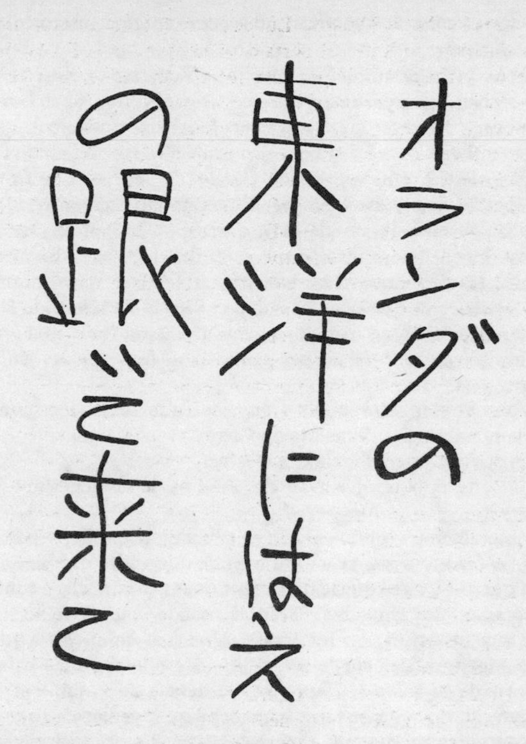

les accompagnent. ” Je suis navré, mais ce n’est pas un message très aimable, je dirais même que c’est une menace. »

Le commissaire répéta la phrase. « Quand les Hollandais se rendent en Extrême-Orient, les mouches les accompagnent. » Il toussa et fouilla dans sa veste à la recherche de la boîte en étain qui contenait ses petits cigares. Il en alluma un après que de Gier et Dorin eurent poliment refusé celui qu’il leur avait offert. « On dirait que cette phrase vous vise tout particulièrement, Dorin, dit-il sur un ton d’excuse. Du moins, si nos amis pensent que vous nous accompagnez. C’est ce qu’ils *doivent* penser, non ? Nous sommes censés monter un trafic d’objets d’art volés, or il nous faut des contacts pour les acheter et c'est là que vous intervenez, comme intermédiaire et comme assistant. »

Dorin ne put s'empêcher de sourire. « Vous avez peut-être raison mais je crois qu'on peut interpréter ce message d'une façon beaucoup plus subtile. Voyez-vous, jadis, les Japonais trouvaient que les étrangers qui venaient ici avaient une drôle d'odeur, il faut dire qu'ils se nourrissaient exclusivement de viande, de beurre et de fromage ; or, à l'époque, il n'y avait pas de réfrigérateurs, bien entendu, et, la plupart du temps, la viande était avariée et le beurre rance. Les Japonais, eux, mangeaient du riz et des légumes, la mer leur fournissait les protéines. Il ne faut pas oublier que nous sommes un peuple insulaire et que nous ne sommes jamais bien loin de la mer ; c'est pourquoi nous ne mangions que du poisson frais ou alors salé. Cela nous permettait de ne pas sentir aussi fort que les *gaijin*, les étrangers.

— Vous voulez dire qu'ils trouvaient que nous dégagions une véritable puanteur ? » demanda de Gier.

Dorin acquiesça en s'inclinant très bas.

« Et à cette époque il y avait des essaims de mouches autour des étrangers ?

— Exactement, répliqua Dorin en tripotant la feuille de papier. Ce message est donc assez clair. On insinue que vous, messieurs, vous puez et que moi, ainsi que le prêtre que nous avons réussi à contacter, nous sommes des mouches. Tout le monde connaît le sort qu'on réserve aux mouches, on les écrase. Une fois qu'on les a tuées et qu'elles sont tombées sur le sol, il ne reste plus qu'à les balayer. »

Du plat de la main il frappa sur le dessus de la table et, d'une pichenette, il envoya par terre la mouche qu'il venait de tuer.

Le commissaire déroula son matelas et tira sa valise vers lui. « Voilà, dit-il après avoir trouvé ce qu'il cherchait. C'est un livre sur Deshima que l'ambassadeur hollandais m'a fait parvenir lorsque j'étais à Tokyo. Il me semble avoir lu quelque chose à propos des Hollandais et des mouches. Voyons voir. »

Tandis qu'il feuilletait le livre, Dorin regardait par-dessus son épaule. Il y avait beaucoup de reproductions en couleurs ; on voyait notamment des tankas représentant la vie amoureuse des marchands hollandais, des hommes bien charpentés avec des poches sous les yeux, qui s'ébattaient avec de jeunes dames dont le visage ne trahissait aucune émotion et dont les cheveux étaient parfaitement coiffés, avant comme après. Dans la partie inférieure des reproductions on pouvait voir de magnifiques jambes couleur d'ivoire que d'odieuses mains velues écartaient, forçant un passage pour de monstrueux pénis. Les kimonos étaient de toutes les couleurs. Les marchands n'avaient même pas pris la peine d'enlever leurs chapeaux. Il y avait chaque fois quatre images pour représenter ces scènes pittoresques, visiblement exécutées par le même artiste, et bien que les personnages fussent chaque fois différents, la facture du peintre se retrouvait d'une image à l'autre. Les pièces dans lesquelles forniquaient joyeusement ces messieurs étaient japonaises, les prostituées aussi, il n'y avait de hollandais que les pénis rougeauds gorgés d'une sève frelatée et le mobilier. On avait masqué les portes coulissantes par de lourdes tentures recouvrant les *fusuma,* ces papiers japonais si soigneusement tirés. N'eût été l'exiguïté des pièces, on se serait cru dans un intérieur hollandais ; tout y était, des couvre-lits à pompons — car bien entendu on avait apporté des lits — aux énormes tables en chêne massif.

De Gier regardait les reproductions lui aussi ; il désigna le visage d'un marchand. « Ce mec-là me ressemble. »

Le commissaire et Dorin éclatèrent de rire. Il y avait une certaine similitude, due en grande partie à la grosse moustache du marchand et à ses immenses yeux bruns. L'artiste avait même réussi à saisir la lueur de concupiscence qui brillait dans le regard de l'homme.

« Ils ne s'ennuyaient pas », remarqua Dorin tandis que le commissaire tournait la page. Il tomba enfin sur ce qu'il cherchait.

« C'est là. Ce sont pratiquement les mêmes mots. " Quand les Hollandais se rendent au château, les mouches les accompagnent. "

— Château ? s'étonna Dorin. Mais non, c'est " l'Extrême-Orient ". *Toyoo* signifie également château, mais pas dans le cas présent. Regardez, vous avez le texte japonais. De toute façon, en ce qui nous concerne, le résultat est le même. Vous puez, et moi je suis une mouche qu'il faut écraser. A présent nous savons à quoi nous en tenir, tous les quatre. Tous les deux vous avez eu un avertissement, le masque et la pièce de théâtre, et le prêtre et moi venons d'en recevoir un. Si nous persistons à vouloir acheter les trésors du Daidharmaji nous risquons de sérieux ennuis. Je connais la façon d'agir des yakusa, il faut vraiment que maintenant ils accomplissent une action d'éclat, violente, sinon ils risquent de perdre la face.

— Parfait, dit le sergent en remettant la flûte dans son étui. Qu'ils y viennent.

— Qu'en pensez-vous ? demanda Dorin au commissaire.

— Qu'ils y viennent, répondit-il à son tour. Ils ont réussi à me faire très peur, malheureusement ; ils ont dû bien rigoler en me voyant cavaler comme un lapin dans le jardin du temple. J'aimerais avoir l'occasion de leur montrer que je ne suis pas un lâche.

— Bien, il semble que nous soyons tous décidés, reprit Dorin en décroisant les jambes pour se mettre debout. Ils n'ont pas perdu de temps. Nous ne sommes arrivés qu'hier et ils ignoraient tout de nous jusqu'à la nuit dernière ; c'est en suivant le prêtre à l'auberge qu'ils ont pris connaissance de notre existence, il n'y a pas d'autre explication. Je crois qu'il faut que j'avertisse le Service. Nous n'avons aucun moyen de découvrir l'identité du " moine " ni celle de l'étudiant qui ont piégé le commissaire, mais on peut aller au théâtre dans lequel s'est rendu de Gier-san et appréhender les acteurs pour les interroger. Vous vous souvenez de l'endroit où se trouvait le théâtre ?

— Bien sûr, répondit de Gier. Je peux vous l'indiquer sur un plan.

— Nous pouvons aussi interroger le personnel de cette auberge. Ils ont dû donner des renseignements aux yakusa, sans y voir le moindre mal probablement, car sinon comment ces gangsters sauraient-ils que vous êtes hollandais tous les deux ? Le message est assez explicite. D'ailleurs, à ce propos, il y a une chose que j'ai oublié de vous dire. Les caractères ont été tracés par un étranger. Ce n'est pas dans le dessin qu'on peut le voir, mais dans le style. Il est très rare qu'un étranger sache lire et écrire le japonais. En ce qui concerne l'auteur du message, je ne crois pas que ce soit un universitaire, bien entendu je peux me tromper. A mon avis, c'est un aventurier qui a passé de nombreuses années ici. Il connaissait probablement la citation car la moitié des Japonais ignorent l'histoire de Deshima. On en parle vaguement dans les livres d'histoire au lycée, mais c'est tout. L'homme est peut-être un Hollandais en cheville avec les yakusa. Je pense que le message veut nous faire savoir que nous avons affaire à forte partie.

— Je ne suis pas d'accord », dit le commissaire.

Dorin leva les yeux. « Vous n'y croyez pas ?

— Oh, si. Je suis persuadé que l'ennemi est très puissant. Non, je voulais parler de ce que vous vouliez faire, avertir le Service. Je pense que c'est un peu prématuré et que nous devrions d'abord laisser les yakusa dévoiler leurs batteries. Rien ne vous empêche toutefois de mettre le Service en état d'alerte en leur disant que nous sommes menacés, pour qu'ils soient prêts à intervenir. Je ne tiens pas à ce qu'ils se mettent à fureter un peu partout, ça risquerait de tout compliquer. Vous comprenez, maintenant je veux vraiment que les yakusa tentent quelque chose.

— C'est un combat que vous désirez », déclara de Gier.

Le commissaire hésita quelques instants ; finalement il hocha la tête. « On peut le dire, laissa-t-il tomber tranquillement. Je cherche l'affrontement, le combat. Nous ferions mieux de ne pas trop nous séparer les jours prochains. Si nous sommes tous les trois, ils devront mettre six hommes ou plus sur le coup. Il faut qu'ils montrent qu'ils ne craignent personne, pour impressionner les éventuels outsiders. D'ailleurs plus il y en aura plus il nous sera facile de remonter jusqu'au grand patron parce que, si j'ai bien compris, c'est lui que nous voulons. Nous pouvons même nous emparer d'un de ses lieutenants.

— Va pour l'affrontement, déclara Dorin. En attendant, je propose que nous allions dîner. Il y a un restaurant avec un étang dans les montagnes. On donne une canne à pêche aux clients pour qu'ils puissent manger ce qu'ils ont pris. Le site est merveilleux, sur une colline d'où l'on peut voir le lac Biwa, notre grand lac intérieur. J'ai une voiture dehors donc ça ne pose aucun problème. Le seul inconvénient c'est qu'il y a là-bas tout un tas de charmantes jeunes femmes qui feront tout leur possible pour nous enivrer et, une fois que nous serons soûls, elles nous retiendront pour la nuit.

— Je crois que je suis capable de rester sobre », dit le commissaire en regardant de Gier.

Le sergent sourit en se grattant la tête.

« Je prendrai peut-être une limonade », hasarda-t-il.

17

La VW grise de Grijpstra, une voiture de police, était coincée dans les embouteillages. Il y avait une caravane devant, une caravane derrière, à bord de chacune de ces deux maisons roulantes se trouvait une famille nombreuse, les deux véhicules revenaient d'Allemagne.

C'était la fin des vacances et l'époque des grands retours. D'interminables files de voitures s'étiraient sur les autoroutes et tout le monde était de mauvaise humeur à cause des bouchons. Les automobilistes, des pères de famille pour la plupart, n'en pouvaient plus, ces trois semaines leur avaient coûté deux fois plus que prévu. La mauvaise humeur de leur épouse assise à côté d'eux n'arrangeait rien, sans parler des gosses qui braillaient à l'arrière. Les aires de dégagement de l'autoroute étaient combles, les conducteurs, dans la hâte du départ, ayant négligé de bien fixer sur le toit le matériel des vacances. Les petits bateaux pneumatiques, les avirons, les cannes à pêche et les tentes glissaient tous les trois kilomètres, quand ils ne tombaient pas ; il fallait alors rafistoler les cordes et autres tendeurs.

Bien qu'il eût ouvert la fenêtre, Grijpstra suait à grosses gouttes. Il mâchouillait son bout de cigare mais il ne se sentait pas trop mal. Il ne prêtait aucune attention aux trois têtes blondes devant lui. Depuis quelques minutes les gosses n'avaient pas arrêté de lui faire des grimaces, ils se fatigueraient avant lui. Il était ravi d'en avoir fini avec ses vacances, une corvée de moins. Il les avait passées dans le sud de la Hollande dans une caravane qu'il avait louée, sur un camping. Il n'était resté que la première nuit dans la caravane ; son énorme épouse l'avait chassé du lit et il n'avait pu se rendormir, ses deux plus jeunes fils n'avaient cessé de se chamailler. Il était allé voir le gardien du camp et ils avaient descendu quelques canettes de bière, c'est lui qui avait payé. Quand le gardien avait été à point, suffisamment soûl pour s'épancher mais assez lucide pour écouter les malheurs des autres, il lui avait proposé de dormir dans une vieille caravane désaffectée à l'autre bout du camping, sans lui faire payer de supplément. Malgré cette retraite inespérée, les semaines s'étaient écoulées avec une lenteur insupportable, un véritable calvaire. Heureusement c'était fini, il avait repris le travail et, dans la mesure du possible, il pouvait choisir ses heures et ses lieux de détente.

A présent il revenait de chez la nièce du commissaire qui habitait dans la banlieue est d'Amsterdam, et il essayait de récapituler ce que lui avait dit son invitée, Joanne Andrews. Il était arrivé en début d'après-midi et y était resté jusqu'à l'heure du thé. La nièce du commissaire était une vieille dame adorable, elle avait presque soixante-dix ans, les cheveux blancs, mais son visage reflétait une éternelle jeunesse. Elle avait trouvé un prétexte pour laisser Grijpstra seul en présence de celle qui était venue signaler l'absence d'un Japonais et l'éventuelle présence d'un cadavre, japonais lui aussi. Ils avaient donc pris le thé dans le jardin derrière la maison, à l'ombre des grands arbres, au milieu d'une végétation soigneusement entretenue, et il avait pu lui poser des questions indiscrètes sans qu'il y eût de témoin. Vêtue d'une mini-jupe et d'un chemisier qui mettait en valeur son buste généreux, la jeune femme était très attirante et il s'était forcé à ne pas trop détailler son anatomie. Maintenant il était seul et, en pensant à ses longues jambes fuselées et à sa poitrine — elle ne portait pas de soutien-gorge — il eut un large sourire. Dans la voiture qui le précédait, les enfants s'imaginèrent qu'il entrait dans leur jeu et ils agitèrent frénétiquement les mains en sautant sur la banquette.

Quand il s'en aperçut il haussa les épaules et leur fit un petit signe de la main. Les enfants firent alors un tel chahut que la mère se retourna et leur colla quelques baffes. Les trois petites têtes disparurent et il soupira.

Mlle Andrews avait décidément beaucoup de sex-appeal, elle était également très têtue. Elle s'était refusée à croire que les deux gros gangsters détenus à la prison d'Amstelveen n'avaient pas tué son fiancé. Elle avait aussi refusé d'admettre qu'elle avait couché avec d'autres hommes. Kikuji Nagai avait été son seul et unique amant. Bien sûr, au Japon, elle s'était envoyé d'autres types, mais c'était de l'histoire ancienne, quand elle travaillait dans la boîte de nuit des yakusa à Kobé. C'était une période de sa vie qu'elle voulait oublier. Grijpstra n'avait pas insisté ; ce qui l'intéressait ce n'était pas ce qu'elle avait fait avant mais ce qu'elle avait fait depuis qu'elle était à

Amsterdam. Il était impossible que d'autres hommes n'aient pas essayé de faire l'amour avec elle ; enfin quoi, elle travaillait dans un établissement public, elle accompagnait les clients à leur table dans le restaurant qui était près de la librairie municipale, se contentait-elle de leur parler et de les écouter ? D'échanger des plaisanteries avec eux au bar ? Et qu'en était-il avec le personnel masculin du restaurant, M. Fujitani par exemple, ce petit homme effacé ? Grijpstra ne se souvenait pas du nom et il avait dû regarder dans son calepin. M. Fujitani, qu'il avait entrevu quand il avait mangé avec Mme Fujitani dans la pièce réservée aux hôtes de marque. M. Fujitani n'avait-il pas essayé de la séduire ?

Oh si, avait répondu Joanne. Mais elle s'était montrée intraitable. Le cuisinier aussi avait essayé, elle l'avait éconduit de la même façon, pourtant elle l'aimait bien. Elle avait vaguement flirté avec lui mais ça n'avait pas été plus loin. Quand elle n'était pas avec Kikuji, elle l'attendait sagement. Après tout, n'allait-elle pas épouser Kikuji Nagai ?

Oui, bien sûr. Mais qu'avait-elle fait à l'époque où elle ne connaissait pas encore M. Nagai, lorsqu'elle était arrivée à Amsterdam et qu'elle n'avait comme relations que le personnel du restaurant, ça n'avait pas dû être très drôle de débarquer dans une ville dont elle ignorait tout. Ne s'était-elle pas sentie un peu seule la nuit dans sa pension de famille ? Nous ne sommes plus au XIXe siècle, les femmes prennent la pilule et n'ont plus rien à craindre. Si ?

Elle s'était contentée de sourire en décroisant les jambes. Ensuite elle avait pris une profonde inspiration de façon à bien mettre en valeur sa poitrine. Finalement elle avait secoué la tête avec un petit air mutin. Non. Elle était restée chaste.

Il avait alors changé de sujet. Le restaurant appartenait aux yakusa, c'est du moins ce qu'elle avait déclaré. On avait donc dû y vendre souvent des objets d'art volés et de la drogue, et il est impensable que les membres du personnel n'aient pas participé à ces ventes, d'une façon ou d'une autre. On avait vu se rendre dans le restaurant des officiers de la marine marchande japonaise et hollandaise. Qui s'occupait de tout ce trafic, M. Fujitani ?

Non, ce n'était pas vraiment lui, avait-elle répondu. Le pauvre homme avait trop à faire avec le restaurant. Il passait son temps dans la cuisine et, quand il avait des moments de libres, il faisait l'inventaire, s'assurant que tout ce qu'il avait commandé avait été livré ; de plus il devait surveiller le personnel. Bien entendu sa femme l'aidait mais ils avaient trois enfants en bas âge. Si M. Fujitani était un yakusa, il n'était pas dangereux. Non, en fait c'était le cuisinier le vrai patron ; il travaillait à mi-temps. Cela dit, ce serait difficile de prouver quoi que ce soit. Le restaurant servait uniquement de couverture, on y établissait des contacts. La drogue destinée à l'Allemagne venait de Hong Kong, elle transitait bien par Amsterdam, mais jamais par le restaurant. Une fois qu'elle avait été acheminée, on la convoyait en voiture, des voitures de location. Quant aux objets d'art volés, M. Nagai les prenait dans sa chambre d'hôtel, et s'ils avaient une valeur marchande très importante il les mettait dans le coffre de l'hôtel.

Grijpstra eut un sourire indulgent. Il lui révéla que le cuisinier et M. Fujitani avaient déjà été arrêtés par la brigade des stupéfiants, grâce aux témoignages des officiers de marine marchande hollandais qui avaient été appréhendés près de la frontière allemande. On avait trouvé, cachée dans leurs voitures, une importante quantité d'héroïne. Ils l'avaient bien dissimulée, dans le réservoir d'essence et dans la garniture du siège arrière. On l'avait quand même trouvée. On avait également arrêté un officier japonais. La police d'Amsterdam n'avait pas chômé, elle était du reste très reconnaissante envers Joanne Andrews, c'était grâce à ses renseignements qu'on avait procédé à de telles opérations. Mais Grijpstra n'appartenait pas à la brigade des stupéfiants ; ce qui l'intéressait, lui, c'était de résoudre l'affaire Nagai, trouver le meurtrier. Il était sûr que les deux hommes qu'avait arrêtés le sergent de Gier n'y étaient pour rien. Cela dit, il reprendrait volontiers une tasse de thé.

Ces deux hommes *devaient* pourtant être les meurtriers, avait assuré Joanne en lui versant le thé.

Grijpstra secoua alors résolument la tête. Non, mademoiselle, le coupable c'est quelqu'un d'autre, un seul homme. Un homme qui était au volant de la voiture de Nagai. A un moment donné, la voiture s'est arrêtée sur l'autoroute, entre Amsterdam et Utrecht. M. Nagai était assis à la droite du conducteur. Le meurtrier est descendu, il a ouvert la portière arrière et s'est mis à chercher quelque chose. Peut-être allaient-ils à la pêche, et voulait-il s'assurer que les cannes étaient bien à l'arrière ? Est-ce que M. Nagai aimait pêcher à la ligne ? Oui, parfait. L'avait-il déjà fait en Hollande ? Effectivement, ça lui était arrivé. On n'avait pas trouvé de cannes à pêche dans sa chambre d'hôtel, l'assassin avait donc probablement dû les jeter, la sienne et celle de M. Nagai. Bien, le meurtrier s'est alors relevé, une arme à la main, il a posé le canon contre la nuque de M. Nagai et il a tiré. Ensuite il a acheté une pelle, il a creusé une tombe dans un champ et il y a enterré le cadavre. On l'avait vu acheter la pelle et laver la voiture. Malheureusement, les témoins n'avaient pas été capables de donner un signalement très précis. Voilà pourquoi Grijpstra était en train de prendre le thé avec Mlle Joanne Andrews. Qui était cet homme ? Pourquoi haïssait-il tant M. Nagai, au point de lui tirer une balle dans la tête ?

Mlle Andrews éclata en sanglots, faisant couler son rimmel le long de ses joues. Grijpstra sortit un mouchoir douteux pour l'essuyer. Il dut frotter. Elle réussit à sourire à travers ses larmes mais finalement elle craqua complètement. Elle n'essayait même plus de sourire, elle pleurait toutes les larmes de son corps. Elle se pencha en avant et lui toucha la main. Puis elle lui raconta qu'elle avait couché avec M. Fujitani et avec le cuisinier, à de nombreuses reprises. Dans sa chambre et en haut, dans le restaurant, quand Mme Fujitani allait faire des courses ou qu'elle allait chercher les enfants à l'école. M. Fujitani lui avait avoué qu'il était très amoureux d'elle et qu'il voulait divorcer. Le cuisinier voulait en faire sa maîtresse attitrée, il lui avait proposé de lui louer un bel appartement. Il avait beaucoup d'argent, l'argent des yakusa, bien davantage que M. Fujitani qui n'était que le gérant du restaurant. Bien qu'il fût jeune, le cuisinier était quelqu'un d'important au sein de l'organisation. C'était un lieutenant de Kobé très qualifié, un familier du grand patron qui résidait dans les monts Rokko, au nord de Kobé, le port le plus sophistiqué du Japon. Elle avait failli accepter sa proposition, mais c'est alors que M. Nagai était entré en scène, il lui avait fait une offre qui lui paraissait plus avantageuse, il lui avait promis le mariage et l'amour. Et puis, quelque temps après, elle était vraiment tombée amoureuse de M. Nagai.

Le cuisinier les avaient-ils menacés, elle ou M. Nagai ?

Non, le cuisinier avait une autre petite amie, une Hollandaise.

Et M. Fujitani n'avait-il pas été jaloux de M. Nagai qui venait le narguer ?

Si, ça l'avait bouleversé. Il avait pleuré, trépigné, un vrai scandale. Il était même venu dans sa chambre.

Grijpstra se racla la gorge. Il eut recours à trois allumettes avant de pouvoir allumer son cigare. Il posa maladroitement sa tasse sur le bord de la soucoupe, elle tomba. Il était gêné, il fallait qu'il lui avoue quelque chose du genre « voyez-vous, je vous ai menti. C'est ce qu'on fait souvent dans la police, c'est un de nos procédés ». Il espérait qu'elle ne lui en voudrait pas trop.

Elle acquiesça en se mouchant avec le mouchoir douteux qu'elle avait conservé.

Eh bien voilà, on n'a pas encore arrêté M. Fujitani, ni le cuisinier. Mais ça ne saurait tarder ; d'après lui, ça se produirait dans les semaines à venir, mais la brigade des stupéfiants ne trouvait pas que c'était le moment opportun. Il avait simplement dit ça pour voir ses réactions. Le cuisinier dont elle parlait, c'était ce grand homme coiffé en brosse, non ? De nouveau il regarda son calepin. M. Takahashi, c'est bien ça ?

Désormais, il en savait davantage. Il regarda sa montre, il était cinq heures passées. Il ne devait pas y avoir foule dans la pièce qui servait de Q.G. à la brigade des stupéfiants. Indécis, il jeta un coup d'œil sur le micro qui était sous le tableau de bord. Non, il ferait probablement mieux d'attendre le lendemain. Ce soir il pourrait toujours téléphoner au domicile de l'inspecteur-chef qui s'occupait des stupéfiants, il s'arrangerait pour avoir un entretien dans la matinée.

Dans la voiture précédant la sienne, les enfants s'étaient remis de leurs émotions et ils recommençaient à faire les zigotos. L'un d'entre eux avait un chiot dans les bras, un minuscule épagneul. Prenant sa patte, le gosse lui fit dire bonjour à Grijpstra. Celui-ci leur rendit leur salut. Le jeune chien avait tout du martyr et ses grands yeux tristes semblaient implorer une divine providence.

18

Envahi par un bien-être total, le commissaire était allongé sur le ventre et ne sentait plus son corps. Il avait d'abord pris un bain très chaud pour se décontracter, puis il s'était fait masser. La masseuse, une toute petite femme, avait une force étonnante dans les mains. Elle l'avait pétri, tapoté, frotté et retourné comme une crêpe sans le moindre effort apparent, d'un simple mouvement du poignet. Elle n'était pas mal roulée non plus, se dit-il en regardant avec satisfaction le cruchon de saké et la tasse qu'elle avait laissés à côté de lui. Il en but une gorgée en essayant de nouveau de sentir son corps, c'était peine perdue, il était comme dématérialisé. La route qu'ils avaient suivie dans la voiture de location de Dorin était sinueuse, pleine de nids de poule et de cassis, il avait eu mal aux jambes pendant tout le trajet et, quand ils étaient arrivés au restaurant, de Gier avait dû le soutenir tellement il traînait la jambe. Mais à présent la douleur avait disparu et il s'était remis à penser avec une étonnante lucidité. Il eut un petit rire et but une nouvelle gorgée. Ne serait-il pas agréable d'avoir un esprit complètement désincarné ? N'être capable que de produire des pensées et de les agencer ? En ce moment, c'était exactement le cas, il pensait comme un pur esprit.

Brusquement son sourire se figea et il fronça les sourcils en grognant. Il roula sur le côté et, appuyé sur la hanche gauche, il regarda par la fenêtre qui était restée ouverte. Il était seul dans la petite pièce ; Dorin et de Gier étaient à côté, il les rejoindrait pour dîner. Il avait encore largement le temps et il en profita pour reprendre le cours de ses pensées interrompu par le bain et le massage miraculeux. Lorsqu'ils roulaient sur la route qui serpentait tout autour d'un immense lac sur lequel quelques voiliers tiraient des bords, il s'était dit qu'ils perdaient vraiment leur temps. Ils feraient mieux de mener leur enquête normalement pour arriver aux yakusa et les piéger plutôt que de se conduire en aventuriers stupides qui risquaient de commettre des impairs.

Ils avaient suffisamment d'indices à présent. Dorin avait raison, les acteurs du théâtre pouvaient fournir des témoignages très utiles. En outre, il fallait faire une descente dans le bar où le prêtre avait contracté une importante dette, et si l'on ne pouvait pas faire une descente, on pouvait au moins faire une enquête. Quelle idée avait-il eue d'interdire à Dorin d'alerter le Service ? C'était aux détectives de faire ce boulot. En joignant leurs efforts, ils réuniraient assez de preuves pour arrêter et traduire en justice les chefs yakusa. Si on les questionnait habilement, ils se mettraient mutuellement en cause et on n'aurait aucun mal à les inculper. Le commissaire était persuadé qu'ils possédaient suffisamment d'éléments pour que la Cour suprême soit saisie de l'affaire. Il avait téléphoné à la brigade des stupéfiants d'Amsterdam et il avait appris qu'on avait appréhendé plusieurs officiers de marine marchande, des Hollandais et des Japonais. Une fois qu'on aurait arrêté le personnel du restaurant d'Amsterdam, on pourrait également instruire l'affaire en Hollande. Avec un peu de chance, tout concorderait. L'agent-détective de première classe Cardozo avait réussi à mettre la main sur des tankas, des poteries, des sculptures et des éventails qu'on avait achetés à M. Nagai, on pouvait prouver que tous ces objets d'art avaient été volés au Japon. Cardozo, ce jeune et brillant détective récemment affecté à la brigade criminelle avait fait du bon boulot. De son côté l'adjudant Grijpstra ne tarderait pas à résoudre le mystère de la mort de M. Nagai et, bien que d'une manière détournée, ça fournirait d'autres indications sur les activités des yakusa en Hollande. Pourquoi était-il donc encore ici, à prendre des risques inutiles ? Ça ne pouvait amener que des complications.

Le commissaire s'assit et regarda l'étang. Attendant d'être prises par les clients, les carpes s'y ébattaient tranquillement et quand elles sautaient on entrevoyait leurs nageoires dorées et argentées. Lui-même avait pêché son poisson en l'espace de quelques minutes, juste avant de prendre son bain, et les servantes étaient en train de le faire griller dans la pièce où l'attendaient Dorin et de Gier. Les cloisons de papier étaient si peu épaisses qu'il pouvait même l'entendre grésiller. Il enfila le kimono qu'on lui avait préparé, ceignant ses reins d'un cordon de coton gris foncé.

« Vous êtes juste à l'heure, monsieur, dit poliment de Gier. Dorin et moi vous attendions pour prendre une tasse de saké. Une seule tasse ne peut pas nous faire de mal. »

En buvant, le commissaire se sentit légèrement coupable d'avoir bu deux tasses en douce.

Dorin lui montra les deux tankas et les poteries qu'avait apportés le prêtre à l'auberge juste avant leur départ de Kyoto. L'un des tankas représentait une montagne escarpée qui s'abîmait dans la mer, l'autre était le portrait d'un prêtre, un maître Zen chinois. Le visage était noble, le nez bien dessiné et la moustache très fine. Les yeux reflétaient une vive intelligence en même temps que la plus grande sérénité. En position du lotus, l'homme méditait ; il tenait à la main un bâton en bois. Dorin expliqua que le bâton servait à inculquer la vérité aux moines qui se contentaient d'ânonner leurs leçons. En effet, lors de leur initiation, ces derniers rendaient visite à leur maître au moins une fois par jour, ils leur exposaient le résultat de leur méditation, et si le maître n'était pas satisfait il leur tapait sur la tête avec ledit bâton pour leur apprendre à ne pas se détourner de la voie.

« C'est une peinture de grande valeur, poursuivit Dorin. Elle date de 1238 et c'est probablement un des trésors du Daidharmaji. C'est d'ailleurs ahurissant qu'ils nous l'aient confiée, parce que ça doit représenter une petite fortune. Les poteries, ces deux bols pour le thé, sont également très précieuses. »

Il les souleva l'un après l'autre pour mieux les leur montrer. « Ce sont des poteries Raku[1] du XVIe siècle. Touchez-les pour sentir comme l'argile est fine. »

Le commissaire prit respectueusement la première dans ses mains, appréciant les lignes colorées qui s'étaient fondues pendant la cuisson. « Le potier ne s'est pas servi de tour, expliqua Dorin, il l'a entièrement façonnée à la main. Ce sont des bols spécialement conçus pour la cérémonie du thé. Le service en comporte quatre, dont l'un ne convient qu'à des mains féminines. Trois importants personnages masculins et une geisha très à la hauteur.

— Ça représente à peu près combien, ce que nous avons là ? demanda de Gier. Une centaine de milliers de dollars ? » Dorin secoua la tête en signe de dénégation. « Plus ?

— Beaucoup plus. Les peintures ont la même valeur que vos

1. En fait, il s'agit vraisemblablement de céramiques datant de la dynastie Arita. (*N.d.T.*)

Rembrandt ; quant aux bols ils sont pratiquement inestimables. Vous avez là ce que l'Asie peut offrir de mieux comme joyaux. »

Il roula les tankas pour les ranger dans leurs étuis et il emballa soigneusement les bols dans des chiffons, puis il les plaça sur les tankas, dans un coin de la pièce.

On entendit un bruit derrière les portes coulissantes. Lorsque le commissaire était entré dans la pièce, la serveuse qui préparait les poissons était sortie, il s'attendait à ce qu'elle revînt. Effectivement la porte s'ouvrit, mais simplement de quelques centimètres, juste assez pour y introduire un fusil à double canon scié. Puis la porte coulissa complètement pour livrer passage à trois hommes trapus vêtus de complets sombres dont la coupe était occidentale. Les trois hommes les regardèrent d'un air épanoui avant de s'incliner avec raideur. Déployés en éventail, ils pénétrèrent dans la pièce. L'homme du milieu était le seul à avoir un fusil de chasse, les deux autres étaient armés de pistolets, des gros calibres ; ils fermèrent la porte derrière eux.

« *Konnichi-wa,* fit doucement l'homme du milieu. Bonjour. »

Le visage de Dorin était impénétrable lorsqu'il se retourna pour examiner les intrus ; de Gier esquissait une grimace qui pouvait passer pour un sourire. « *Konnichi-wa,* répondit-il lentement. *Irasshai.* Vous êtes les bienvenus, messieurs, qu'y a-t-il pour votre service ? »

D'un mouvement de tête l'homme du milieu désigna le poisson qui commençait à brûler, le commissaire se précipita pour tourner la broche ; il souriait. Des gens polis et pleins d'attentions, les yakusa. D'un geste il les invita à se mettre à l'aise et les deux hommes aux pistolets s'agenouillèrent dans le coin le plus éloigné de la pièce, l'homme du milieu resta debout. C'était le plus vieux des trois, sans nul doute le chef.

En regardant ses invités, le commissaire ne put s'empêcher de penser à une photo de la Seconde Guerre mondiale qui l'avait frappé. La reddition des forces japonaises sur un navire de guerre américain. On pouvait voir plusieurs généraux et amiraux japonais ainsi que deux civils, très probablement des ministres ; ils étaient debout, bien alignés devant une table, écoutant avec une extrême attention le général MacArthur. L'attitude de l'homme qu'il avait devant lui exprimait la même réserve, la même courtoisie, à la différence près que, cette fois, c'était lui qui avait le fusil. Soigneusement huilés, les deux canons brillaient d'une lueur bleutée, les deux chiens avaient été ramenés en arrière et l'index de l'homme effleurait la gâchette.

« Nous ne devons pas être aimables », déclara tristement l'homme. Il avait une voix rauque et profonde, il fronçait les sourcils pour essayer de se souvenir des mots qu'il devait employer. « Vous avez reçu un avertissement, vous l'avez ignoré. Vous avez acheté des objets d'art. » Il jeta un rapide coup d'œil sur les petites boîtes et les bols empilés dans un coin de la pièce. « Art oriental, propriété du Japon. *Nous* achetons cet art, pas les Occidentaux. » Il fronça les sourcils davantage. « *Oranda-jin.* Hollandais. Ce n'est pas pour les Hollandais. Le commerce nous appartient. S'il vous plaît sortez de la circulation, retournez chez vous. Nous prenons les objets d'art. » Il fit un signe de tête à l'homme qui était à sa gauche ; le yakusa bondit, s'empara des boîtes et des bols et les enveloppa dans un grand morceau de coton noir qu'il avait sorti de la poche de sa veste. Il avait laissé son pistolet par terre mais l'autre gangster le couvrait. Il plaça le ballot qui contenait les objets d'art à côté des portes coulissantes avant de reprendre sa position initiale.

« Maintenant vous perdez beaucoup d'argent, mais ça ne suffit pas, reprit la voix de basse. Il faut aussi que vous appreniez la leçon. »

Il fit passer le fusil dans sa main gauche et tendit la droite. L'homme qui était à sa gauche sortit un long couteau et le lui mit dans la main. Le chef posa le fusil sur une natte et il s'avança. D'un geste, il balaya le cruchon de saké et les trois tasses qui étaient sur la table basse et, d'un rapide mouvement, ficha le couteau dans le bois, faisant vibrer la lame.

« Vous, dit-il en regardant le commissaire. Prenez le couteau et transpercez-vous la main gauche. »

Le commissaire souriait toujours. « Le couteau ? demanda-t-il poliment.

— Prenez le couteau », répéta le chef.

Les deux yakusa qui étaient dans les coins pointèrent leur pistolet sur le commissaire, visant la poitrine. Tandis que le chef parlait, de Gier avait lentement changé de position, et était maintenant agenouillé. Dorin avait également bougé, imperceptiblement. Un court instant les yakusa pointèrent leurs pistolets sur eux avant de remettre en joue le commissaire, qui saisit le manche du couteau et l'arracha de la table.

« Ce couteau ?

— Oui. Maintenant plantez-le dans votre main gauche. »

Le commissaire agitait le couteau d'une façon maladroite. « Désolé dit-il gentiment. Pas compris. Comme ceci ? » Il leva la main gauche, comme s'il voulait y planter le couteau alors qu'elle était en l'air.

Exaspéré, le chef claqua la langue et s'avança vers lui sur les genoux. « Comme ça », dit-il en posant sa main gauche à plat sur la table et en esquissant le geste de la transpercer avec un couteau imaginaire.

« Ah », fit joyeusement le commissaire, et il abaissa de toutes ses forces le couteau. Un flot de sang jaillit de la main du chef, elle était solidement clouée à la table. Le commissaire ne s'en tint pas là ; avec une surprenante agilité il sauta par-dessus la table et, se saisissant du fusil, il le pointa sur le yakusa qui était le plus près de Dorin. Fasciné par ce qui arrivait à son chef, le yakusa s'était laissé distraire. Tandis que le commissaire surprenait leurs adversaires par son action rapide, Dorin ne perdit pas de temps lui non plus, il plongea sur le yakusa qui était en face de lui et, d'une manchette assenée sur le poignet, il le désarma. L'homme grimaça de douleur et Dorin lui fit une clef au bras pour l'immobiliser définitivement. De Gier avait également maîtrisé son vis-à-vis. De la main gauche le sergent lui avait empoigné l'avant-bras, le frappant simultanément au cou de la main droite. Le lieutenant yakusa entraîna dans sa chute le barbecue sur lequel grillait le poisson et les charbons ardents commencèrent à se répandre sur les tatamis.

Titubant dans la pièce, le chef essayait d'arracher le couteau de sa main. Après s'être passablement charcuté, il y parvint et, debout, l'œil hagard, il contempla l'arme avant de la laisser tomber. Finalement il ferma les yeux et s'effondra sur les genoux en grognant.

Dorin libéra son prisonnier, le commissaire l'avait dans sa ligne de mire, et d'un petit coup de pied il envoya le pistolet en direction de De Gier ; celui-ci le ramassa et se rua hors de la pièce. Il revint presque immédiatement, poussant devant lui un serveur en veste blanche apportant un gros extincteur. Dorin lui cria quelque chose et il arrosa les cloisons de neige carbonique. Plus loin, les flammes léchaient déjà les portes recouvertes de papier qui donnaient accès sur un grand balcon de bois et Dorin se remit à crier. La neige atteignit les flammes mais, complètement dérouté par le fusil du commissaire, les deux hommes à demi conscients et le chef qui n'arrêtait pas de s'incliner si bas que chaque fois sa tête effleurait le tatami, le serveur appuyait convulsivement sur le bouton actionnant la valve de l'extincteur. Il était en train d'enneiger toute la pièce et Dorin dut gueuler à nouveau pour que cessât l'avalanche. Calmement assis dans un coin, le pistolet sur les genoux, de Gier regardait la scène d'un air amusé.

« Demandez-lui d'aller chercher la fille qui vient de me masser, dit le commissaire. Elle doit avoir des pansements et un produit pour désinfecter la main de notre ami. Il a une sale blessure. »

Dorin aboya un ordre au serveur et la fille arriva moins d'une minute plus tard ; elle ne prit garde ni au fusil ni au pistolet. Le commissaire désigna le chef. « *Kudasai*, fit-il. S'il vous plaît. »

Le chef ouvrit les yeux. « Elle va soigner votre blessure », expliqua le commissaire. Il passa le fusil à Dorin et se rendit auprès du chef pour lui tenir le bras tandis que la fille nettoyait la blessure avec de l'alcool iodé ; une fois qu'elle eut fini, elle mit de la gaze et entoura le tout d'une bande velpeau qu'elle fit tenir à l'aide d'une épingle à nourrice. Elle prit ensuite un grand morceau de coton et, après en avoir noué les extrémités, elle le passa derrière l'épaule du chef pour mettre son bras en écharpe.

Quand le chef lui dit quelque chose, le commissaire regarda Dorin d'un air interrogateur. « Il la remercie », expliqua ce dernier.

Le chef se retourna lentement et s'inclina en direction du commissaire. « Vous appelez la police ?

— Non, la police, ça crée des problèmes et nous en avons eu suffisamment ce soir, vous ne pensez pas ? »

D'un air grave le chef acquiesça.

« Avez-vous une voiture ? demanda le commissaire.

— Oui. »

Le chef dit quelques mots à l'homme que Dorin avait désarmé. Après avoir écouté l'homme, le chef s'adressa de nouveau au commissaire. « Il dit qu'il peut conduire. Avec votre permission nous partons maintenant.

— Allez voir un docteur, conseilla le commissaire. Il faut qu'on vous fasse des points de suture. » Le chef ne comprenait pas, Dorin s'empressa de traduire. « Ah, fit le chef en se dirigeant vers la porte.

— Un instant, messieurs, vous oubliez vos armes. »

Le commissaire enleva les deux cartouches du fusil tandis que de Gier et Dorin vidaient les chargeurs des deux automatiques. Le plus jeune des lieutenants prit les armes en remerciant d'une courbette.

Le serveur leur ouvrit les portes coulissantes.

« *Yakusa ?* demanda-t-il à Dorin.

— *Yakusa* », confirma celui-ci.

Le serveur alla chercher le gérant du restaurant qui invita les trois hommes à prendre leur repas dans la pièce la plus luxueuse de l'établissement. On leur servit un repas encore plus copieux que prévu, le gérant veillant à ce qu'ils soient particulièrement soignés. Il fit venir une immense bouteille de saké qu'il passa à la ronde pour qu'on l'admire avant de remplir les tasses. Les trois hommes trinquèrent alors avec le gérant, tandis qu'autour d'eux les servantes s'agitaient en gloussant et leur apportaient tout un tas de mets délicieux.

« Parfait, s'exclama Dorin en remplissant la tasse du commissaire. Maintenant nous pouvons boire sans crainte, ils ne reviendront pas ce soir. Félicitations, mais vous avez failli y laisser votre peau. Les chiens du fusil étaient relevés et les pistolets étaient chargés, les crans de sûreté enlevés. »

Le commissaire essayait vainement d'attraper avec ses baguettes un morceau de calmar cru. « Non, s'écria-t-il. Pas vraiment. Je ne crois pas que nos amis aient reçu l'ordre de nous tuer. Je serais plutôt enclin à penser qu'on leur a bien spécifié de ne *pas* nous tuer. Cela dit, en ce moment je devrais avoir un trou dans la main. A ce propos, je vous présente mes excuses à tous les deux. J'ai mis vos vies en péril simplement parce que je suis douillet et que je n'avais pas envie de me faire mal. Ils auraient pu vous descendre quand j'ai frappé avec le couteau. Je suis désolé. Ah, ça y est. » Il réussit finalement à porter le bout de calmar à sa bouche, et se mit aussitôt à le mâcher furieusement. « Alors ? Vous ne voulez pas accepter mes excuses ? »

De Gier parla le premier. « Jamais vous n'auriez planté ce couteau dans votre main, dit-il en éternuant.

— C'est la moutarde, expliqua Dorin. Prenez garde. » De Gier n'en finissait pas d'éternuer. « Ici, elle est très forte, même nous, nous n'en abusons pas. »

Dorin se tourna alors vers le commissaire. « Il a raison, vous savez. Vous n'auriez pas eu le temps d'abaisser le couteau, nous étions prêts à sauter sur eux ; c'est d'ailleurs ce que nous aurions fait si vous n'aviez pas été aussi rapide. On peut dire que vous nous avez facilité le travail, les deux hommes regardaient la main du chef quand nous sommes passés à l'action. Finissons ce carafon de saké. » Il attendit que le commissaire lève sa tasse.

« Non merci, déclara celui-ci ; vous ne croyez pas qu'on a assez bu comme ça ? En tout cas moi j'ai mon compte. La journée a été plutôt longue et trop mouvementée. »

De Gier regardait tristement l'énorme bouteille de saké. « Il en reste presque deux litres.

— Emportez-la, conseilla Dorin en se levant. On nous l'a offerte. Du reste je ne paierai pas l'addition. Les yakusa ne paient jamais leurs repas et je suis sûr que le gérant pense que nous sommes des yakusa.

— Les yakusa ne se battent pas entre eux, objecta de Gier. C'est du moins ce que j'ai entendu dire. »

Dorin hocha la tête. « Ils ne s'entre-tuent pas mais ils ont parfois de petits différends au sein même de la famille. Bien, si nous partons maintenant vous serez au lit assez tôt. »

Quand le sergent arriva à l'auberge il n'avait aucune envie de se coucher. Il déplia son plan pour voir où était situé le bar du Dragon d'Or. Il passa la tête dans la petite pièce pleine de vapeur où le commissaire prenait son bain.

« Je vais prendre un verre, monsieur, dans le bar dont nous a parlé Dorin. »

De la baignoire encastrée dans du bois, seule émergeait la tête du commissaire. Il fredonnait.

« Tout va bien, monsieur ? demanda de Gier inquiet ; il ne voyait pratiquement rien tant la vapeur était dense. On dirait que vous avez la tête très rouge.

— Il fait très chaud ici, sergent. Vous allez au Dragon d'Or ?

— Oui, monsieur.

— C'est le moment opportun et l'endroit est particulièrement bien choisi. Quand vous reviendrez, n'oubliez surtout pas de me raconter ce qui vous est arrivé. »

Le sergent n'avait pas l'air très sûr de ça.

« Oh, vous reviendrez, assura le commissaire. De plus, vous allez vous amuser. Voyez-vous, sergent, je commence à saisir la mentalité orientale. Vous connaissez la chanson qui dit que l'Occident c'est l'Occident, l'Orient c'est l'Orient et que les deux civilisations ne se rencontreront jamais ?

— Oui. D'ailleurs, je crois que c'est la vérité.

— C'est de la blague, s'esclaffa le commissaire. Du vent ; je ne crois pas que les deux aient jamais été séparées. »

De Gier quitta l'auberge peu avant minuit. Il refusa l'offre du propriétaire qui lui proposait d'appeler un taxi. Il s'en fut donc à pied dans la rue déserte, constatant avec stupéfaction qu'elle était bordée de platanes, comme le boulevard d'Amsterdam sur lequel donnait son appartement. Il s'arrêta pour regarder les troncs qu'on avait dépouillés de leur écorce et il secoua la tête. Il s'était attendu à quelque chose d'autre, de plus exotique en tout cas, des massifs d'orchidées, des palmiers et autres fougères géantes par exemple. Il n'avait en face de lui que de vulgaires platanes, et malgré tout le pays lui semblait très étrange. Il se rappela les trois gangsters qui avaient déboulé dans la pièce du restaurant, et l'air tellement solennel du chef qui proférait ses menaces. Il se demanda si, bien que fortement occidentalisé, le Japon ne conservait pas tous les mystères de l'Orient.

Des gens comme Dorin, son oncle, l'aimable aubergiste de Tokyo, le délégué Yakusa, ses deux lieutenants et tous les Japonais qu'il avait rencontrés n'étaient-ils fondamentalement différents des Occidentaux qu'il connaissait que par l'apparence ? Ou bien ressemblaient-ils davantage à des personnages de science-fiction, comme les créatures de la planète CBX 700 ? Une planète qui tournait autour d'un soleil d'argent à des millions d'années-lumière et sur laquelle poussaient peut-être des platanes.

Il s'arrêta au coin de la rue et leva la main. Un taxi en maraude fit demi-tour et le prit en charge. De Gier donna l'adresse au chauffeur, un jeune homme portant l'uniforme des étudiants. De Gier put voir son visage épuisé dans le rétroviseur ; il comprit qu'il travaillait la nuit pour payer ses études. Et pourtant il y a déjà trop d'intellectuels dans son pays, songea le sergent.

Il se mit à rêvasser tandis que, grillant les feux rouges et manquant renverser les piétons qui s'étaient aventurés sur la chaussée, le taxi fonçait dans la nuit. Il se demanda ce qu'il ferait pour vivre s'il était japonais. Il essaya de s'imaginer la vie que pouvait avoir un policier de la brigade maritime. Quand il était arrivé en avion, il avait aperçu une partie de la mer du Japon et avait été séduit par les nombreux archipels, l'aspect déchiqueté des côtes et l'eau qui semblait si calme. Il naviguerait tranquillement au milieu d'un paysage grandiose ; en outre il n'aurait pas grand-chose à faire car les Japonais étaient des citoyens qui obéissaient aux lois ; il était également sûr que même les yakusa se conformaient à des règles très strictes qu'on pouvait arriver à connaître.

Le taxi s'arrêta. Le prix de la course était très raisonnable et il donna un pourboire au chauffeur. Celui-ci esquissa un pâle sourire avant de redémarrer. Lorsque de Gier pénétra dans le night-club, le portier le salua avec beaucoup de style. Contrastant avec l'immeuble en béton qui semblait avoir été achevé à la hâte le mois précédent, l'entrée de la boîte avait une allure champêtre. On avait empilé des rochers pour simuler une cascade et, debout sur ses pattes arrière, un ours en pierre semblait jouer avec l'eau qui se déversait lentement. Quittant le comptoir du vestiaire, une jeune femme lui souhaita la bienvenue en anglais. Elle portait une mini-jupe découvrant des jambes étonnamment droites, et un corsage transparent qui dissimulait à peine une opulente poitrine. Elle le conduisit aux toilettes et lui donna un morceau de savon ainsi qu'une petite serviette. Tandis qu'il se lavait les mains il la regarda dans le miroir. La plupart des Japonaises semblaient avoir les jambes légèrement arquées et de petits seins. Il se demanda s'il y avait quelque véracité dans ce que lui avait dit Dorin. D'après ce dernier, beaucoup de femmes se faisaient gonfler les seins avec de l'air comprimé insufflé mécaniquement. Toutes les trois semaines il fallait refaire ce traitement particulièrement onéreux qui détruisait l'élasticité des tissus au bout de quelques années ; les chairs se relâchaient alors et les seins devenaient complètement flasques. La fille sourit, exhibant ses dents couronnées. Une femme artificielle, songea de Gier, on l'a complètement façonnée. Il dut pourtant reconnaître que le résultat était plus que satisfaisant ; il se retourna et l'embrassa sur la joue tout en s'essuyant les mains ; elle lui offrit alors ses lèvres. Il l'embrassa sur la bouche et sentit sa langue opérer un vigoureux va-et-vient entre ses lèvres. Les bras passés derrière son cou, elle frottait son bas-ventre contre son corps en un mouvement circulaire et rythmé. Il desserra gentiment l'étreinte de ses bras et recula, se cognant contre le lavabo. Elle éclata de rire et lui chatouilla le dos.

« *Itai ?* demanda-t-elle. Mal ?

— Pas de bobo. »

Elle lâcha sa main quand ils entrèrent dans le bar et se dirigea vers un groupe d'amis. De Gier s'arrêta pour regarder autour de lui, sidéré. Pendant un instant il se crut dans un aquarium, entouré de poissons phosphorescents. Un décorateur astucieux avait éclairé la pièce à partir du plafond, en lumière noire et indirecte afin de créer une ambiance mystérieuse et de mettre en valeur la poitrine des entraîneuses qui portaient des mini-jupes et des chemisiers très décolletés. Elles marchaient doucement, poursuivies par un spot lumineux qui dispensait une lumière féerique, un bon truc pour attirer les nouveaux arrivants. La lumière se reflétait également sur le crâne des trois barmen. Ils étaient complètement rasés sur le dessus de la tête mais avaient conservé la natte des mandarins chinois ; on la leur avait trempée dans de la peinture argentée pour qu'elle scintille de mille feux. En fait, les barmen *étaient* des Chinois et, entre eux, ils parlaient le dialecte de Canton que de Gier avait si souvent entendu dans la vieille ville d'Amsterdam. Ils parlaient aussi anglais en exagérant les intonations, comme s'ils voulaient faire croire qu'ils étaient allés à Oxford.

« Que voulez-vous boire, monsieur ? Un whisky ferait-il l'affaire ? A moins que vous ne préfériez un bourbon ?

— Va pour le bourbon, répondit de Gier.

— On the rocks ?

— On the rocks.

— Entendu, monsieur. Et voilà un bourbon on the rocks pour monsieur. »

De Gier leva son verre et répondit à l'éclatant sourire du Chinois avant de boire. « Monsieur désirerait peut-être avoir de la compagnie, féminine bien sûr ? Il n'y a que l'embarras du choix. Si vous me dites laquelle vous préférez, je me ferai un plaisir de la faire venir ici.

— J'en choisirai une plus tard.

— Comme vous voudrez, monsieur. Jouez-vous au poker, monsieur ? Vous préférez peut-être la roulette ? En tout cas, les jeux ont commencé il y a environ une demi-heure.

— Les jeux m'ont toujours assommé, confessa de Gier. Je n'ai pas la moindre expérience, mais faire rouler les dés ou battre les cartes, ça me donne envie de dormir.

— J'ai parlé du jeu parce que ça ne se déroule pas ici mais dans l'arrière-salle, or je ne vous ai encore jamais vu, monsieur. Moi-même je n'aime pas jouer, ce qui peut paraître surprenant pour un Chinois. Je ne joue même pas au mahjong.

— Parfait, répliqua de Gier. Je ne suis pas le seul à avoir cette perversion. Vous aimez regarder les matchs de foot ?

— Non, monsieur.

— C'est encore mieux. Moi non plus. A *quoi* vous intéressez-vous ? »

Le barman se pencha en avant et murmura quelque chose à l'oreille de De Gier.

« Aux fleurs ? répéta le sergent à voix basse. Où ? dans les jardins ? Ou bien les faites-vous pousser vous-même ?

— J'ai un bout de jardin, expliqua le Chinois. Un tout petit bout. »

Il y avait de plus en plus de clients et le barman s'éloigna pour prendre leurs commandes. De Gier regarda le fond de son verre en pensant à son balcon. En ce moment les géraniums devaient être morts, ainsi que les capucines. Il en avait pourtant pris le plus grand soin ; non content d'en arroser la terre avec un engrais riche en vitamines, azote et potasse, il vaporisait les feuilles deux fois par jour avec de l'eau distillée. Au lieu d'être en fleurs, elles devaient pourrir. Outre ses plantes, Amsterdam était également la sépulture de ses amours mortes. Quelque part sous terre se décomposait le cadavre d'Esther et, dans le parc en face de son appartement, les vers devaient se régaler avec Oliver. Il fut tiré de ses sombres pensées par la fille qui était allée aux toilettes avec lui, elle s'était approchée furtivement et avait pressé sa cuisse contre sa jambe.

« *Amerikajin ?* demanda-t-elle.

— *Orandajin,* Hollandais. Vous savez où se trouve la Hollande ? »

Une autre fille s'était jointe à eux. En riant elle dit rapidement quelque chose en japonais. De Gier put saisir quelques mots et il ne lui fut pas difficile de comprendre la phrase. « En règle générale, les étrangers puent mais en plus, s'ils ont mangé de l'ail; c'est insupportable, même pour une putain. »

« Je n'ai pas mangé d'ail, se défendit-il. J'ai mangé du poisson grillé dans un restaurant typiquement japonais. Si je pue, c'est naturel.

— Oh, s'écrièrent en chœur les deux filles en mettant leur main devant la bouche. Vous parlez japonais ?

— Je n'en connais que deux cents mots, assez pour comprendre ce que vous avez dit.

— *Sumimasen,* dit la fille. *Tai-hen sumimasen.* Absolument désolée. J'ai été grossière. Veuillez me pardonner.

— Bien sûr », répondit de Gier en éclatant de rire. Les filles avaient l'air au bord des larmes. « Mais bien sûr, je vous pardonne.

— Moi, c'est Yuiko, déclara la fille des toilettes. Et mon amie, c'est Chicako. Mais peut-être que vous ne nous appréciez plus tellement maintenant, nous ferions probablement mieux de faire venir d'autres filles pour vous divertir, non ? Regardez et faites votre choix.

— Inutile, je vous aime bien toutes les deux. Voulez-vous boire quelque chose ? »

Le barman avait placé devant eux un plat rempli d'une bouillie brunâtre. De Gier le poussa vers Yuiko. « Prenez cela, quoi que ça puisse être.

— Merci. Ce sont des champignons, c'est délicieux. Essayez vous-même. »

De Gier en porta un petit morceau à sa bouche en soupirant. Il réussit à le coincer entre ses dents et il se mit à mâcher avec circonspection.

« C'est bon ? » demanda Yuiko.

Le goût était agréable et il sourit.

« Ça a l'air infâme, hein ? dit Yuiko. Et pourtant c'est très bon. Prenez-en encore. »

Ils en mangèrent chacun quelques-uns et il leur offrit de nouveau à boire.

« Les boissons coûtent très cher ici, expliqua Yuiko. Je crois que nous ne prendrons rien. En revanche, c'est nous qui allons vous offrir un verre. Un autre bourbon ?

— Un bourbon, commanda de Gier, et un verre pour chacune de ces dames, ce qu'elles veulent. » Il tâta sa poche revolver. Quand il était arrivé au Japon, Dorin lui avait remis pas mal d'argent en liquide, et depuis il lui en avait encore donné, de l'argent de poche avec les compliments du Service secret japonais. Il en aurait assez pour toute la nuit, même si les boissons coûtaient cher.

« Aimez-vous la musique ? demanda Yuiko en désignant le fond de la salle où cinq musiciens se mettaient en place sur une estrade.

— Oui, j'aime bien le jazz, mais ils n'en jouent peut-être pas ?

— Mais si. Qu'est-ce que vous aimeriez entendre ?

— St. Louis Blues », répondit de Gier. Yuiko alla dire quelques mots au pianiste ; celui-ci s'inclina en souriant. Un, deux, trois, QUATRE, crièrent les musiciens, et le thème du blues s'éleva, lancinant. La batterie et la trompette entamaient certaines variations que reprenaient ensuite les autres instruments. De Gier apprécia, il applaudit et demanda au barman de leur servir cinq bières. Les musiciens reprirent leurs esprits, ils s'inclinèrent puis levèrent leur verre en criant « BANZAI » et ils le vidèrent d'un trait.

« *Banzai ?* s'étonna de Gier. Ne devraient-ils pas crier *kampai ?* Je croyais que kampai signifiait cul sec. Bansai, c'est une sorte de cri de guerre, non ?

— Effectivement, ils devraient dire kampai, reconnut Yuiko, mais ces musiciens sont complètement cinglés. Il ne réagissent jamais normalement aux situations auxquelles ils sont confrontés. J'imagine que c'est parce qu'ils ont joué très longtemps sur un bateau de croisière qui faisait sans arrêt la navette entre Tokyo et San Francisco, ils doivent être déphasés. L'un deux est mon cousin et il m'a raconté qu'ils s'ennuyaient tellement qu'ils ne pouvaient s'en sortir qu'en devenant fous, sinon ils auraient sauté par-dessus bord. D'ailleurs l'un d'entre eux a fini par le faire, ils étaient six au début.

— Vraiment ? » fit de Gier surpris. Il se tourna pour jeter un nouveau coup d'œil aux musiciens. Cinq petits hommes d'âge moyen qui avaient l'air assez sain d'esprit. L'un était chauve, les autres portaient les cheveux longs.

« Ils vivent dans un temple à côté d'ici, continua Yuiko. Je vais parfois les voir, l'endroit est très beau. Ils sont avec leurs épouses et leurs petites amies, le chauve a même deux enfants. Le propriétaire de cette boîte les aime beaucoup et il leur rend souvent visite. Ils font des fêtes et ils jouent pour lui. Ils sont très connus, vous savez, ils passent à la télé et ils ont fait pas mal de disques.

— Dans un temple, répéta pensivement de Gier. Je suis persuadé que ça doit être très chouette de vivre dans un temple. Est-ce qu'ils pratiquent la méditation également ? »

Irrévérencieuse, la fille singea la position du Bouddha : levant les jambes, elle les croisa en veillant à ce que son dos fût bien droit. Elle ferma les yeux en affichant une moue dédaigneuse. De Gier admira ses jambes ; il pouvait voir le haut de ses cuisses et, sous la petite culotte bien ajustée, la touffe de son pubis particulièrement soyeuse.

Elle ouvrit les yeux et décroisa les jambes.

« Non, dit-elle. Ils ne méditent pas, ils boivent.

— Vous parlez très bien l'anglais, remarqua-t-il. Pourquoi travaillez-vous dans ce bar ? Je croyais que les filles qui parlaient anglais allaient toutes à Tokyo, il paraît qu'on peut y faire beaucoup d'argent. »

Elle sourit en lui ébouriffant les cheveux. « Oh, j'ai déjà travaillé à Tokyo, mais je préfère être ici. La ville est plus belle et plus calme ; et puis nous avons souvent des clients étrangers, surtout en automne. La plupart sont des universitaires qui viennent donner des conférences à la faculté de Tokyo.

— C'est à Tokyo que vous avez appris l'anglais ?

— Oui. Ma mère enseigne l'anglais, j'ai commencé à l'apprendre quand j'étais toute petite et ensuite j'ai suivi des cours, évidemment. »

La petite formation s'était remise à jouer. De Gier passa le bras autour de la taille de Yuiko et il l'entraîna vers l'estrade. L'autre fille les avait quittés. A l'autre bout du bar, un homme d'âge mûr sirotait tranquillement son verre en fredonnant, puis il avait exprimé le désir urgent d'une compagnie féminine. Il avait crié quelque chose au barman en désignant la copine de Yuiko. Celle-ci s'était précipitée vers lui en souriant et en rectifiant sa coiffure. Elle avait commencé par essuyer la sueur qui perlait sur son visage avec un mouchoir brodé avant de le calmer en lui susurrant des mots doux à l'oreille, une grande sœur maternant un petit garçon perdu et capricieux.

L'orchestre jouait un morceau de Miles Davis. De Gier ne se souvenait plus du titre mais il en reconnaissait tous les passages. Il avait souvent écouté le disque dans son appartement d'Amsterdam, son chat blotti contre lui. L'alcool avait changé ses perceptions, il voyait la musique plus qu'il ne l'entendait ; les sons de la trompette figuraient des rayons de lumière, ceux de la batterie et de la basse un arrière-plan sombre et mobile, et ceux du piano les flammèches orange d'un brasier. Il resta une heure de plus, Yuiko était sagement assise à côté de lui, la main posée sur son avant-bras. Elle avait les traits tirés, des cernes sous les yeux et ses mains étaient moites.

« Ça va ? demanda-t-il.

— *Yoroshii,* fit-elle doucement. Juste un peu fatiguée. C'est bien agréable d'être assise comme ça. »

Le barman apporta un autre bourbon mais de Gier refusa et commanda un jus de fruits à la place. Plus tard, quand le bar fut pratiquement désert, il but de petites tasses de café.

Yuiko lui demanda de la raccompagner chez elle et, durant tout le trajet en taxi, elle resta recroquevillée contre lui. Quand ils furent dans sa chambre elle semblait littéralement épuisée, il se baissa et l'examina attentivement. Elle avait les yeux fermés et les lèvres pincées. Elle déclara malgré tout qu'elle se sentait très bien et insista pour faire du thé. Mais quand elle voulut la remplir, la bouilloire lui échappa des mains et elle ne put s'empêcher de s'effondrer, en proie à une douleur apparemment insupportable. Il la prit dans ses bras et la porta dans la salle de bains où il lui tint la tête pendant qu'elle vomissait. Il revint dans la pièce et s'installa sur les tatamis tandis qu'elle se refaisait une beauté. Soudain il entendit un cri et un bruit sourd. Il se précipita dans la salle de bains.

Étendue sur le carrelage, elle pleurait. Il lui demanda où elle avait mal et elle appuya sur son estomac ; elle ne pouvait plus parler et, quand il lui caressa les cheveux, elle gémit.

Il sortit de l'appartement et frappa à toutes les portes en criant ; finalement une femme entre deux âges sortit de chez elle. Il n'arrivait pas à formuler la moindre phrase, il tira la femme dans l'appartement et la poussa jusque dans la salle de bains. Elle parlait un peu anglais et elle prononça le mot hôpital.

« Une voiture, demanda-t-il. Vous avez une voiture ?

— Taxi, répondit-elle en désignant le téléphone. O.K. ?

— O.K. Dites au chaffeur d'aller à l'hôpital. »

Elle acquiesça et composa un numéro. Quelques minutes plus tard, le taxi arrivait ; il les déposa au service des urgences d'un grand hôpital qui n'était qu'à quelques kilomètres. De Gier s'assit tandis que deux infirmières embarquaient le corps inanimé sur un chariot. Il attendit environ une heure avant qu'un jeune docteur ne vienne le voir.

« Intoxication alimentaire, déclara le médecin. Est-ce qu'elle a mangé quelque chose dans la soirée ? Un mets qui aurait pu être pourri ou même empoisonné ?

— Des champignons, répondit de Gier. C'est tout ce que je l'ai vue manger. Je l'ai rencontrée ce soir, dans un bar. »

Le docteur esquissa un sourire. « Des champignons, oui, ça se pourrait.

— Mais moi aussi j'en ai mangé et je me sens très bien.

— Il suffit d'un seul champignon pour vous empoisonner. Ils se ressemblent tous, on n'a pas dû prendre assez de précautions en les préparant. Il y en a qui sont comestibles et d'autres qui sont vénéneux. Elle a de la chance que vous l'ayez amenée ici.

— Sinon elle aurait pu mourir ? »

Le médecin haussa les épaules. « C'est peu probable. Elle est jeune et d'assez robuste consitution ; cela dit elle aurait été longtemps très malade. Enfin, tout est pour le mieux, nous avons tué le mal dans l'œuf en extirpant tout le poison ; elle sera bientôt sur pied, c'est l'affaire de quelques jours.

— Est-ce que je peux la voir ?

— Non, en ce moment elle dort et il vaut mieux ne pas la déranger. Revenez demain. »

Dorin et le commissaire prenaient leur petit déjeuner lorsque de Gier regagna l'auberge. Il s'affala sur une natte et n'attendit même pas que la serveuse lui apporte son plateau pour se servir.

« Ce n'est vraiment pas de chance, commenta Dorin lorsqu'il leur eut raconté à quoi il avait passé son temps. Je me demande ce qu'ont bien pu penser les yakusa quand ils vous ont vu dans la gueule du loup. A présent ils doivent tous savoir qui vous êtes. Il est d'ailleurs fort possible qu'on ait ordonné à la fille de vous préparer une surprise.

— Certainement, répondit de Gier la bouche pleine. J'ai cru qu'elle allait me claquer dans les bras.

— Elle ne simulait pas ? demanda le commissaire.

— Non, monsieur, répondit de Gier en beurrant un toast. En aucune façon. »

19

« Oui, monsieur, déclara l'adjudant Grijpstra. Les détectives de la brigade des stupéfiants vont y faire une descente en fin d'après-midi. Ils veulent le cuisinier, c'est lui qui est censé être le patron. Moi, je n'en veux qu'au gérant, M. Fujitani. Je pense que j'ai suffisamment de charges contre lui pour le garder deux jours et j'espère qu'il craquera au cours de l'interrogatoire. »

Il écouta attentivement en suçant bruyamment son cigare. A l'exception d'un léger grésillement, la voix du commissaire lui parvenait très distinctement. Il se dit que la communication était pratiquement parfaite malgré la distance qui les séparait. Était-ce dix mille ou douze mille kilomètres ? Il faudrait qu'il regarde ce soir dans l'atlas de son fils. S'il en avait le courage. La descente leur prendrait peut-être beaucoup de temps et d'énergie. Il haussa les épaules. Ça ne devrait pas véritablement poser de problèmes. A cinq heures et demi de l'après-midi, douze hommes entraînés ne devraient pas éprouver beaucoup de difficultés à faire une descente dans un restaurant qui était plutôt exigu. En outre, à cette heure-là, les clients ne les gêneraient pas.

« Oui, dit Grijpstra. Je pense qu'il va se mettre à table. Cardozo a fait réaliser un court-métrage que nous allons montrer au suspect sur un appareil vidéo. Je trouve que c'est un petit film très astucieux, une alternance de plans fixes montrant le cadavre de Nagai et de plans moyens de Joanne Andrews. C'est un ami de Cardozo qui l'a tourné, un professionnel, c'est très chouette. On est allé chez votre nièce avant-hier et on a filmé Joanne Andrews sans qu'elle s'en aperçoive, quand elle marchait dans la forêt qui est derrière la maison. Le temps était couvert et il y avait un peu de brume mais il s'est très bien débrouillé et elle ne s'est doutée de rien. Pour les plans du cadavre de Nagai, j'ai dû emprunter le film noir et blanc de la police, mais ce n'est pas trop mal. Il y a une scène particulièrement horrible, quand les agents sortent le corps de la tombe en le tirant par les jambes et que la tête à moitié pourrie sort du trou en rebondissant contre la terre. J'ai eu la nausée quand j'ai vu ça et Cardozo a été obligé de sortir. Je crois qu'il a été malade, bien qu'en revenant dans la salle de projection il ait invoqué une vague excuse. En ce qui concerne Fujitani, il est déjà au bord de la dépression nerveuse. Les détectives de la brigade des stupéfiants l'ont interrogé, et moi-même je suis allé au restaurant pratiquement tous les jours de la semaine dernière. Ce soir je ne le bousculerai pas, je me contenterai de le ramasser et de le coller dans une cellule. J'attendrai demain pour lui projeter le film, demain matin de bonne heure, je pense. Il aura passé une mauvaise nuit et il devrait craquer immédiatement, monsieur. »

La tête penchée et l'oreille collée au récepteur, Grijpstra écouta le commissaire.

« Oui, monsieur ! Merci. Mais en fait, c'est Cardozo qui en a eu l'idée. »

Il raccrocha en grimaçant. Bien que le commissaire lui eût donné son accord, il n'était pas sûr que le vieil homme approuvât totalement la méthode, ce n'était pas assez traditionnel. Pourtant, toutes les polices du monde utilisaient ce genre de procédé. Il avait lu un long article sur la technique des interrogatoires dans un numéro de *la Gazette de la police* quelque temps auparavant. L'usage de la technologie avait peut-être un côté cruel, ça ne l'était certainement pas plus que d'aller pêcher avec un homme et de lui expédier une balle de P.38 dans la tête...

Il regarda sa montre. Quatre heures, les voitures démarreraient dans une heure.

« Cardozo, s'écria-t-il en se tournant vers le jeune homme qui noircissait du papier, assis derrière son petit bureau près de la porte.

— Adjudant ?

— C'est l'heure du café, Cardozo. Vous avez de l'argent ?

— Non, adjudant. D'ailleurs la machine est en panne.

— Alors allez emprunter de l'argent et filez nous chercher deux gobelets au snack du coin.

— L'inspecteur attend son rapport, adjudant. »

Grijpstra repoussa sa chaise en arrière pour se lever. Il accomplit le mouvement un peu brutalement et il se cogna douloureusement le genou contre un tiroir. Son visage vira au rouge.

« Entendu, adjudant, s'empressa de dire Cardozo. J'y vais tout de suite. »

Grijpstra rentra chez lui à quatre heures du matin et il oublia de regarder quelle distance séparait Amsterdam de Kyoto. La brigade des stupéfiants avait bien effectué la descente mais la nuit avait été plutôt tumultueuse. Les détectives étaient entrés dans le restaurant par l'entrée principale, par la porte du jardin et par les fenêtres de l'étage supérieur, tous en même temps. Malheureusement, l'opération avait commencé à se compliquer quand une gouttière avait lâché sous le poids d'un détective qui voulait se lancer à travers une fenêtre : il s'était foulé la cheville en retombant. Ensuite un autre détective s'était fait poignarder par le cuisinier, le poumon avait été atteint. Quand les policiers s'étaient occupés de leur collègue qui crachait du sang, le cuisinier en avait profité pour s'enfuir. Malgré un barrage, il avait réussi à s'échapper ; en passant sur le trottoir pour éviter le barrage il avait même renversé et blessé une femme entre deux âges. Finalement la police d'État l'avait arrêté trois heures plus tard en bloquant la route alors qu'il essayait de se faufiler entre deux camions. Pour éviter la voiture de police qui s'était mise en travers de la route, l'un des camions avait été contraint de braquer à mort et il s'était retrouvé dans un champ où tout son chargement de canettes de bière s'était répandu. En outre, une Porsche de la police d'État s'était retournée et le sergent qui était au volant s'était démis l'épaule. La descente ne s'était donc pas du tout déroulée comme prévue, ç'avait été un gâchis monstre.

Grijpstra avait suivi les opérations au standard du Quartier général d'Amsterdam. La plus grande confusion y régnait ; nerveux, les agents s'embrouillaient avec les fiches, et les supérieurs débordés n'arrivaient pas à se faire entendre pour organiser la chasse à l'homme. On avait mobilisé vingt voitures car le cuisinier n'avait jamais perdu son sang-froid, lui ; il conduisait à une vitesse très raisonnable et s'il n'avait pas conduit une voiture étrangère, une Citroën Pallas grise, on aurait eu toutes les peines du monde à le retrouver. Un avion de la police l'avait repéré alors qu'il se dirigeait vers la frontière belge et on l'avait intercepté à sept kilomètres de la frontière seulement. Ç'avait été tangent.

Mais l'affaire était pratiquement réglée. Dans le restaurant on avait trouvé des sachets d'héroïne et, en fouillant le personnel, on avait saisi trois pistolets et plusieurs couteaux. Pour sa part, Grijpstra avait découvert des tankas dans l'armoire de Mme Fujitani. Il espérait que les gens de l'ambassade du Japon pourraient confirmer qu'ils avaient bien été volés par les prêtres qui avaient la charge des temples. Avec la mort de Nagai et l'arrestation des officiers de marine marchande hollandais et japonais, le réseau devait être démantelé.

Trois heures plus tard, quand Grijpstra se réveilla pour se rendre au Quartier général et poser des questions à M. Fujitani, la chance était encore de son côté. La nuit précédente ce dernier avait opposé une certaine résistance et on avait dû le traîner de force dans le car de police. En plein milieu du film il ne put plus tenir et il cogna sur l'appareil vidéo avec sa chaise. Il serrait convulsivement les lèvres et son corps grassouillet était secoué de tremblements. Gêné par les soubresauts de M. Fujitani, Cardozo détourna la tête, mais Grijpstra regardait fixement le suspect qui avoua, au bout d'un moment et tout en continuant de sangloter, que c'était bien lui qui avait tué Kikuji Nagai d'un coup de revolver ; il avait jeté l'arme dans l'étang à côté de la tombe, près de l'endroit où on l'avait vu laver la BMW de M. Nagai. On tapa sa déposition à la machine et il la signa. Un agent vint ensuite le chercher pour le reconduire dans sa cellule pendant que Grijpstra téléphonait à l'agent-chef. On demanda à Grijpstra et à Cardozo de venir eux-mêmes porter la déposition ; on serra la main à l'adjudant et on accorda un sourire bienveillant à Cardozo.

Ce soir-là, Grijpstra proposa à son jeune assistant d'aller prendre un verre dans un petit pub de la vieille ville, et lui fit boire quatre cognacs, lui-même en prit six, et il paya ! Ils ne parlèrent pas beaucoup en buvant. Ils ne pouvaient oublier l'image de Joanne Andrews marchant dans la forêt de conifères. Au milieu de la verdure, la jeune femme resplendissait. Ils n'oubliaient pas non plus le crâne de Kikuji Nagai, ses lèvres retroussées à demi bouffées et la main gantée du policier qui tirait le corps hors de la terre, par un matin lugubre.

20

La femme de chambre apporta la carte de visite qu'elle avait placée exactement au milieu du plateau. Le commissaire somnolait et de Gier prit la carte sur laquelle était écrit : WOO SHAN, NÉGOCIANT et plus bas, en caractères minuscules, une adresse à Hong Kong.

« Je vais voir de quoi il s'agit », déclara de Gier en suivant la domestique. Le visiteur l'attendait dans la salle principale de l'auberge. C'était un Chinois d'un certain âge, il était grand et avait l'air passablement embarrassé de trimballer un attaché-case alors qu'il était debout sur les tatamis avec uniquement ses chaussettes aux pieds. De Gier s'inclina mais le Chinois serra la main du sergent d'une façon très solennelle en lui demandant, dans un anglais fort convenable, si le vieux monsieur hollandais qui portait un nom si difficile à prononcer était là. De Gier lui répondit par l'affirmative.

« Et vous, vous êtes l'assistant de ce monsieur ?

— C'est ça.

— J'ai une proposition à vous faire », dit M. Woo.

De Gier le pria de bien vouloir l'excuser et il remonta l'escalier quatre à quatre. Le commissaire se réveilla mais il n'était pas encore rasé. De Gier redescendit pour avertir M. Woo qu'il lui faudrait patienter quelques minutes supplémentaires. Après lui avoir parlé de la pluie et du beau temps, de Gier lui proposa de monter. Tranquillement assis sur un coussin, le commissaire se frottait les jambes tandis qu'on offrait à M. Woo du thé et un petit cigare. De plus en plus nombreux, les objets d'art s'entassaient dans un coin de la pièce en attendant d'être transférés dans le coffre de la banque où l'on avait mis les trésors du Daidharmaji. Dorin avait suggéré qu'il ne serait pas mauvais qu'ils continuent à jouer la comédie, en contactant des prêtres appartenant à d'autres temples, avec l'approbation du grand prêtre du Daidharmaji bien entendu, pour donner plus de crédibilité à leur pseudo-organisation. C'est ainsi qu'ils avaient vu défiler tout un tas de moines, venant de tous les monastères de Kyoto, et qu'ils s'étaient retrouvés à la tête d'un patrimoine artistique inestimable. Ils avaient même réussi à trouver un gardien vraiment corrompu qui, moyennant un peu d'argent en liquide, leur avait vendu une petite statue en bois du Bouddha, d'une grande valeur. Ils n'avaient pas eu beaucoup de mal à dénicher le gardien, c'était lui qui s'était rendu à l'auberge et qui avait demandé à la servante s'il pouvait voir les étrangers qui s'intéressaient aux œuvres d'art. Il était reparti avec suffisamment d'argent pour se payer de l'alcool et des femmes pendant quelques semaines.

M. Woo annonça d'entrée la couleur.

« J'ai entendu dire, messieurs, que vous faisiez le commerce des antiquités et que vous avez trouvé le moyen de damer le pion à l'organisation qui en avait le monopole jusqu'à présent. » Souriant poliment, M. Woo insista sur le verbe « avait ».

Le commissaire acquiesça paresseusement.

« Je veux parler des yakusa, précisa M. Woo.

— Effectivement, répliqua le commissaire, les yakusa. La libre entreprise et la concurrence sont les règles du jeu dans le monde, du moins dans celui où nous, nous vivons, le monde libre.

— Vraiment ? » s'étonna M. Woo.

Le commissaire bâilla.

« Vous êtes dans les antiquités, vous aussi ? demanda de Gier après quinze secondes d'un long et pénible silence.

— Non, moi j'ai une autre marchandise à vendre, un produit que les yakusa m'achetaient régulièrement, mais je doute qu'ils continuent à le faire à présent. Leurs débouchés passaient par Amsterdam, or il s'est passé quelque chose là-bas et la filière ne marche plus. C'est peut-être temporaire ou... définitif.

— Ah bon ? s'inquiéta le commissaire.

— Oui. J'ai de bonnes informations et je suppose que vous aussi.

— Il s'est effectivement passé quelque chose là-bas, reconnut le commissaire. Un ami m'en a parlé au téléphone. Le téléphone est un moyen très pratique pour faire circuler les nouvelles rapidement. »

Pendant tout le début de la conversation, M. Woo était resté agenouillé ; il changea de position mais ne réussit pas à s'installer confortablement. Il sourit péniblement. « Vivre par terre est une tradition à laquelle je ne suis pas habitué, expliqua-t-il. En Chine, nous avons des chaises.

— Je suis désolé, s'excusa de Gier, c'est une auberge japonaise et il n'y a pas de chaises. Essayez de vous asseoir le plus commodément possible en appuyant votre dos contre le mur, c'est ce que je fais tout le temps. Je suppose que ce n'est pas très poli mais on pardonne plus facilement à des étrangers. »

M. Woo le remercia, prit le coussin qu'on lui offrait et s'installa du mieux qu'il put. Il ouvrit sa mallette pour en sortir deux petits sachets en plastique remplis de poudre blanche.

« Héroïne ? demanda le commissaire.

— De l'héroïne, et de la meilleure qualité. Je vous offre ces échantillons, messieurs. A Hong Kong, j'en ai dix kilos prêts à être embarqués et je n'en demande pas une somme exorbitante. Si vous me payez ici, je téléphonerai immédiatement à mon courtier et celui-ci livrera la marchandise à votre représentant. La livraison s'effectuera à Hong Kong et, une fois que vous serez en possession de la camelote, c'est vous qui l'acheminerez, à vos risques et périls.

— Je vois » dit le commissaire. Il prit un des sachets qu'il examina à la lumière. « Et le prix ?

— En Allemagne, les soldats américains vont payer trente dollars pour une cuillerée à café de ces merveilleux cristaux. Moi, je vous en demanderai un prix qui vous permettra de réaliser des bénéfices inouïs. Vous allez être très riches et votre organisation très puissante. En outre, le ravitaillement ne pose aucun problème, c'est le pays le plus sérieux du monde qui s'en occupe.

— La Chine communiste ? interrogea doucement le commissaire.

— Ce qu'il y a de mieux. Les prix ne varient pas, il n'y a pas de délais de livraison et les promesses sont toujours tenues. »

M. Woo sortit son portefeuille et prit un billet de cent dollars qu'il déchira en deux. « Tenez, voilà une moitié pour vous, moi je garde l'autre. Envoyez votre partie à votre représentant, j'enverrai la mienne à mon courtier. Ils se rencontreront à Hong Kong. Dès que vous m'aurez payé, je téléphonerai à mon agent, en votre présence. Comme il sera avec votre représentant vous pourrez lui parler et, immédiatement après, on se chargera de la livraison. La première fois cependant nous ne vous fournirons que dix kilos, ce sera un test, pour vous comme pour nous. Si l'opération s'est bien déroulée et que, par la suite, vous vouliez davantage de marchandise, je serai toujours dans le secteur qui vous arrangera le mieux. Je voyage très rapidement. »

Le commissaire tira une bouffée de son cigare et, ayant fermé un œil, il s'absorba dans la contemplation du bout incandescent. « Je suis un négociant en antiquités, je m'occupe d'art, la drogue ce n'est pas mon rayon. Cependant, rien ne s'oppose à ce qu'on essaie. Nous pouvons peut-être utiliser pour la drogue les filières que nous avons mises en place et que nous destinions à d'autres choses. En outre, je connais beaucoup d'Américains qui sont cantonnés en Europe. Si mon assistant y consent, nous pouvons toujours faire un essai. »

De Gier joua son rôle à la perfection. Quand il se tourna en souriant vers M. Woo, ses yeux brillaient de convoitise.

« Moi aussi, j'ai des amis à Amsterdam, déclara-t-il. Il y a une forte demande dans notre ville. Je pourrai me charger de ce marché tandis que le chef (il s'inclina en direction du commissaire) s'occupera de trouver les gros bonnets.

— Parfait, dit M. Woo. Nous allons donc faire un essai. Je repasserai dans quatre jours, vous me donnerez l'argent et je téléphonerai. »

Le commissaire prit la moitié du billet de cent dollars ainsi que le petit bout de papier sur lequel M. Woo avait inscrit le montant de la somme nécessaire à la transaction. Après avoir jeté un coup d'œil sur les chiffres il hocha la tête en signe d'approbation.

« Entendu, mais dans quatre jours je ne serai pas prêt. Nous avons des affaires urgentes à régler. Disons plutôt la semaine prochaine, même jour, même heure. »

M. Woo s'était levé et il marchait vers la porte. De Gier sortit derrière lui et le rattrapa dans le hall.

« La semaine prochaine, même jour, même heure, répéta M. Woo en laçant ses chaussures. Et peut-être que tout se passera bien. Les arnaques ça ne marche qu'une fois, après c'est la mort, inéluctablement. Je l'ai vue à l'œuvre à plusieurs reprises. La mort n'a pas un visage bien sympathique.

— Moi aussi, il m'est arrivé d'avoir le pouvoir, déclara de Gier avec un sourire sardonique. La mort n'a pas de chouchous, elle nous a rendu des services à nous aussi. Je vous souhaite une bonne journée, M. Woo. »

Mais M. Woo n'écoutait pas. Il s'était cogné la tête contre la plus basse des poutres qui étaient à l'entrée et il se massait le crâne en grognant quelque chose en chinois.

De Gier fit la grimace. Lui aussi s'était cogné la tête contre la poutre presque tous les jours, depuis leur arrivée qui remontait à plus de deux semaines.

Lorsque le sergent regagna la vaste chambre, il s'arrêta net, frappé de surprise. Le commissaire gambadait de joie autour de la table basse. Fredonnant les dernières paroles d'une chanson, un tube ridicule qui avait fait un malheur à la télévision hollandaise, il bougeait les bras d'une façon complètement désordonnée. Bien qu'il n'y eût aucun mot grossier ni aucune allusion pornographique dans la chanson, elle avait soulevé un tollé général en Hollande et les journaux conservateurs n'avaient pas manqué de s'en faire l'écho. C'était tout simplement une chanson idiote, elle finissait par ces paroles édifiantes : *Maman, voilà un aigle.*

« Monsieur ? » interrompit de Gier.

« Maman, voilà un aigle », chanta le commissaire avant de s'arrêter pour regarder fixement dans le vide en arrondissant les yeux.

« Monsieur ?

— Savez-vous ce que cela signifie, sergent ? murmura le commissaire en attrapant le nez de De Gier pour le presser. Ça veut tout simplement dire que nous n'avons pas à aller à Kobé et à nous remuer pour trouver le pourvoyeur de drogue. Nous n'avons qu'à rester assis ici pour faire aboutir le projet, à notre convenance. Pour la première fois, et Dieu sait de quoi je parle, ça nous tombe tout rôti dans le bec. Comme quoi, bien que cela soit rarement à notre avantage, les voies du destin sont impénétrables. Nous avions une chance sur cent que l'occasion se présente, généralement ce sont les autres qui en profitent, ceux qui sont de l'autre côté. Pour une fois c'est juste. JUSTE, vous entendez ? Hé hé hé ! »

De Gier fit un pas en arrière en se frottant le nez.

« “ Maman, voilà un aigle ”, reprit le commissaire. J'ai toujours su ce que ça voulait dire. Un petit garçon regarde par la fenêtre d'un appartement situé au neuvième étage d'un de ces grands immeubles en béton du nord d'Amsterdam. Brusquement il aperçoit un aigle sur le balcon. Un grand aigle (le commissaire étendit les bras avant de les battre frénétiquement pour donner une idée de la dimension de l'oiseau). Sur sa noble tête, il porte une crête dont les plumes sont magnifiques. (Le commissaire écarta les doigts de sa main droite avant de la placer sur sa tête.) Son bec est brillant. (Il rejeta la tête en arrière et, ayant recourbé les doigts, il mit le dessus de sa main contre son nez). Enfin, ses ailes sont déployées, comme ça. (Le commissaire souleva les bras et, creusant les reins, il tourna en rond dans la pièce, mimant d'une façon grotesque l'animal.) Le petit garçon a toujours su qu'un jour il verrait l'aigle. Ce n'est pas la peine de le dire à sa mère, elle ne comprend rien. Pourtant il le lui dit quand même, c'est sa mère après tout, elle est avec lui dans l'appartement. Mais elle se contente de grommeler quelque chose et ne daigne même pas se lever de son fauteuil. Cela n'a pas d'importance, l'aigle est là, sur le balcon. Le rêve du petit garçon a été exaucé. Un grand aigle, en chair et en os, sur le balcon. Hé hé hé ! »

Le commissaire se remit à gambader et lorsqu'il s'approcha de De Gier, ce dernier recula en se protégeant le nez avec la main.

« Et alors ? Allons-nous nous précipiter sur le balcon pour le capturer ? Eh bien non, nous ne faisons pas collection d'oiseaux, nous nous contentons de les regarder car nous ne voulons pas priver d'autres gens du plaisir de les observer eux aussi. Notre ami Mr. Johnson par exemple. A l'heure actuelle il est dans sa chambre d'hôtel à Tokyo, j'ai son numéro et je vais l'appeler. De toute façon, il faut que nous lui parlions. Les gangsters que vous avez appréhendés en Hollande sont toujours en prison à Amstelveen ; ils lisent des journaux japonais, fument des cigarettes Shinsei et boivent le meilleur thé qu'on puisse trouver dans des quarts de l'armée. Pourtant, juridiquement, ils sont innocents, ils n'ont pas commis la moindre infraction en territoire hollandais, pas même une contravention. Si nous les relâchons, ils prendront le premier avion pour Kobé, et Kobé n'est qu'à une heure de train de là où nous sommes nous, deux pigeons que notre ambassadeur a cru bon d'envoyer ici pour régler une dette dont personne ne se souvient, à part quelques rares historiens. Si ces deux yakusa nous voient, ils nous démasqueront. Vous savez ce que nous sommes, deux flics hollandais qui se font passer pour deux sales trafiquants d'objets d'art volés, et de drogue également. Nous achetons tout ce qu'il est interdit d'acheter et pour ce faire nous nous frottons aux yakusa, ici, au Japon, alors que les yakusa connaissent de graves difficultés en Hollande. Le grand chef qui est dans son château dans les montagnes derrière Kobé n'est pas un imbécile, pour l'instant il ne sait rien de nous sinon que nous lui faisons concurrence, mais nous devons nous méfier car, s'il découvre la vérité, je ne donne pas cher de notre peau.

» Voilà pourquoi il faut que MM. Takemoto et Nakamura restent là où ils sont, en prison en Hollande. Mais maintenir en détention des gens innocents, c'est la tâche de la C.I.A. C'est là qu'intervient ce bon vieux Mr. Johnson et, puisqu'il va s'occuper de tout ça, demandons-lui également de nous trouver un représentant à Hong Kong pour qu'il donne la moitié du billet de cent dollars à l'émissaire de M. Woo. Ce sinistre M. Woo, qui ne peut plus vendre sa poudre miracle à Amsterdam parce que la vie amoureuse de M. Fujitani a démantelé le réseau yakusa.

— Eh oui, interrompit de Gier. Savez-vous que M. Woo s'est cogné la tête contre la poutre qui est à l'entrée du hall en bas ?

— Vraiment ? Le pauvre. Les Japonais ne tarderont pas à se cogner la tête eux aussi. D'après Dorin, chaque génération est plus grande que la précédente.

— Parfait, commenta de Gier. Quand *moi,* je me cogne, ils se marrent ; ça leur apprendra.

— Exactement », dit le commissaire et, se souvenant de l'aigle, il se remit à battre des bras, « en outre, Mr. Johnson peut se débrouiller pour faire acheminer les dix kilos d'héroïne de Hong Kong en Hollande et de là en Allemagne, où il pourra arrêter tous les trafiquants, nous lui donnerons un coup de main mais il va être très occupé. Il aime avoir plein de choses à faire, m'a-t-il confié à Amsterdam. »

On frappa à la porte et Dorin entra. Le commissaire baissa les bras. « Mettez Dorin au courant, sergent, racontez-lui tous les détails, moi je vais téléphoner. Pendant que j'y suis, je demanderai à Mr. Johnson de donner un passeport à Mlle Andrews afin qu'elle puisse se rendre aux États-Unis. Notre mission s'achève. C'est dommage, je me plaisais bien ici. »

Pendant que le commissaire était en train de téléphoner, de Gier commanda du café. Dorin avait vu M. Woo quitter l'auberge.

« Un Chinois, dit-il. Qu'est-ce que peut bien nous vouloir un Chinois ? Un Chinois communiste ?

— Pourquoi communiste ?

— Il avait l'air triste, non ? expliqua Dorin. Les communistes ont toujours l'air triste, sauf dans les films. J'ai vu leur propagande cinématographique, quand ils travaillent ils chantent et ils dansent, qu'ils ramassent des choux ou des carottes dans un champ ou bien qu'ils construisent une école ou un puits. Pourtant, quand je les vois ici, ils ont l'air triste, qu'ils soient en uniforme ou non.

— Il semblait peut-être triste parce qu'il vendait de l'héroïne, suggéra de Gier. L'héroïne n'est pas recommandée pour la santé.

— C'est vrai, les intoxiqués font tous dans leur froc à cause de ça.

— Non, ça les constipe. Tous les camés que j'ai vus étaient constipés. Vendre de l'héroïne, c'est une besogne sinistre. »

Dorin haussa les épaules. « Ils adorent la vendre, ça leur procure des devises et ils pensent que ça causera notre perte. C'est possible. Mon petit frère est accroché, à Tokyo. Ça lui coûte cinquante dollars, ou plus, par jour ; bien entendu il faut qu'il les vole. Quand il sort de prison c'est pour y retourner et ses dents tombent, pourtant il n'a même pas encore dix-neuf ans. Il prend de l'héroïne chinoise, elle est pure, de première qualité. Je lui en ai procuré une fois, pensant que ça lui éviterait un séjour en taule, mais ses copains lui ont tout piqué et lui ont tapé dessus si sauvagement que j'ai dût l'emmener à l'hôpital pour qu'on le recouse. Je crois que je me chargerai moi-même de M. Woo quand le moment sera venu.

— Vous croyez à la vengeance ? » demanda de Gier, mais Dorin quittait déjà la pièce, le visage impénétrable.

21

Il n'y eut pas grand-chose à faire les jours suivants. Laissant à la C.I.A. le soin de tout organiser, le commissaire et le sergent en profitèrent pour se décontracter. Le commissaire avait découvert un établissement de bains dont le bassin dans lequel il trempait avait les dimensions d'une piscine olympique, et de Gier était allé rendre visite à la fille qu'il avait rencontrée dans le bar yakusa. Il l'avait vue le lendemain du jour où elle avait été admise à l'hôpital mais elle ne lui avait pratiquement rien dit ; manifestement elle était épuisée, à moins que ce ne fût l'effet des sédatifs. Quand il y retourna, elle quittait l'hôpital et il la déposa devant la porte de chez elle en taxi, il était convenu qu'il viendrait dîner le lendemain soir. Quand il arriva elle n'avait toujours pas très bonne mine et elle s'excusa de ne pas avoir fait de courses, elle se sentait si faible. Ils pourraient peut-être aller dîner dehors ? Elle s'était agenouillée pour l'aider à retirer ses souliers.

« Ne vous en faites pas, déclara-t-il en lui touchant les cheveux. Je n'ai pas faim. D'ailleurs je ne resterai pas longtemps, comme ça vous pourrez vous coucher de bonne heure. »

Elle sourit et le poussa dans la pièce. « Asseyez-vous, je vous prie, j'ai un très bon thé, du thé vert que ma tante m'envoie de la campagne. C'est l'occasion ou jamais de le goûter. »

Admiratif, il la regarda préparer le thé ; elle était vraiment gracieuse dans chacun de ses gestes. Quand il eut siroté le breuvage, il la contempla plus attentivement. Sa mini-jupe et son corsage étroitement ajusté contrastaient étrangement avec la froideur de la pièce. Il lui toucha les seins en souriant, il pensait à deux fruits mûrs attendant d'être cueillis, il phantasmait. Elle lui mordilla l'oreille et retira ses mains.

« Plus tard, dit-elle. Il faut d'abord que vous regardiez mes estampes qui sont en réalité des photos. C'est la coutume au Japon ; vous devez savoir avec qui vous allez coucher. »

Elle alla dans la chambre et en revint avec deux albums. Il se dit que c'étaient peut-être des photos porno, mais quand il jeta un œil sur les clichés, il ne vit que des portraits de famille. Il fit de son mieux pour avoir l'air intéressé tandis qu'elle commentait chacune des épreuves. Son père et sa mère. Oncle untel devant son magasin, un magasin célèbre, à une époque ç'avait été une pâtisserie que l'empereur fréquentait, l'empereur Meiji, celui qui avait ouvert le pays à l'Occident.

Un marchand de soupe ambulant passait dans la rue en tambourinant sur les gamelles avec ses baguettes en bambou, une très bonne excuse pour que de Gier échappe à la séance photos. Il alla acheter deux portions de potage à la viande puis il mangèrent tranquillement, assis l'un en face de l'autre sur les tatamis.

« Les musiciens qui jouent dans le bar sont venus me voir juste avant que le médecin ne m'autorise à rentrer chez moi, dit-elle en lui mettant dans la bouche le morceau de viande qu'elle venait de prendre avec ses baguettes. Ils m'ont dit que vous étiez allé les voir au temple dans lequel ils vivent et que vous aviez joué de la flûte. »

D'un signe de tête de Gier acquiesça.

« Comment avez-vous fait pour trouver le temple ?

— J'ai demandé au portier du Dragon d'Or.

— Ils m'ont dit que vous étiez cinglé, exactement comme eux.

— Maman, voilà un aigle, fit de Dier la bouche pleine.

— Je vous demande pardon ? »

Il renonça à lui expliquer ce à quoi se référait la phrase.

« Qu'est-ce que c'est " aigle " ?

— Rien, un oiseau. Pour en revenir à vos copains musiciens, c'est vrai, j'ai joué de la flûte avec eux.

— Pourquoi êtes-vous venu dans ce bar ce soir-là ?

— Vous êtes parfaitement au courant », répondit-il.

Elle secoua la tête. « J'ignorais tout sur le moment, ils ne me l'ont dit qu'après.

— Qu'est-ce qu'on vous a dit ? Et qui vous l'a dit ?

— Quelqu'un que vous ne connaissez pas ; celui qui veille au bon fonctionnement du bar. Il m'a dit que vous étiez membre d'une organisation qui concurrençait la nôtre.

— Alors pourquoi ne m'avez-vous pas tué ? » demanda de Gier

d'un ton badin ; il regardait le petit réfrigérateur qui était au fond de la pièce.

« Vous avez faim ? Il me reste du *tofu ;* vous aimez ça ? C'est une sorte de purée de pois, ça a beaucoup de goût. Je peux en mettre un peu dans cette soupe. J'ai aussi d'autres ingrédients mais ils sont tous japonais et je ne sais pas si vous aimez tellement ça.

— Tout ce que vous voudrez, déclara de Gier, à l'exception de prunes confites. Hier on m'en a donné à l'auberge. Ce sont des petites prunes qui ont l'air succulentes mais quand j'en ai goûté une, j'ai cru que tout mon visage allait être emporté. C'est terriblement aigre et acide, comme un millier de citrons. »

Elle eut un petit rire. « Ne vous en faites pas, il n'y a pas de prunes au freezer. Je nous sers du tofu, alors ?

— Volontiers. Mais vous n'avez pas répondu à ma question. Pourquoi ne m'avez-vous pas tué ?

— Qui ça, moi ?

— Oui, vous, les yakusa. »

Elle farfouillait dans le réfrigérateur et il ne pouvait voir son visage, mais le ton de sa voix était normal quand elle répondit. « Nous ne voulons peut-être pas vous tuer. Vous n'êtes pas encore allé à Kobé, n'est-ce pas ?

— Non.

— N'y allez pas.

— J'irai où j'ai envie d'aller, répondit de Gier. Les yakusa ont essayé de me faire peur. C'était d'ailleurs bien joué. Ils ont également ennuyé mon patron et ça, je n'ai pas apprécié ; c'est un vieil homme qui est perclus de rhumatismes.

— Mais vous n'avez pas eu peur, objecta Yuiko. On m'a raconté que vous aviez joué de la flûte. J'aurais bien aimé écouter ça. »

De Gier sortit sa flûte et répéta l'air qu'il avait entendu dans le petit théâtre. Quand il termina, il y eut comme un grand froid dans la pièce.

« L'incarnation du mal, dit-elle. C'est bien ce qu'ils vous ont joué, hein ? »

De Gier s'était emparé de l'album de photos et il en feuilletait les pages. Les clichés n'avaient aucune originalité : on voyait des personnes alignées et placées d'une façon très précise et géométrique, un peu comme des pièces sur un échiquier, regarder fixement un objectif. Les gens avaient l'air plus décontractés sur les photos de vacances. Les pères, mères, oncles et tantes ainsi que les enfants s'étaient débarrassés de leurs costumes du dimanche, de leurs kimonos et autres robes empesées pour revêtir des costumes de bain, des jeans et des chemises à fleurs. Certaines filles étaient en bikini, ce qui permit à de Gier de s'assurer que Yuiko avait une poitrine réellement avantageuse et de magnifiques jambes fuselées. Elle était debout, pieds nus sur le sable devant un massif d'azalées ; on n'apercevait même pas l'ombre d'un petit ami, elle était seule, sur chacune des épreuves. Il devait y avoir un autre album, soigneusement caché.

« Les photos vous plaisent ? demanda-t-elle en plongeant le tofu dans la soupe qu'elle avait fait réchauffer.

— Oui, beaucoup, surtout celle-là. » Il lui montra un agrandissement qui occupait une page à lui tout seul. C'était Yuiko en couleurs ; à demi couchée sur le flanc, elle s'appuyait sur un coude et regardait l'objectif en faisant la moue et en avançant agressivement la poitrine. Manifestement elle venait de sortir de l'eau, la mer était en arrière-plan, son bikini était mouillé et, sous le coton, on devinait tous les détails de son anatomie.

Elle éclata de rire. « Oui, celle-là m'a rapporté pas mal d'argent. Je l'ai vendue à une société qui fabrique des boîtes de conserve et ils s'en sont servis pour faire de la publicité, malheureusement le daimyo l'a vue dans un journal et on m'a priée de ne plus poser. Je n'ai pas le droit d'avoir deux boulots à la fois. »

De Gier mangeait la soupe au tofu d'une façon peu discrète. Chaque fois qu'il portait les baguettes à sa bouche pour avaler la mixture qu'elle avait préparée, il les suçait bruyamment. Elle l'observa un moment avant de se pencher pour lui passer la main dans les cheveux.

« Vous vous en tirez très bien, vous faites ça à la japonaise. Est-ce que vous allez roter après ? » Il secoua la tête. « Je n'y arrive jamais au moment opportun. Ça vient généralement beaucoup plus tard, quand j'ai digéré et que je rentre chez moi. Je veux dire que c'est l'air qui me reste là. » Il désigna sa gorge. « C'est comme une grosse bulle qui se bloque. Au restaurant qui est dans les collines, celui où vous pêchez votre carpe, les serveuses m'ont également recommandé d'éructer après le repas. Je ne pouvais pas, alors elles m'ont tapé dans le dos mais il n'y a rien eu à faire. J'ai eu un renvoi dans la voiture, une demi-heure plus tard.

— Le restaurant où votre ami a planté un couteau dans la main de Kono-san ?

— Il s'appelle Kono ?

— Oui. C'est un homme dangereux ; c'est lui le chef des gros bras yakusa, il les entraîne dans le palais du daimyo. Il a été ridiculisé ce soir-là.

— Et maintenant il est furieux ?

— Non. Votre ami lui a fait panser la main. Kono n'est pas aussi ignoble qu'il veut bien le dire ; en réalité, il est très sensible. Il adore les oiseaux, vous savez. Il a des faisans et des paons et lorsque les femelles couvent, il dort dans la basse-cour. » Elle gloussa. « Son volatile préféré, c'est un vieux dindon qu'il a baptisé MacArthur. Les dindons qui sont plus jeunes ont complètement déplumé MacArthur à coups de bec et il est à moitié aveugle. Il est toujours en chaleur et saute sur tout ce qu'il arrive à voir. Le daimyo a une grosse voiture noire et, un jour, j'ai vu MacArthur sauter dessus en faisant des bruits de klaxon, c'était tordant. Lorsque Kono l'appelle, il se réfugie dans ses bras, c'est vraiment drôle de les voir tous les deux.

— Est-ce qu'il a des chats ? demanda de Gier.

— Non.

— Dommage. Les chats sont les seuls animaux avec lesquels je m'entende bien. S'il avait des chats, nous pourrions être amis, je ne m'y connais pas beaucoup en oiseaux. J'aime bien les observer, mais quand je m'approche d'eux, ils se sauvent.

— C'est regrettable, dit-elle en lui prenant la main. Les oiseaux doivent être stupides, moi je ne me sauverai pas quand vous vous approcherez. » Elle lui embrassa l'oreille mais il la repoussa doucement. « Non, fit-il, vous êtes encore faible. Ce poison devait être très violent et je pense qu'à présent vous devriez vous reposer le plus possible. Nous pouvons bien attendre quelques jours. Comment vous sentez-vous en ce moment, Yuiko ?

— Très bien, dit-elle en le regardant d'un air langoureux. Vous ne m'aimez plus ? Je suis solide ; bientôt il va falloir que je reprenne mon travail. Nous devrions profiter de ces quelques jours de vacances. Aimeriez-vous m'emmener en bateau à voile sur le lac Biwa ?

— Avec plaisir.

— Vous savez barrer ?

— J'avais un sloop à une époque et je vais souvent faire de la voile avec des amis. C'est aussi facile que monter à bicyclette ; une fois que vous avez appris, vous n'oubliez jamais plus.

— Vous n'avez pas peur ? demanda-t-elle. Maintenant vous savez que je suis une yakusa, or nous nous sommes montrés très désagréables envers vous et votre associé. A propos, c'est votre associé ou votre patron ?

— Mon patron, répondit de Gier en lui passant le bras autour des épaules, et si vous me jouez un sale tour et que vous arriviez à me tuer, il y aura toujours quelqu'un pour me remplacer. Notre organisation n'est pas grande, mais la Hollande c'est le pays des marchands. Nous ne sommes pas les seuls à nous intéresser aux objets d'art volés et au trafic de drogue, ceux qui sont au courant ont déjà calculé les bénéfices qu'ils pourraient réaliser. En outre, j'ai entendu dire que la filière yakusa d'Amsterdam était démantelée. Ça vous prendra du temps pour la remettre sur pied. Désormais les Japonais vont avoir beaucoup de mal à obtenir un permis de résident, il faudra pratiquement que vous recommenciez tout à zéro.

— Parfait, dit-elle, comme ça vous viendrez tout le temps ici et je pourrai vous voir. Je me moque pas mal que les yakusa perdent une petite partie de leur empire, je ne suis qu'une fille qui travaille au bar. Je ne risque pas de perdre mon boulot, je parle anglais, ils ont besoin de moi. J'ai suivi des cours d'interprète mais ils me paient mieux que si je travaillais pour un organisme officiel. Dans un an je serai libérée de mes engagements et je pourrai m'établir à mon compte. Ils me versent un tiers de mon salaire en liquide, un autre tiers va sur un livret de caisse d'épargne et je ne peux pas y toucher avant l'expiration de mon contrat.

— Et le tiers qui reste ?

— C'est ma mère qui le reçoit. Mon père est mort ; les yakusa ont établi le contrat avec ma mère.

— Elle vous a vendue ? »

Elle se leva en riant et se dirigea vers le percolateur. « Ici, nous n'appelons pas ça une vente. On fait des contrats aux familles pour louer leurs filles. Les grandes sociétés le font également pour recruter leur main-d'œuvre féminine ; quand leur contrat expire, les filles ont de l'argent et elles peuvent se marier. De plus, elles apprennent beaucoup de choses quand elles travaillent en usine ; elles suivent des cours du soir et des séminaires pendant le week-end. Ce qui fait que quand elles ne travaillent plus, elles n'ignorent rien de la composition des bouquets de fleurs, de la cérémonie du thé, de la façon dont on tient un ménage ou dont on élève les bébés. Les yakusa ne sont pas très différents des industriels. Moi aussi je suis des cours ; j'aime beaucoup faire des bouquets. »

De Gier regarda le *tokonoma*[1] qui était dans le coin de la pièce. Il y avait une fleur sauvage à dominante orange, le cœur étant rouge foncé ; malgré l'apparente anarchie de la composition, elle était harmonieusement placée entre deux rameaux. Derrière le vase un tanka représentait le sommet d'une montagne.

« Splendide. La montagne, c'est le Fuji-san, hein ?

— Oui, c'est une copie. L'original se trouve dans un temple subventionné par l'État, c'est de là que vient la petite statue en bois que vous avez achetée. Le gardien qui l'a volée venait nous voir avant de vous rencontrer. Kono-san a envoyé un de ses hommes au temple et ce pauvre gardien a eu un accident — il s'est cassé le nez et a perdu quelques dents —, mais il y en aura d'autres pour vous vendre des objets.

— Kono-san est trop brutal, remarqua de Gier. Il ne peut pas imaginer quelque chose de plus attrayant, comme la pièce à laquelle j'ai assisté dans le petit théâtre ?

— C'est le daimyo qui a pensé monter une pièce. C'est également lui qui a eu l'idée du masque que votre patron a vu dans le jardin du temple. Il se trouvait par hasard à Kyoto quand vous êtes arrivés et ces mascarades l'ont beaucoup amusé. Le soi-disant étudiant qui vous a conduit au théâtre travaille dans notre bar. Quand vous êtes venu il s'est caché, il pensait que vous seriez capable de le tuer avec votre pistolet. »

Elle tapota sa veste. « Vous avez déjà tué quelqu'un ?

— Presque, répondit de Gier en sirotant son café, mais pas avec une arme. J'ai failli tuer un homme à mains nues, en lui tordant le cou. Ça n'avait rien à voir avec mon boulot.

— Une bagarre ?

— Non, il ne m'a pas vu venir.

— Pourquoi l'avez-vous attaqué ?

— Il ne m'était pas sympathique, expliqua de Gier. Il jetait des pierres à un chat. Le chat s'était brisé l'échine et il essayait de l'atteindre au cou, à bout portant.

— Voilà pourquoi vous avez presque brisé le cou *du type,* dit-elle doucement. Je vois. C'est bizarre que vous n'ayez pas tué Kono, il s'en prenait pourtant à votre chef.

— Mon chef s'est occupé de lui, répliqua de Gier. Bon, maintenant il faut que je parte ; je vous remercie pour le repas. Vous êtes

1. Grand vase japonais.

d'accord pour aller faire de la voile demain ? Est-ce que je peux venir vous chercher ? Maintenant j'ai une petite voiture décapotable, je viens de la louer.

— D'accord, mais il ne faudra pas que le toit soit ouvert quand je serai avec vous.

— Vous ne voulez pas qu'on vous voie avec un étranger ?

— Je suis yakusa et les yakusa sont toujours très discrets. »

Il l'aida à se lever et l'embrassa. Elle avait les yeux cernés et ses épaules s'affaissaient, elle ne cherchait plus à le séduire ni à paraître sexy. Elle passa les bras autour de son cou et posa la tête contre sa poitrine.

« Soyez prudent, recommanda-t-elle. En ce qui vous concerne, le daimyo n'a donné aucune consigne. Il sait que vous me voyez et ça ne doit pas l'ennuyer, sinon il me l'aurait fait savoir. Vous n'avez pas à craindre Kono non plus. Il est à Kobé en train de construire une clôture, près de sa basse-cour, ou plutôt il regarde les autres la construire car sa main le fait encore souffrir. Mais certains d'entre nous doivent vouloir se venger de l'affront que vous leur avez fait.

— Je vais voir ce que je peux faire pour vous », déclara de Gier en ouvrant la porte coulissante qui donnait sur la rue. Elle le regarda monter dans sa voiture. Elle était restée dans l'ombre et, quand il agita la main pour lui dire au revoir, il ne put voir à quel point elle avait l'air perplexe. Quand la voiture eut disparu, elle décrocha le téléphone.

22

« Bof, fit le commissaire en sortant son matelas du placard. Je vais faire un somme. Je crois que j'ai fait tout ce qui était en mon pouvoir, c'est éprouvant pour un vieil homme. Il va falloir que ça aboutisse, sinon je ne tiendrai jamais à ce rythme-là. Récapitulons. J'ai téléphoné à Mr. Johnson de l'établissement de bains qui est au coin de la rue, pour être sûr que notre conversation ne soit pas enregistrée. Il n'y a peut-être pas d'écoutes téléphoniques ici, mais je ne pouvais pas prendre le risque. Mr. Johnson ne parle pas hollandais et il y a pas mal de Japonais qui parlent anglais. La C.I.A. va faire exactement ce que nous voulons. Ils vont envoyer un Hollandais à Hong Kong, par avion, ce sera notre représentant. M. Woo m'a donné le numéro de téléphone de son courtier ainsi que l'heure à laquelle il fallait l'appeler. C'était sur le bout de papier où était également inscrite la somme que nous sommes censés payer pour avoir l'héroïne. Selon Mr. Johnson, le prix est correct. Ce qui fait que notre correspondant téléphone au courtier de M. Woo et lui fixe rendez-vous la semaine prochaine, le jour où M. Woo vient nous voir ici. Pour le moment, les deux yakusa qui sont à Amsterdam restent en prison. Je ne sais d'ailleurs pas comment Mr. Johnson va s'y prendre. Notre procureur général ne va pas aimer ça du tout. Il faudra peut-être faire intervenir le ministère de la Justice. Drôle de justice entre nous soit dit, mais ce ne sont pas nos oignons. La C.I.A. va aussi nous fournir l'argent que nous remettrons à M. Woo. Je dois aller le chercher demain dans une banque dont j'ai l'adresse. Je vais devoir me balader avec une grosse somme d'argent alors que les yakusa sont dans le coin et que pas un de nos faits et gestes ne leur échappe. Tant pis, nous prendrons ce risque ; ils n'ont pas encore réussi à nous arrêter, peut-être nous en sortirons-nous encore une fois. Je demanderai des grosses coupures et je bourrerai mes poches avec, je ne tiens pas à trimballer une mallette ou quoi que ce soit. En fait, je ne veux rien *faire,* je ne l'ai jamais voulu. Mais je suis le jouet des circonstances, un bouchon flottant à la dérive sur une mer démontée. » Il tapota son petit coussin. « Un petit somme, voilà ce qu'il me faut. Et *vous,* sergent, qu'est-ce que vous avez fait aujourd'hui ? »

De Gier s'était assis pour rouler une cigarette. Le paquet de tabac bleu semblait déplacé en un tel endroit mais de Gier avait une dextérité telle qu'un japonais n'aurait pas été choqué.

« Sergent ?

— Excusez-moi, monsieur. Demain je vais faire de la voile avec la fille yakusa. Yuiko-san a quelques jours de congé, elle est encore en convalescence. Nous louerons un bateau.

— La fille a un faible pour vous, hein ?

— Non, monsieur. Elle est loyale envers ses employeurs. Elle a peut-être de la sympathie pour moi. Quand je suis allé la voir à l'hôpital, elle m'a tenu la main. Elle était sous l'effet des tranquillisants à ce moment-là. Mais elle m'aurait tué si le daimyo l'avait ordonné. Je suis persuadé qu'elle n'aurait pas hésité une seconde. Je crois que demain ils feront une nouvelle tentative, lorsque je serai sur le lac.

» Nous avons simplement pris un repas ensemble, Yuiko-san et moi, et nous avons bavardé. Elle m'a raconté que c'était le daimyo qui avait imaginé les tours qu'ils nous ont joués, votre masque et ma mise à mort sur une scène de théâtre. D'après elle, il adore faire des trucs comme ça. En ce qui concerne ce qui s'est passé au restaurant, c'est Kono le seul responsable, Kono c'est la brute qui voulait que vous vous serviez du couteau. J'ai le pressentiment que le daimyo va tenter quelque chose demain. Ils doivent savoir que Woo Shan est venu nous voir, or ils ne peuvent pas se permettre de nous laisser leur enlever également le monopole du trafic d'héroïne. »

Le commissaire s'étendit sur son matelas et fixa le plafond. A l'étage supérieur on raclait le plancher, cela faisait un bruit de papier froissé.

« C'est drôle, remarqua le commissaire. On dirait qu'on balaie ; ce n'est pourtant pas l'heure de faire les chambres. Le daimyo, disiez-vous, c'est leur instance suprême. Oui, vous avez peut-être raison. Le lac Biwa serait un terrain d'action idéal pour lui, vous serez dans un bateau à voile, au large des côtes, seul et sans aucune assistance, donc particulièrement vulnérable. Cela dit nous pourrons avoir un autre bateau qui naviguera dans le coin. Je suis sûr que Dorin en sera enchanté. Nous pouvons aussi nous débrouiller pour qu'un avion patrouille au-dessus du lac. En tout état de cause, il n'y a probablement pas de raison de s'inquiéter. Le danger, quand on se mesure au daimyo, c'est de ne pas être averti, nous, nous le sommes. Bien que... »

De Gier regardait le plafond lui aussi. Le bruit s'était fait plus régulier.

« Si on nettoie, il doit y avoir beaucoup de choses à balayer, remarqua le sergent ; d'ailleurs, ici, il n'y a jamais beaucoup de poussière sur le sol, nous marchons en chaussettes. J'ai vu les servantes faire le ménage, elles ne ramassent que des cendres et la paille de leur balai, ça relève plus d'un rituel que d'une nécessité hygiénique.

— Oui, c'est bizarre. Le daimyo est un homme subtil. Je me demande jusqu'à quel point il sait comment nous fonctionnons. Il a tout loisir de nous observer et nous ne devrions peut-être pas sous-estimer nos faiblesses. J'en sais quelque chose, je n'étais pas très fier quand il m'a piégé dans le jardin du temple. »

On frappa à la porte. Dorin entra ; il avait un balai dans une main et dans l'autre deux grands sacs en papier.

« C'était *vous* qui donniez un coup de balai ? s'étonna de Gier.

— Oui.

— Mais votre chambre est à côté de la nôtre, non ?

— On m'a déménagé ce matin. Je préfère être en haut. Désormais je peux regarder par-dessus le mur et voir ce qui se passe dans le vaste ensemble que forme le temple de l'autre côté de la rue. Demain les prêtres vont célébrer une cérémonie que je ne veux pas rater. Ils mettront leurs robes de gala pour exécuter une espèce de danse. Oui, c'était moi qui balayais. Je ramassais des mouches crevées, je les ai mises dans les sacs que vous voyez là. »

Il ouvrit un des sacs pour en montrer le contenu au commissaire et à de Gier. Le sac était plein à ras bord. Les mouches étaient relativement grosses, de beaux spécimens, le corps rayé et les ailes vertes, avec des yeux énormes. Aucune d'elles ne donnait le moindre signe de vie.

« Quand les Hollandais se rendent en Extrême-Orient, les mouches les accompagnent », déclara doucement le commissaire.

Dorin s'assit en allumant une cigarette. Il avait l'air fatigué et sa main tremblait légèrement.

« Si chaque mouche est un sous-entendu, vous en avez à revendre, remarqua de Gier. Il doit y avoir quelqu'un dans cette auberge qui tient les yakusa au courant de ce que nous faisons. Vous n'avez changé de chambre que ce matin, non ?

— Oui, et je n'ai été absent qu'une heure. Ils devaient me surveiller de près. Je me demande où ils se sont procurés les mouches ; ce sont des insectes que je déteste, comme la plupart des Japonais. Notre peuple est réputé pour sa propreté, les mouches ne touchent que ce qu'il y a de sale et de pourri.

— Et les Hollandais », ajouta de Gier en se dirigeant vers l'autre sac que Dorin avait laissé près de la porte ; il regarda à l'intérieur. « Où donc ai-je déjà vu autant de mouches ? Ça devait être dans une ferme quelque part en Hollande. Il y a longtemps, nous enquêtions sur la mort de quelqu'un. Quand je me suis rendu dans la basse-cour, j'ai ouvert une porte qui menait à un cloisonnage et je suis tombé sur un million de mouches crevées. Le fermier expliqua qu'elles étaient toutes sorties de leurs œufs en même temps et que, comme il avait construit ce cloisonnage durant l'hiver et qu'il était complètement étanche, elles étaient toutes mortes de faim. Il y en avait partout dans la pièce ; celles-ci proviennent peut-être également d'une basse-cour. Tiens, il me semble avoir eu récemment affaire à une basse-cour, à quel propos ?

— Une basse-cour ? s'étonna le commissaire. Vous êtes allé dans des fermes depuis que nous sommes au Japon ? En ce qui me concerne, ça ne m'est jamais arrivé.

— J'y suis ! s'exclama de Gier. Yuiko-san m'a raconté que Kono avait une basse-cour et qu'il y dormait lorsque les paonnes couvaient. Elle est située sur les terres du daimyo, là où il a son château.

— Voilà un point d'éclairci, dit le commissaire. Ces mouches ne vous ont pas perturbé outre mesure, Dorin, si ?

— Elles m'ont rendu malade, avoua Dorin. J'ai vomi deux fois, j'ai juste eu le temps de me précipiter dans la salle de bains. Je savais qu'on me réservait quelque chose de pas très agréable mais ça, je trouve que c'est un coup bas.

— Pourquoi les avez-vous balayées ? Les servantes s'en seraient chargé à votre place.

— Une petite revanche, expliqua Dorin. Ce matin, le sergent m'a demandé si j'étais partisan de la vengeance. Eh bien, je le suis. Même si ça ne sert pas à grand-chose d'autre qu'à provoquer l'ennemi, je me sentirai mieux, quitte à faire un pas dans l'escalade de la violence. Je me propose de jeter ces mouches partout dans le night-club yakusa, dans la soirée.

— Vous feriez mieux de le faire maintenant, conseilla de Gier. Ce n'est que le début de l'après-midi, il ne doit pas y avoir un chat. Je vous donnerai même un coup de main si vous le désirez.

— Non, vous, on vous remarquerait tout de suite, objecta Dorin. Cela dit, je vous remercie de me proposer votre aide. Vous avez raison en ce qui concerne l'heure. J'irai déguisé en plombier. C'est une profession que je connais un peu ; mon oncle a une entreprise de plomberie, et quand j'étais môme je l'accompagnais dans ses déplacements. J'ai les habits qu'il faut et la sacoche. Je trouverai bien des bouts de tuyaux pour faire encore plus authentique.

— C'est ça, approuva le commissaire. Vous n'aurez qu'à passer par la porte de derrière. Vous savez crocheter les serrures ? »

Dorin acquiesça en hochant la tête.

« Il y a autre chose, intervint de Gier. Demain je vais faire de la voile avec une fille yakusa, sur le lac Biwa. Le commissaire pense que vous pourriez patrouiller dans le coin, en bateau ou en avion.

— En bateau, répliqua Dorin. Je peux facilement m'en procurer un. Nous verrons les détails plus tard, quand je reviendrai, et si jamais je ne reviens pas vous pouvez téléphoner au numéro que je vous ai indiqué. De toute façon, en cas d'urgence, il faut appeler ce numéro en priorité. Ils sauront ce qu'il faut faire. Mais peut-être ne devriez-vous pas aller faire de bateau demain. Ce matin, j'ai appelé mes supérieurs à Tokyo, ils considèrent que nous en savons assez. Ils sont prêts à donner le feu vert pour qu'on fasse une descente dans le night-club et dans le château du daimyo. Nous n'avons pas à nous préoccuper des considérations juridiques. Je ne suis pas un policier, mes supérieurs non plus. Ils sont suffisamment puissants pour balayer le daimyo et sa clique. Avant ils ne le pouvaient pas, le daimyo ayant des relations à Tokyo, les rats du gouvernement à qui il graisse la patte, mais en ce moment les rats tirent la langue et leurs pattes se dessèchent. Le daimyo s'affaiblit, le démantèlement de la filière européenne de l'héroïne risque de lui porter un coup fatal. Le trafic des objets d'art est secondaire, mais désormais nous avons suffisamment de preuves pour contacter des journalistes afin de leur donner des informations sensationnelles. Vous imaginez les gros titres de leurs magazines : LES TRÉSORS SACRÉS DU PATRIMOINE JAPONAIS EXPATRIÉS A L'OUEST. Les rats et ceux qui sont compromis ne tiennent pas à être mêlés à un pareil scandale.

Malheureusement, nous ne connaissons pas encore l'identité du daimyo.

— Alors comment saurez-vous s'il est là quand vous ferez une descente dans son château ? demanda le commissaire.

— En fait, nous allons raser le château. Je vais faire intervenir des troupes spéciales, les Singes des Neiges de mon propre régiment. Au Japon nous n'avons plus d'armée régulière mais il y a toujours des guerriers, des volontaires très bien entraînés.

— Les Singes des Neiges ? » s'étonna le commissaire.

Dorin esquissa un sourire. Il avait oublié les sacs remplis de mouches et semblait beaucoup plus à l'aise.

« Les Singes des Neiges sont des macaques qui vivent à Hokkaido, notre grande île qui se trouve au nord. Ce sont des singes qui ont une queue très courte et qui peuvent vivre n'importe où. En Afrique ils n'ont qu'un duvet sur le corps, mais ici ils sont recouverts d'une épaisse toison grise et ils avancent en file indienne dans la neige. Quand ils ont trop froid, ils se baignent dans les sources naturelles d'eau chaude et, le plus surprenant, c'est que tandis qu'ils se trempent le cul dans l'eau bouillante, il leur reste toujours de la neige sur le sommet du crâne, la température ne se propage pas. Il fut une époque où nous les chassions, et s'ils ont survécu c'est parce qu'ils ont de remarquables facultés d'adaptation : ils sont non seulement capables de comportements sociaux en groupes, mais aussi de conduites individuelles, selon la situation à laquelle ils sont confrontés. Il est bien connu que la principale faiblesse des Japonais, c'est de se retrouver seuls. Les Américains l'ont bien compris, ils tuaient nos officiers pour isoler nos soldats, ensuite ils s'occupaient d'eux l'un après l'autre. Cela dit, même s'ils sont « responsables » d'eux-mêmes en certaines occasions, les Singes des Neiges sont suffisamment disciplinés pour obéir à des ordres. En outre ils ont conservé certaines traditions des samouraïs ; jamais ils ne se rendent.

— Il faut bien qu'ils croient en quelque chose, non ? » objecta de Gier.

Dorin haussa les épaules. « J'ignore comment mes camarades officiers les fanatisent ; en ce qui me concerne je n'ai jamais essayé de développer un quelconque idéalisme chez les hommes que j'encadre. Moi-même je m'efforce de ne croire en rien. D'ailleurs, en y réfléchissant, nous nous acheminons vers le néant, autant y croire dès le départ. Pourtant c'est difficile de n'avoir aucune foi, ça demande beaucoup de courage. Ma vie est une éternelle remise en question ; il faut très peu de chose pour que je doute, ces mouches par exemple, ça m'a profondément ébranlé ; malgré tout j'essaie de vivre selon ce principe.

— C'est aussi ce que font les Singes des Neiges, dit le commissaire. Je suppose que s'ils attaquent le palais ils le détruiront complètement et le daimyo avec, si jamais il est là. Quelles armes vos hommes utilisent-ils, Dorin ?

— Ils connaissent la plupart des armes qui existent mais ils se sont spécialisés dans le maniement du M-16, un fusil automatique américain, de la mitraillette Uzzi et du pistolet Walther. J'aimerais qu'ils utilisent des chars et des automitrailleuses pour attaquer le château mais les routes sont trop étroites et ce ne serait pas discret, les yakusa nous verraient venir de loin. Je pense que je vais les faire débarquer par hélicoptères et, une fois à terre, je leur fournirai des jeeps. On commencera l'attaque par des tirs de mortier pour balayer les murs, puis on bombardera le château, il ne nous restera plus ensuite qu'à nettoyer la place. Cela ne devrait pas prendre plus d'une demi-heure. Le palais a peut-être des souterrains secrets pour permettre aux hommes de s'enfuir mais il faudra bien qu'ils surgissent quelque part à la surface, c'est pourquoi j'établirai des barrages sur les routes et nous pourrons les cueillir. En outre il y a déjà des Singes des Neiges dans les monts Rokko, ils sont déguisés en touristes. Il n'y a aucune raison pour que vous, vous preniez davantage de risques. Ce serait d'ailleurs peut-être une folie que vous continuiez à vous en mêler. Les yakusa ne savent pas encore qui vous êtes réellement, mais ils le découvriront un jour, demain peut-être.

— Ou aujourd'hui, répliqua de Gier. Pendant que vous essaimerez vos mouches crevées dans le night-club, je ferais bien de m'occuper de ma sortie sur le lac Biwa, c'est pour demain. Qu'est-ce que vous pensez de tout ça, monsieur ? »

Le commissaire se leva pour enlever son kimono. En enfilant la jambe droite de son pantalon, il faillit perdre l'équilibre.

« Je meurs de faim, je vais aller me nourrir de tampura dans l'une des petites échoppes du marché. Si vous voulez venir avec moi, j'en serai ravi. Maintenant, en ce qui concerne cette affaire, je ne sais vraiment pas si nous devons continuer ou non. Nous sommes au service du gouvernement japonais et c'est Dorin qui le représente. S'il pense que des singes qui se trempent dans l'eau bouillante et qui ont la queue très courte peuvent anéantir les yakusa dans leur repère... eh bien... je leur souhaite bonne chance. Nous, nous ne sommes que deux barbares venus de nos lointains marécages nauséabonds. »

Le visage de Dorin s'était assombri quand le commissaire avait commencé à parler ; maintenant il faisait franchement la grimace.

« Cela dit, moi je préférerais poursuivre cette affaire un jour ou deux, ajouta le commissaire. Nous aurons peut-être la chance de démasquer le daimyo.

— O.K. fit Dorin. Je vais porter les mouches et quand je reviendrai nous verrons comment organiser le pique-nique sur le lac Biwa. Vous deux, allez manger vos tampuras. Choisissez vous-mêmes les crevettes que vous mettrez dedans. Les restaurateurs aiment bien que leurs clients s'intéressent à ce qu'ils mangent. Et méfiez-vous de la moutarde verte cette fois. J'ai un ami gaijin à Tokyo qui a dû boire du lait pendant un an ; il avait attrapé un ulcère d'estomac. »

Lorsque Dorin eut quitté la pièce, de Gier poussa un soupir de soulagement. « C'est une bonne chose que vous ayez mentionné les barbares puants, monsieur. Il n'a pas apprécié la tirade sur les singes à la queue très courte. Pourtant, c'est lui qui en avait parlé le premier, mais vous l'avez blessé en reprenant ses propres termes. C'est bizarre qu'il ait encore de l'amour-propre, vous ne trouvez pas ? C'est la première fois que je m'en aperçois.

— Notre Dorin est un être humain très évolué », expliqua le commissaire en se débattant maladroitement avec son pantalon ; il est vrai que le pistolet glissé dans la ceinture ne lui facilitait guère les choses. « Ce sera un ange dans sa prochaine incarnation, ou un bodhisattva, c'est le nom que leur donnent les prêtres du Daidharmaji. Ce qui n'empêche d'ailleurs pas que les anges soient vaniteux eux aussi, et pas seulement Lucifer.

— Gabriel, déclara de Gier. C'est comme ça que j'appellerai Dorin s'il parvient à nous faire prendre l'avion pour rentrer chez nous. Les forces sont trop inégales et la chance n'est pas de notre côté.

— Ça vous dérange ? demanda le commissaire.

— Non, monsieur. Il est vrai que je n'ai aucune raison de rentrer.

— Oh ! que si ! dit le commissaire, et vous vous en rendrez compte. Le temps passe vite, sergent. Bientôt vous aurez une barbe blanche et vous ferez des mots croisés dans un hospice pour policiers à la retraite. »

Étonné, de Gier leva les yeux.

« Ne vous en faites pas, déclara tranquillement le commissaire, il m'arrive parfois d'être un peu déprimé. »

23

Il me faudrait une jeep, songeait de Gier en essayant d'éviter un nid-de-poule ou un véhicule à quatre roues motrices. La voiture bringuebalait sur la route défoncée. A trois reprises il avait ouvert la portière avant droite pour faire cesser le bruit de ferraille mais le cliquetis persistait. Il ne faisait pourtant aucun doute que le bruit provenait bien de la portière droite, mais quand il avait loué la voiture la semaine précédente, elle était tout à fait silencieuse. S'ils sont capables de construire des voitures, se dit-il avec irritation, pourquoi ne peuvent-ils pas entretenir leurs routes ? Il est pourtant plus facile de construire des routes que des voitures, non ? Après avoir heurté un autre nid-de-poule, la voiture dérapa sur une flaque de boue. De Gier donna un coup de volant à gauche. Un camion arrivait en sens inverse, presque au milieu de la route. Yuiko poussa un cri perçant ; il s'en fallut d'un cheveu que la voiture de sport et le camion ne s'emboutissent. De Gier s'excusa et Yuiko posa la main sur son bras.

« Vous conduisez très bien, assura-t-elle. Ce n'est pas trop difficile pour vous de rouler à gauche ? »

Il marmonna quelque chose d'inintelligible. Ce n'était pas le premier compliment qu'il recevait. Le matin même, les servantes de l'auberge lui avait dit qu'il faisait preuve d'un goût remarquable dans le choix de ses chemises. Elles avaient tâté le tissu et s'étaient extasiées devant la forme des cols. La femme de l'aubergiste l'avait félicité pour sa propreté et la façon harmonieuse dont il avait arrangé le matériel dont il se servait pour se raser. On pouvait croire au premier abord que les Japonaises s'effaçaient complètement dans leur rôle de femme au foyer, mais, derrière leur apparente futilité, se cachait une volonté de fer. De Gier regarda furtivement la jeune femme assise à côté de lui ; elle était si frêle, elle avait l'air tellement innocente et désarmée. Il réprima un frisson. C'était une yakusa, elle avait juré fidélité à ses chefs, des gangsters notoires, elle était membre d'une organisation impitoyable qui contrôlait des centaines de bars et de bordels et qui approvisionnait en drogues dures au moins trois villes de plus d'un million d'habitants chacune, une organisation qui s'était donné les moyens d'avoir des couvertures tout à fait légales. Et l'ambassadeur se figurait qu'il pourrait anéantir cette bande de rats, ils étaient tellement solidaires qu'ils gangrenaient insidieusement une société impuissante et permissive. De Gier haussa les épaules. Après tout, pourquoi pas ?

Dorin faisait partie d'une bande très structurée lui aussi et il disposait d'hélicoptères pour mener au combat ses guerriers. De Gier se demanda dans quelle mesure l'opération que projetait Dorin était légale. Les preuves apportées par le commissaire lui semblaient bien minces pour justifier une telle action... cela dit, Dorin savait ce qu'il faisait.

Il comprenait pourquoi le commissaire avait approuvé la sortie sur le lac Biwa. Ils ne savaient pas encore à quoi ressemblait le daimyo, le chef suprême des forces ennemies. De Gier connaissait suffisamment bien le commissaire pour suivre son raisonnement. Le daimyo aimait assister aux farces qu'il faisait. Il était probablement dans le coin quand le commissaire s'était fait piéger dans le temple et quand de Gier avait assisté à sa mise à mort sur la scène du petit théâtre. Si le daimyo avait prévu de leur jouer un nouveau tour, il ne serait pas loin, on aurait alors une chance de le voir et de l'identifier, on pourrait peut-être même mettre la main sur lui. Quand on l'aurait arrêté, on le traduirait en justice. Tout ce qu'il avait à faire désormais, c'était de dénicher le daimyo.

La route était un peu plus carrossable et Yuiko se mit à lui raconter une histoire à propos de sa tante, c'était une entremetteuse qui combinait des mariages généralement fructueux. Il ne l'écoutait que d'une oreille, se contentant d'acquiescer en grognant lorsqu'elle se taisait. Cela suffisait à la fille. Un peu plus loin, en bordure de la route, un homme agita un drapeau et de Gier se gara sur le bas-côté pour laisser passer toute une file de camions chargés de caissettes en bois.

« Ils transportent des algues, expliqua Yuiko. Ils viennent de la côte. Les algues ont une grande valeur nutritive ; de plus c'est un aliment très savoureux. Aimeriez-vous que je vous fasse une soupe au varech, un soir ? Je pense que j'ai tous les ingrédients et, s'il m'en manque, je peux toujours en emprunter à la dame qui habite au-dessus de chez moi. C'est un cordon bleu, d'ailleurs je lui donne souvent un coup de main quand je suis de repos. Elle est spécialisée dans les produits de la mer.

— Avec plaisir, répondit de Gier. J'adore la soupe. »

Il regardait le cadavre d'un chat qui était dans le fossé ; de là où elle était, Yuiko ne pouvait pas le voir. Le chat ne devait pas être mort depuis très longtemps, il semblait dormir, seule sa langue gonflée indiquait qu'il ne respirait plus.

L'homme qui faisait la circulation agita son chapeau et de Gier embraya, mais l'homme abaissa frénétiquement le bras ; il n'avait pas confondu les signaux, il avait tout simplement fait un faux mouvement en se grattant le cou. De Gier s'arrêta un mètre plus loin, il ne pouvait plus voir le chat mais il y avait un autre cadavre sur la route, celui d'une hirondelle. Yuiko vit l'oiseau et elle sourit, l'air navré.

« C'est une ravissante petite chose, hein ? dit-elle. On peut voir que c'est un mâle à cause des raies qu'il a sur la tête, celle de la femelle est unie. Les hirondelles de cette espèce ont un chant très intéressant. Elles ne gazouillent pas, elles émettent des sons qui résonnent un peu comme un prélude, quelques notes très brèves et une longue. Vous en avez sûrement déjà entendu, il y en a plein à Kyoto. » Elle imita le chant de l'oiseau en sifflant.

« C'est juste, reconnut de Gier. Et elles répètent la dernière note à l'octave inférieur. »

L'oiseau était de profil, en travers de la route, et lorsque le conducteur de travaux leur eut fait signe de passer, ils constatèrent que l'autre côté de sa tête était complètement écrasé. L'œil avait jailli de son orbite et semblait les fixer avec une stupéfaction mêlée d'effroi ; agrandi démesurément, il recouvrait presque tout le côté de la tête.

« Mauvais présage, déclara nerveusement Yuiko. Nous ferions peut-être mieux de ne pas aller faire de voile aujourd'hui. Je ne vois aucun inconvénient à ce que nous fassions demi-tour. Nous pouvons aller au théâtre et dîner chez moi plus tard.

— Non merci. Je suis allé au théâtre et on m'a tué sur scène. Ce n'était pas non plus un bon présage. C'est une journée idéale pour faire de la voile, regardez la cime des arbres ; il y aura une bonne petite brise sur le lac. »

Mais quand ils arrivèrent au lac le vent soufflait en rafales et le plafond était si bas qu'on ne voyait pas l'autre rive.

Yuiko s'affola. « Une tempête. J'aurais dû écouter ce que disait la météo. A présent il faut rentrer. Le lac Biwa est immense, vous savez, c'est comme une mer intérieure. On peut facilement perdre de vue la côte. »

De Gier étendit le bras pour lui caresser les cheveux. « Ce n'est pas si terrible, c'est juste un peu impressionnant, mais vous verrez qu'une fois sur l'eau nous n'aurons rien à craindre. Si vous voulez nous pouvons affréter un vrai yacht, mais il m'est arrivé de sortir avec mon petit sloop quand les éléments étaient déchaînés et je n'avais alors que quatorze ans ; depuis j'ai barré toutes sortes de bateaux.

— Entendu, dit-elle, je m'en remets à vous. Vous comprenez, je n'ai jamais fait de voile auparavant, je me suis toujours contentée de promenades en barque ou en canoë. »

Ils se trompèrent de route et il leur fallut plus d'une heure pour arriver au port. Un vieil homme vint les voir, il discourait en secouant la tête.

« Le temps est trop mauvais, traduisit Yuiko. Il nous conseille de ne pas sortir. Il n'y a pratiquement personne sur l'eau aujourd'hui. »

De Gier désigna un bateau de pêche qui s'éloignait du port en louvoyant. A l'horizon se déplaçait également un petit point. « Ça doit être un bateau automobile, déclara de Gier. Dites-lui que je verse la caution qu'il désire. Je suis un marin chevronné, il n'a rien à craindre pour son bateau. »

Finalement l'homme accepta de lui louer une embarcation moyennant cent dollars, de Gier lui donna l'argent et refusa le reçu. « Dites-lui que c'est un honneur de visiter ce pays qui est prestigieux et que je lui fais entièrement confiance. » L'homme s'inclina en souriant. Il y avait plusieurs bateaux disponibles. L'homme recommanda un sloop avec une grande cabine et un moteur incorporé mais de Gier préféra un cotre de sept mètres. L'homme désapprouvait le choix. « Il dit que la coque est presque plate et qu'il y a trop de voiles, trois en tout, une grande et deux petites à l'avant. Rien de tel pour dessaler.

— Parfait, déclara de Gier en sautant à bord. Comme ça je pourrai vous apprendre à border les focs.

— Il ajoute qu'il n'y a pas de moteur », dit la jeune fille. Elle n'en menait pas large sur la jetée.

« Il y a du vent, non ? Est-ce qu'on a besoin d'un moteur ? Montez à bord, Yuiko-san ! »

Dans le port le vent soufflait de plus en plus fort et l'homme arpentait la jetée nerveusement pendant que de Gier détachait les amarres. L'homme lui suggéra de diminuer la surface de la grand-voile mais de Gier haussa les épaules. « Dites-lui que tout va bien, répéta-t-il à la fille. Je lui ramènerai son bateau, s'il y a la moindre avarie il pourra garder la caution. »

Elle sortit de la voiture le panier qui contenait leur pique-nique tandis qu'il s'occupait des écoutes, de l'ancre et de la quille de dérive. Il se dit qu'il valait mieux ne pas contrarier l'homme et il se borna à border la grand-voile et le petit foc.

Lorsque Yuiko revint, il était sur le gaillard d'avant ; d'un coup de pied il éloigna le bateau du quai puis se mit à la barre. Yuiko avait revêtu un gilet de sauvetage jaune, il prit celui qu'elle lui apportait entre la barre et le bastingage. Le vent gonfla les voiles et ils quittèrent le port. Yuiko n'avait pas l'air très rassurée.

« Bloquez vos pieds contre la dérive », cria de Gier en donnant un peu de voile. Après qu'elle se fut remise de ses émotions, il borda le foc pour que le bateau reprenne de la vitesse. Le panier qui contenait le pique-nique avait glissé vers lui. Yuiko souriait nerveusement. Il ouvrit le panier.

« Où avez-vous mis votre arme ? demanda-t-il. Vous l'avez sur vous ? »

Elle ne répondit pas et il se mit à fouiller dans le panier. Elle avait glissé le pistolet entre des boîtes en plastique, sous des serviettes en papier. De la main gauche, la seule dont il disposait, il le sortit pour en extraire les balles qui étaient dans le chargeur. Une fois qu'il se fut assuré que le canon était vide, il lui tendit l'arme. Elle détourna la tête.

« Prenez-le, Yuiko-san, dit-il gentiment. C'est un bon pistolet, vous n'avez pas intérêt à le perdre. De nos jours un browning ça vaut au moins trois cents dollars. Je n'ai pas envie de le foutre à l'eau, mais aujourd'hui je ne tiens pas non plus à me faire tuer. »

Elle éclata en sanglots et il remit le pistolet dans le panier. Ils se déplaçaient à une telle vitesse qu'on ne distinguait même plus le port. Bientôt ils n'auraient plus aucun point de repère et il se dit qu'il serait alors difficile de revenir à bon port. Il se souvint de la carte maritime qui était dans un caisson sous la barre. Il la sortit ; des bouées y figuraient, elles étaient toutes de couleurs différentes et portaient un numéro. Il repéra la bouée qu'ils venaient de virer et attendit la suivante pour faire le point.

« Yuiko-san », dit-il doucement en lui touchant l'épaule. Elle se tourna pour lui faire face. Elle avait encore les yeux humides mais elle ne pleurait plus. « Ne soyez pas ridicule, lui déclara-t-il. Vous savez ce que je suis et je sais ce que vous êtes. Nous ne sommes pas du même côté ; en un sens, je suis un yakusa moi aussi, il se trouve simplement que je n'ai pas le même daimyo. Nos patrons ne sont pas en bons termes, donc nous sommes ennemis, et alors ? En ce moment même nous prenons le large à bord d'un bateau rapide sur un lac magnifique. Pourquoi ne vous décontractez-vous pas ? Il y a un bon repas dans ce panier, le daimyo ou l'homme qui préside aux destinées de votre bar ne manquera pas de vous donner de nouvelles cartouches pour votre pistolet. Vous n'avez rien à craindre, personne ne vous en voudra. Vous avez fait votre devoir, vous m'avez attiré sur le lac Biwa et je suis venu. Je suis stupide mais ça ne regarde que moi. Vous avez fait ce que vous aviez à faire, le reste ne vous regarde pas. »

Elle sourit en s'essuyant les yeux. « Vous n'êtes pas stupide. Je m'en suis rendu compte la première fois, quand je vous ai rencontré dans le bar. Vous jouez le jeu à votre façon et jusqu'à présent vous n'avez pas perdu. Il se trouve simplement que j'ai peur de l'eau. Je n'ai jamais aimé les bateaux. C'était l'idée du daimyo et je n'ai pas pu me dérober, mais pour moi c'est comme si j'étais en enfer. L'eau me terrorise.

— L'eau nous porte et nous empêche de sombrer. Ne vous rendez-vous pas compte que cet élément nous protège, comme l'enfant lorsqu'il est dans le ventre de sa mère ? »

Il tira sur les drisses et manœuvra la barre de façon à voguer au plus près, puis il invita Yuiko à s'asseoir à côté de lui pour faire du rappel. Le bateau gîtait dangereusement mais Yuiko semblait lui faire confiance désormais. Au bout d'un moment elle s'intéressa à la navigation et il entreprit de lui apprendre comment il fallait border un foc. Au bout d'une heure, elle faisait un « second » très acceptable.

Il tira un bord, forçant Yuiko à se baisser pour ne pas prendre un coup de baume dans la tête. Lorsqu'il répéta la manœuvre elle avait compris et se baissait systématiquement. Ils étaient à quelques milles du port mais ils ne s'étaient guère éloignés de la côte ; au bout d'un moment le vent se fit moins violent, il est vrai qu'ils étaient à l'abri de collines et de forêts.

« Quel est le programme ? demanda-t-il en lui tendant une cigarette et son briquet. Avez-vous une idée de l'endroit où l'on va nous attaquer sur le lac ? Est-ce que Kono est dans le coin ?

— Je n'en sais rien. On m'a dit d'aller faire de la voile avec vous mais rien de plus. Je ne suis pas très importante dans l'organisation.

— Vous pensez que le daimyo va encore nous jouer un de ses tours ?

— Ça se pourrait. C'est le gérant du Dragon d'Or qui m'a dit de vous emmener ici. Il n'avait pas l'air dans son assiette. Nous avons été ridiculisés. J'ai entendu des rumeurs dans le bar, ça vous concernait. Quelqu'un est venu nous voir pour nous prévenir que vous étiez venu acheter des objets d'art. Ils ne s'en sont pas fait outre mesure. Ils avaient déjà eu affaire à des gens comme vous, vous n'étiez pas les premiers et ils étaient sûrs de pouvoir vous terroriser facilement. Le daimyo était à Kyoto et il est passé au Dragon d'Or, c'est lui qui a pensé au masque. Il y a un sculpteur qui vient souvent dans la boîte — il boit beaucoup —, on a fait appel à ses services. Je suppose qu'on l'a emmené à votre auberge pour qu'il fasse un croquis de votre ami, le vieil homme, ensuite il a confectionné le masque.

— C'était bien fait, reconnut de Gier.

— Ça ne vous a pas arrêtés. On nous a raconté comment vous avez joué de la flûte. Quand ils ont vu la façon dont vous réagissiez, ils se sont dit que vous n'étiez peut-être pas des pleutres et ils ont fait appel à Kono. Il aime bien les armes à feu, il lui arrive même de tuer des gens parfois mais le daimyo désapprouve.

De Gier se tourna pour lui faire face. « Je n'aime pas Kono. Si mon patron s'était blessé à cause de lui, je m'en serais occupé personnellement. »

Elle haussa les épaules. « Ça n'aurait pas affecté Kono. Il adore les bagarres, les poursuites en voitures et les armes à feu. Il est très rétro ; chez lui il a tout un tas d'images de samouraïs et il n'ignore rien de leur légende. Bien qu'ils aient le même âge, le daimyo l'appelle " son petit garçon ". On m'a dit que quand il était rentré chez lui, Kono avait éclaté en sanglots.

— A cause de sa main ?

— Non, parce qu'il s'était fait ridiculiser, mais ce n'est peut-être pas un mauvais perdant. Il a déclaré que votre patron était quelqu'un de bien.

— Quel gâchis, remarqua de Gier, nous ne devrions pas nous affronter, rien que pour l'embêter. Pourtant en ce moment il ne doit pas être très loin, je suppose ; quant à savoir ce qu'il projette, ça m'échappe. Il veut peut-être que je me coupe les oreilles et que je les bouffe ? »

Elle éclata de rire. « Sûrement pas. Il se peut qu'il ait envie de vous tuer. Si jamais cela se produit il s'arrangera pour que ça ait l'air d'un accident, du moins je le pense.

— Merci de me l'avoir dit.

— Aujourd'hui, vous devriez faire un peu attention, déclara Yuiko en détournant les yeux et en faisant mine de s'intéresser au foc.

— Tendez-le bien, recommanda de Gier. Il y a un taquet là-bas, vous n'avez qu'à passer le filin une fois autour et comme ça, s'il y a trop de vent, vous pourrez le dégager facilement. J'espère que Kono se montrera. De toute façon je ne suis pas seul, Dorin est aussi sur le lac et je ne pense pas qu'il soit seul lui non plus. Nous ne sommes pas aussi stupides que nous en avons l'air. Je ne serais pas autrement surpris que Dorin ait une mitrailleuse ou un lance-grenades sur son bateau. L'affrontement tournera peut-être à la bataille rangée. Dorin est comme Kono ; il aime se battre et il fait les choses en grand.

— Dorin, fit-elle pensivement. Ce n'est pas un nom japonais. J'ai vu une photo de votre ami ; c'est l'un des nôtres qui l'a prise, près de l'auberge où vous êtes descendu. Il est japonais, sans aucun doute. Nous avons essayé d'en savoir plus long sur son compte mais nous n'avons rien trouvé. Ils disent qu'il parle avec l'accent de Tokyo et qu'il se comporte comme un nisei, un Japonais né à l'étranger. Qui est-ce ? »

De Gier fit un geste vague. « Je n'en ai aucune idée. Mon patron l'a recruté grâce à ses intermédiaires de Hong Kong. Je crois qu'il avait sa propre affaire mais que ça a mal tourné et alors il s'est mis au service des autres. Il est possible qu'il reste avec nous. Personnellement, j'aimerais bien continuer à travailler avec lui, il a beaucoup de qualités. Moi j'en ferais notre représentant permanent ici, mais je ne sais pas ce qu'en pense mon patron. Il ne m'en a pas encore parlé. »

Elle hocha la tête. « Il est certainement très capable ; il vous a mis en contact avec les gens qu'il fallait ici. Vous avez acheté beaucoup de marchandise. »

Trop occupé à regarder sa carte pour repérer les bouées, de Gier n'avait pas écouté. Elle répéta ce qu'elle venait de dire.

« C'est sûr, reconnut-il. Et ce sera facile à vendre quand nous serons rentrés, c'est du moins ce que prétend le patron. Je ne m'y connais pas en art, ce n'est pas mon rayon, moi je suis censé prendre soin du vieil homme.

— C'est pourquoi vous le laissez seul à l'auberge », lui reprocha-t-elle.

De Gier fit la grimace. « Je pense qu'il n'a rien à craindre. A l'heure qu'il est, il est probablement en train de mariner dans son bain. » Il regarda sa montre. « Il est temps de casser la croûte, Yuiko-san, vous avez une idée de l'endroit où on pourrait le faire ?

— On m'a dit de vous emmener dans l'île où il y a le torii orange. C'est peut-être l'île que nous apercevons là-bas, est-ce que je peux jeter un coup d'œil sur la carte, s'il vous plaît ? »

En lisant les noms, elle remuait les lèvres. « Ici, ça doit être l'île en question ; il y a une note dans la marge. Célèbre torii. Vous savez ce que c'est qu'un torii ?

— Non.

— C'est une porte, construite dans l'eau. Il y en a dans la plupart des lacs. L'île est une des merveilles de ce pays. J'ai lu des poèmes qui la décrivaient comme un véritable paradis. »

Il se pencha pour regarder la carte. « Oui, c'est bien l'île vers laquelle nous nous dirigeons. Alors, comme ça, le daimyo veut que nous y prenions notre repas ? Laissez aller le foc, nous sommes en plein milieu du lac et le vent va se faire plus violent. Qu'est-ce que le daimyo veut que nous fassions d'autre ?

— Aller voir le fameux Bouddha, dit-elle. Il m'a déclaré qu'il y avait un Bouddha assis sur un piédestal en pierre, juste devant une colline sur laquelle le Bouddha se manifestait de nouveau, je suppose qu'il s'agit également d'une statue. Nous pouvons escalader la colline si vous le désirez.

— Le daimyo, répéta de Gier. Je sais qu'il est astucieux, mais aujourd'hui je ne vois pas où il veut en venir. Il doit bien se douter que je ne vais pas me jeter dans la gueule du loup. N'est-il pas au courant de notre relation et de tout ce qui s'ensuit ?

— Comment ça, tout ce qui s'ensuit ?

— Eh bien, c'est un peu une idylle entre nous, non ?

— Il n'y a aucune idylle, répliqua-t-elle calmement. La première fois que nous nous sommes rencontrés, j'ai été malade, et la seconde fois vous n'avez rien voulu savoir. Quand vous êtes venu à l'hôpital, nous étions dérangés toutes les cinq minutes par les infirmières, elles voulaient savoir ce à quoi vous ressembliez.

— Vraiment ? s'étonna-t-il. Bon, mais maintenant le daimyo n'ignore plus que je sais que vous êtes une yakusa et qu'il se sert de vous pour me manipuler.

— Chigau, fit-elle d'un ton acerbe. Vous avez tort. Est-ce que vous savez ce qui se passe dans la tête du daimyo ? Il se doute probablement que vous êtes venu au bar dans un but bien précis, mais il se moque de vos intentions. C'est un grand joueur de Go. Le Go c'est comme vos échecs, en beaucoup plus compliqué, il est question de territoire. Il opère ses propres déplacements, vous faites de même. Je ne sais pas ce que vous allez trouver sur l'île mais vous n'aviez pas à enlever les balles de mon pistolet. J'ai toujours une arme sur moi mais je ne suis pas " un tueur ". D'ailleurs je vous ai déjà dit que le daimyo n'aimait pas que nous nous servions de pistolets. Il trouve que c'est trop lourd, il préfère que nous nous servions d'armes plus légères et plus intéressantes. »

Il fut estomaqué par la violence de sa sortie; devant une telle mauvaise foi il sentit croître en lui une fureur qu'il eut du mal à contenir. « Donnez de la voile, hurla-t-il. Votre boulot c'est de garder les yeux sur le foc et de veiller à ce qu'il ne soit pas trop tendu. Voyez la grand-voile, elle flotte alors que le foc est collé au mât. »

Soumise, elle inclina la tête et laissa filer le cordage entre ses mains.

« Comme ceci ?

— Ouais », cria-t-il. De nouveau elle baissa la tête. Il se sentit un peu stupide et le ton de sa voix se radoucit. « Voilà le bateau de pêche, celui que nous avons vu avant de quitter le port. Il a dû se diriger directement sur l'île pendant que nous tirions des bordées près de la côte. D'ailleurs je crois même qu'il en revient maintenant.

— Vous avez de bons yeux ? demanda-t-elle.

— Oui, pourquoi ?

— Moi j'ai besoin de lunettes. Je ne les porte que lorsque je suis seule. Pouvez-vous voir qui est dans le bateau ?

— Il y a un homme à la barre.

— Vous distinguez ses sourcils ?

— Non, répondit de Gier. Bien sûr que non. Je ne suis pas un aigle. Le bateau est trop loin. Le daimyo a des sourcils particuliers ?

— Ils sont touffus et très noirs. Il n'a pas beaucoup de cheveux sur le crâne, quelques mèches grises, mais ses sourcils sont noirs comme le jais. Je pense qu'il les trempe dans l'encre. » Elle gloussa.

De Gier mit la main en visière devant ses yeux et regarda plus attentivement. « Je ne peux rien distinguer, d'autant plus que le bateau a viré de bord et qu'il s'éloigne. Je dirais que l'homme à la barre est jeune. Est-ce que le daimyo a dit qu'il prendrait un bateau de pêche ? »

Elle secoua la tête en signe d'ignorance.

« J'aperçois le torii maintenant, déclara-t-il. Qu'est-ce qu'il fait là ? Deux grosses poutres et un toit en pente. Pourquoi les poutres sont-elles orange ? Je pensais que les Japonais n'aimaient pas utiliser de peinture lorsqu'ils pouvaient conserver la couleur naturelle des matériaux.

— C'est une décoration pour rendre hommage aux dieux de la mer. »

De Gier avait mis le cap sur une petite baie et le cotre naviguait au plus près. En passant devant le torii ils constatèrent que les poutres avaient au moins trente centimètres de diamètre.

— On avait construit la porte à environ huit cents mètres des côtes et le clapotement incessant des vagues venait lécher la peinture orange au point que, par endroits, le bois commençait à pourrir. Bien au-dessus de l'eau, le toit s'inclinait gracieusement, comme celui des temples de Kyoto. Une architecture bizarre pour honorer les dieux de la mer, songea de Gier. Je pourrais peut-être essayer de passer entre les deux poteaux. Ce serait une sorte d'acte de bravoure, le lac est dangereux et l'île difficilement abordable. Le daimyo connaît le lac et il l'utilise contre moi. Cela dit, moi je suis ici pour tenter d'identifier le daimyo et de l'amener à commettre une erreur pour l'arrêter et le traduire en justice. De Gier essaya de se mettre dans la peau du daimyo : il avait dû renoncer à les faire déguerpir du Japon et il ne voulait pas non plus les tuer. La mort de deux étrangers en territoire japonais l'aurait profondément embarrassé. Pourtant, le daimyo ne pouvait décemment pas laisser deux Hollandais lui tenir la dragée haute. Indubitablement, il était convaincu qu'ils appartenaient à une organisation qui s'occupait d'objets d'art volés et de trafic de drogue. Il n'avait aucun moyen de vérifier puisque ses deux émissaires étaient en taule en Hollande, à Amsterdam. Le seul contact qu'il puisse avoir avec cette organisation, c'était ce bateau sur lequel avait embarqué la ravissante Yuiko. Le daimyo avait deviné que de Gier voulait établir un contact lui aussi, autrement pourquoi serait-il allé au Dragon d'Or ? De Gier ne pouvait donc rien faire d'autre que de se rendre sur le terrain qu'avait choisi le daimyo.

Le sergent fit de nouveau le tour du torii. Oui, cela semblait tout à fait plausible, il ne voyait pas de faille dans son raisonnement. N'importe comment, si ça tournait à son désavantage, Dorin serait dans le coin. Après tout le daimyo pouvait très bien essayer de le tuer, en même temps qu'à Kyoto il ferait assassiner le commissaire. Il ne s'en faisait pas trop pour le vieil homme : Dorin avait envoyé deux des siens pour le protéger ; actuellement ils devaient se baigner dans la piscine avec lui et il y en avait sûrement d'autres à l'extérieur de l'établissement de bains. Entouré des commandos de Dorin, les Singes des Neiges, le commissaire n'avait rien à craindre. S'il devait arriver quelque chose ce serait lui, de Gier, la victime.

Le bateau de Dorin était toujours invisible ; il leur faudrait un certain temps pour entrer en contact. On avait fourni à de Gier un émetteur radio suffisamment petit pour qu'il pût le loger dans la poche de son blouson. En appuyant sur un bouton il alerterait Dorin et celui-ci ne tarderait pas à venir à la rescousse. Quelques minutes plus tôt, de Gier avait cru voir son bateau, une petite tache à l'horizon, ça devait être une vedette à moteur très rapide, ce qui ne l'empêchait pas d'être distante d'au moins une demi-heure ou une heure. Le bateau de pêche avait disparu ; il demanda à Yuiko de jeter l'ancre. Ils étaient assez près de l'île pour qu'en tirant sur l'amarre ils puissent aborder sur une plage sablonneuse. Yuiko et lui se tenaient sur le gaillard d'avant. Il remonta les jambes de son jean et sauta à l'eau, il en avait jusqu'aux genoux. Après que Yuiko eut amené la voile, il la prit dans ses bras et la transporta jusqu'à la terre ferme. En arrivant sur la plage il s'effondra sur le sable en l'embrassant. Elle se colla à lui en caressant ses cheveux.

« *Abunai yo,* murmura-t-elle. Ici c'est dangereux. »

Il sourit en regardant autour de lui. Ça ne semblait pas être particulièrement dangereux. Il retourna au bateau pour prendre le panier. Il avait la même impression que lorsqu'il était à Amsterdam, juste après l'accident : on l'avait bourré de drogues et de tranquillisants, et au bout de quelques jours il s'était réveillé chez le commissaire. Il avait alors longuement contemplé le couvre-lit que la femme de son supérieur avait replié. Tous ses sentiments se résumaient à trois mots : rien n'est important. Rien ne pouvait plus l'affecter. Rien n'est important, se répéta-t-il en posant le panier sur un rocher. Rien du tout. « J'étais comme un ballon, dit-il à voix haute. J'étais ballotté au gré des événements et je me figurais que j'avais une existence indépendante, une identité, jusqu'à ce qu'on me crève comme une baudruche. » Je suis dégonflé, songea-t-il amèrement en pensant aux hippies qui se précipitaient dans les commissariats pour raconter leurs flips d'acide, tout était prétendument différent pour eux, hormis la réalité bien entendu. Mais moi je n'ai pas flippé, se dit-il, j'ai simplement crevé. Quand on flippe on change de voie, mais quand on crève c'est définitif. Depuis qu'il avait contemplé ce couvre-lit, rien ne lui semblait tangible : ni le panier posé sur le rocher, ni son contenu. Le panier n'était rien d'autre que de la paille et son contenu des substances inertes, tout était mort. Il raisonnait froidement, comme si ses pensées lui étaient transmises par un téléscripteur. Je bouge, je parle et j'écoute. Je m'habille, me déshabille et me rase, je conduis une voiture de sport et j'emmène une fille sur l'eau ; je coucherai peut-être avec elle, et si le daimyo joue mieux que moi aux échecs, ce soir je serai un homme mort. Comme lui je rêve, aujourd'hui c'est la rencontre décisive et ça ne me fait rien. Je suis hors jeu.

Il sourit ; il ne se sentait pas mal du tout, il aurait voulu que ça dure. Soudain, en s'approchant du rocher pour prendre le panier, il s'arrêta ; il n'arrivait pas à se débarrasser complètement de son angoisse. Il lui restait encore à souffrir, un tout petit peu.

Il trébucha et se heurta le tibia contre une souche. Il sentit ses nerfs se contracter mais il n'éprouva aucune douleur. Yuiko le rejoignit et ils se dirigèrent vers la statue du Bouddha. Le ciel s'était dégagé et le soleil faisait une timide apparition. La fille courait devant lui, pieds nus sur le sable ; elle semblait avoir retrouvé toute l'innocence de l'enfance mais quand elle arriva devant la statue elle s'arrêta net et tomba à genoux en se voilant la face avec les mains. Le Bouddha en pierre était grandeur nature ; assis en position du lotus, il avait le dessus de la main droite placé dans la paume de la main gauche et il baissait ses grands yeux calmes et sereins sur le cadavre du chat qu'on y avait déposé. Non loin de la tête du chat, suspendu par un fil de nylon invisible, un oiseau mort tournait lentement. L'un de ses yeux était clos et l'autre démesurément ouvert, il semblait exprimer une terreur intense. Celui qui avait organisé cette macabre mise en scène avait pris son temps et il avait obtenu l'effet souhaité ; l'oiseau qui tournoyait représentait bien les ailes de la mort qui planait sur chaque être vivant.

Yuiko s'était affaissée en avant en pleurnichant. Les efforts du daimyo avaient été couronnés de succès, il s'était pourtant trompé d'animal pour représenter l'épouvante. De Gier ouvrit son canif et coupa le fil au bout duquel était attaché l'oiseau. Il prit ensuite les deux animaux, et après les avoir délicatement allongés derrière la statue, il les recouvrit de pierres et de galets. Il prit son temps, essayant d'y voir plus clair. Ainsi le daimyo avait modifié ses projets en cours de route. C'est lui qui avait manigancé la balade sur le lac, ordonnant à Yuiko d'y emmener le sergent. Après tout, il avait peut-être projeté de le tuer car il se pouvait fort bien que Kono fût dans le coin. Ce n'était pas la première fois que le daimyo faisait appel à lui, et lorsqu'on avait affaire à Kono, on pouvait s'attendre à quelque violente intimidation, avec un couteau par exemple. Mais voilà, les cadavres du chat et de l'oiseau indiquaient clairement que le daimyo s'était amusé à mettre en scène le Bouddha. Il suivait de Gier lorsque, avant d'arriver au lac Biwa, ce dernier avait remarqué les deux animaux. Le daimyo s'était forcément arrêté lui aussi quand le conducteur de travaux avait agité son drapeau, il avait alors aperçu les cadavres et les avait ramassés. Le daimyo s'était rendu directement au port tandis que de Gier et Yuiko s'égaraient, perdant une heure. Le daimyo avait donc suffisamment d'avance, d'autant que de Gier avait louvoyé le long des côtes avant de mettre le cap sur l'île. Toute cette mise en scène n'était que le résultat d'un concours de circonstances, rien n'avait été programmé. Tout cela voulait dire que le daimyo n'était pas tellement sûr de lui, il voulait voir les réactions de De Gier. Il ne savait pas s'il fallait détruire les forces adverses ou composer avec elles. Il avait d'abord essayé de tester l'adversaire pour éventuellement lui damer le pion. De Gier réprima un fou rire en recouvrant de sable les galets. Il commençait à penser comme le commissaire, finalement peut-être apprenait-il.

Il fit le tour de la statue et s'agenouilla près de Yuiko toujours effondrée sur le sol. Elle avait cessé de pleurnicher ; glissant son bras gauche sous ses genoux et le droit sous sa nuque, il la souleva délicatement en l'embrassant sur les joues. Il la porta dans ses bras jusqu'à un endroit d'où elle ne pouvait plus voir la statue.

« *Yoroshii,* fit-il. Tout va bien. Votre patron voulait me faire peur mais je n'ai rien vu d'autre qu'un chat et un oiseau morts. Vous aviez déjà vu l'oiseau bien avant, souvenez-vous, c'était cette hirondelle dont vous m'avez parlé. Ne vous en faites donc pas, ça n'avait rien à voir avec vous. Rappelez-vous que le daimyo est de votre côté. »

Elle esquissa un sourire en lui passant la main dans les cheveux.

« Je vais chercher le panier, déclara-t-il. Il est grand temps de casser la croûte. »

Lorsqu'il revint elle s'était quelque peu calmée, bien qu'en sortant du panier les sacs en plastique contenant le riz et les tranches de viande, elle eût des gestes d'automate. Elle lui tendit une enveloppe contenant ses baguettes. En déchirant le papier, de Gier ne put s'empêcher de jurer.

« Je vous demande pardon ? glapit Yuiko. Qu'est-ce que vous avez dit ?

— Foutues baguettes, murmura-t-il. Pourquoi ne les séparent-ils pas ? » Il en prit une paire et la lui montra. « Vous voyez ? A l'un des bouts elles ne sont pas séparées ; ils s'attendent à ce que vous le fassiez vous-même. Décidément, les fabricants sont de plus en plus feignants. C'est un peu comme si un confectionneur vous vendait une chemise avec deux cent quatre-vingt-quatre épingles pour la tenir en forme. Avant de pouvoir la mettre, il faut que vous restiez dix minutes assis, et si vous avez le malheur d'oublier une épingle, vous vous égratignez. »

Elle eut un sourire fatigué. « Les baguettes sont toujours sous cette forme-là, celles qui sont bon marché bien entendu. Elles sont faites dans d'énormes machines, une fois j'en ai vu une, quand j'étais encore à l'école on nous faisait faire des visites guidées. Moi ça ne me dérange pas de les séparer, mais je suis navrée que cela vous pose un problème. Ils devraient peut-être les emballer différemment pour les étrangers.

— Ne vous en faites pas, répliqua-t-il d'un ton bourru. Vous n'êtes pour rien dans la façon dont ils emballent les baguettes. Après tout il se peut très bien que le daimyo m'ait rendu nerveux à cause de cet oiseau mort. Je suis persuadé qu'il n'est pas très loin : peut-être derrière ce rocher là-bas, ou dans cet arbre. Apercevez-vous un daimyo dans l'arbre ? »

Elle secoua la tête avec véhémence. « Non, dit-elle. Je ne vois pas de daimyo dans l'arbre. » Elle avait levé la tête et elle pleurait ; il était difficile de savoir si c'était de joie ou de tristesse. Il la prit dans ses bras. « Vous êtes fou, fit-elle entre deux hoquets. J'espère qu'il ne vous arrivera rien. Ils n'auraient jamais dû me choisir pour cette mission. Au Dragon d'Or, il y a d'autres filles qui parlent anglais. Moi, je suis trop sentimentale, et vous, vous ne prenez rien au sérieux. Apercevez-vous un daimyo dans l'arbre ! Il est vieux, il ne peux pas grimper aux arbres, en outre il a trop de pression artérielle. L'année derrière il a eu une attaque, ce n'était pas très grave mais il a dû rester à l'hôpital pendant quelque temps. »

Puis ils mangèrent et il se régala. Il lui demanda la recette de ce qu'elle avait préparé. La thermos était pleine de café et, en le dégustant, ils oublièrent peu à peu ce qui les avait amenés sur l'île. De Gier s'allongea sur le dos et elle lui alluma une cigarette avant de se blottir dans ses bras. Il sentit un frisson de plaisir la parcourir et il déboutonna son chemisier pour lui tripoter les seins. Il se moquait pas mal de l'air comprimé qu'on avait dû insuffler pour les faire tenir, il en avait plein les mains et ça lui suffisait. Elle se libéra de son étreinte, se leva et, lui prenant la main, elle l'entraîna dans une caverne proche. Elle se déshabilla et l'aida à se débarrasser de ses vêtements. Le sol de la caverne était couvert de mousse et d'aiguilles de pin ; en lui faisant l'amour il pouvait apercevoir le lac à travers un rideau de fougères qui ondulait légèrement. Il avait pris la précaution de garder son pistolet à portée de la main, il avait eu le sentiment fugitif que le daimyo pouvait être là pour le tuer. Il ne put s'empêcher de penser que, si tel était le cas, il pouvait très bien recevoir une balle dans la nuque au moment où il prendrait son pied.

En entrant il avait bien regardé la cave et il avait estimé qu'il n'y avait pratiquement aucune possibilité d'attaque, sauf peut-être par une petite fente en haut, mais c'était bien improbable car elle était masquée par les basses branches d'un cèdre. Il faudrait alors que le daimyo soit dans l'arbre pour lui tirer dessus ou balancer une grenade. Il grimaça en songeant au vieil homme à la trogne rougeaude et aux épais sourcils noirs comme de l'encre. Inconfortablement assis sur une branche, il attendrait le moment propice pour dégoupiller sa grenade. Il essaierait de combiner la mort et l'orgasme, ça ne faisait aucun doute, le daimyo était un comique. Il sentit dans son dos les mains de Yuiko. Ses bras seraient déchiquetés par l'explosion. Différentes images particulièrement horribles défilèrent dans son esprit, ça ne l'empêchait pas d'exécuter convenablement son va-et-vient amoureux. Pourtant ce n'était pas complètement mécanique, les fougères, la mousse et les aiguilles de pin affinaient le plaisir, la nature semblait fusionner avec le corps de Yuiko. Lorsqu'elle se mit à haleter, tout se mélangea dans sa tête : le cadavre du chat et celui de l'oiseau, les mains du Bouddha et les sourcils du vieil homme. Quand le moment arriva, il se laissa aller en poussant un grognement.

24

Tandis qu'il se rhabillait, elle remarqua une bosse dans la poche droite de sa veste. « Une autre arme ? s'enquit-elle. Vous en avez déjà une sous l'aisselle, ça ne vous suffit pas ?

— C'est un émetteur radio, expliqua-t-il en lui montrant le petit gadget. Vous voyez ce bouton ? Si j'appuie dessus, Dorin doit se manifester d'une façon ou d'une autre, mais ça peut prendre du temps. En attendant je suis seul, le daimyo a bien choisi son terrain. »

Elle haussa les épaules. « Ce n'est pas sûr, répliqua-t-elle. Si le daimyo est sur le bateau de pêche ou sur l'île, il n'a pas plus d'un homme pour le protéger. Ce qui fait que vous pouvez très bien le tuer et, en admettant qu'il fasse appel au bateau de Kono, Dorin serait là pour l'intercepter. »

D'un hochement de tête de Gier acquiesça. « Admettons, et alors ?

— Alors, moi non plus je ne sais pas ce que le daimyo est en train de manigancer ; d'ailleurs maintenant je ne m'en fais plus. Je crois que tout se passera bien, il essaie peut-être d'établir un contact amical.

— En me montrant un oiseau mort à l'œil exorbité qui tournait au bout d'un fil en nylon devant un chat qui était également mort ? »

De nouveau elle haussa les épaules. « Ils étaient entre les mains du Bouddha, qui ne représente pas le mal. Je pense franchement que le Daimyo veut que vous soyez amis. C'est un personnage très étrange bien que par moments il soit quelque peu excentrique. Vous avez tout de même pu constater qu'il a une ligne de conduite et qu'il s'y tient. Le gérant du Dragon d'Or m'en a parlé un jour, et il le connaît bien puisqu'il était dans l'aviation avec lui pendant la guerre. Le daimyo était un kamikaze. »

Ils étaient sortis de la caverne et ils se promenaient sur l'île en suivant un chemin qui serpentait entre les rochers. Il s'arrêta et elle vint buter contre lui. « Désolé, dit-il, mais je n'ai pas compris. Les pilotes kamikazes mouraient après s'être jetés sur leur cible, non ? On m'a toujours dit qu'ils explosaient en même temps que leur objectif, or il se trouve que le daimyo est toujours en vie. »

Elle éclata de rire en s'asseyant sur un banc. De là où ils étaient la vue sur le lac était splendide et de Gier s'assit auprès d'elle en poussant un soupir de plaisir. « C'est magnifique, remarqua-t-il, et tellement tranquille. Même le vent ne peut pas nous atteindre là où nous sommes. »

Elle lui prit la main pour lui expliquer que jadis l'île appartenait à l'empereur et que le gouvernement se faisait un devoir de l'entretenir ; une fois par semaine des jardiniers venaient désherber, couper les branches mortes, élaguer les arbres, arroser la mousse et le lichen et laver les rochers pour en conserver le poli. On n'avait jamais autorisé la moindre construction sur l'île et les empereurs profitaient des plages et de la colline comme eux-mêmes le faisaient en ce moment ; ils avaient peut-être fait l'amour et pique-niqué comme eux. On avait érigé les deux statues du Bouddha pour sanctifier l'île et éviter qu'elle ne fût profanée.

« Deux statues ? » s'étonna de Gier. « Vous allez bientôt voir l'autre, répliqua-t-elle. D'après ce qu'il y avait écrit sur la carte, elle devrait être au sommet de cette colline. Vous voulez toujours savoir ce qu'il en est du daimyo ?

— Absolument. »

Elle gloussa. « C'est une histoire assez marrante, en fait. Les pilotes kamikazes étaient totalement dévoués à l'empereur, ils mouraient pour lui, c'était même un grand honneur d'avoir le droit de se sacrifier car, vous ne l'ignorez pas, en tuant l'ennemi, les pilotes se suicidaient du même coup ; ceux qu'on choisissait recevaient une lettre signée de l'empereur, et avant de monter dans leur avion se déroulait une grande cérémonie. Le daimyo était alors un jeune homme, je crois qu'il n'avait pas encore trente ans, il s'est avancé vers l'officier supérieur qui commandait l'escadron. Il avait son uniforme de gala et un bandeau de coton blanc autour de la tête en signe de bravoure. L'officier supérieur lui avait dit quelques mots en s'inclinant, le daimyo s'était courbé à son tour, puis il était rentré dans le rang où attendaient les autres pilotes, au garde-à-vous. L'officier supérieur avait alors versé le saké, un saké tout a fait spécial puisque c'était l'empereur qui l'avait envoyé de Tokyo, il y avait son sceau sur l'étiquette, en rouge. On en donnait à chacun des pilotes une grande tasse mais la plupart d'entre eux ne la buvait pas, se jugeant indignes de tremper les lèvres dans une liqueur aussi sacrée. Et c'est le daimyo qui les but, toutes, l'une après l'autre. Il faut dire qu'il aime bien boire ; encore maintenant il lui arrive de prendre de sérieuses cuites, bien que le docteur lui interdise l'alcool. Bien entendu il ne le raconte pas au spécialiste cardiaque qu'il va consulter à Kobé, mais à nous, il nous dit souvent que le saké lui a sauvé la vie et qu'il ne l'oubliera jamais. S'il doit en mourir, tant pis. D'ailleurs ça ne semble pas être le cas puisqu'il est toujours en vie.

— Alors comme ça il s'est soûlé avec la liqueur sacrée, hein ? demanda de Gier en grimaçant.

— Exactement. Ensuite il s'est dirigé vers son avion en titubant, il y est monté et il a même réussi à décoller, l'ennui c'est qu'il n'a jamais pu trouver la mer. Il a tourné dans le ciel un long moment, et quand il n'a plus eu d'essence il est rentré à la base. Ça a vraiment jeté un froid car tous les autres pilotes étaient morts en attaquant la flotte américaine et lui, on a dû le coucher tellement il était soûl. Il serait probablement passé en cours martiale si le Japon n'avait pas capitulé quelques jours plus tard. A ce moment-là les gens n'en avaient plus rien à faire, l'empereur était un homme comme les autres, un homme charmant du reste, s'intéressant à la flore sous-marine. Même moi j'ai vu l'empereur, de très près, j'aurais pu le toucher, ça m'a fait un choc et j'ai pleuré parce que je me suis rendu compte que c'était un homme tout à fait ordinaire et non pas un dieu. Le daimyo l'avait toujours su, lui, c'est pourquoi il a refusé de mourir quand on lui en a donné l'ordre. Il dit qu'il préfère choisir lui-même l'heure et l'endroit de sa mort. »

De Gier avait le regard perdu dans le vague lorsqu'elle termina son récit.

« Oui, reconnut-il. C'est une belle histoire, qu'elle soit vraie ou fausse. On dirait que votre patron est à la fois original et courageux. Je souhaite sincèrement qu'il veuille vraiment que nous devenions amis. J'aimerais bien travailler avec lui.

— Quelles sont vos occupations dans votre pays ? demanda-t-elle. Vous vendez aussi de la drogue et des marchandises volées ? Vous possédez des restaurants et des bars ?

— Oui, c'est ça. Bien entendu, nos affaires ne sont pas aussi importantes que celles du daimyo ici, mais en gros ça revient au même, je suppose.

— Je n'aime pas le trafic de drogue, déclara-t-elle en se rapprochant de lui. Ici ce n'est pas encore trop dramatique mais j'en ai vu les effets à Tokyo. Tokyo est en dehors de notre territoire et il y a des tas de camés là-bas, des gens désespérément tristes. Je sais qu'il arrive au daimyo de vendre de l'héroïne et de la cocaïne. Au Dragon d'Or aussi on vend des drogues dures, mais il faut qu'on les demande, ce n'est pas nous qui les proposons.

— Évidemment, admit de Gier; mais c'est un commerce qui est très rentable. Si ce n'est pas vous qui vendez la came, quelqu'un d'autre s'en chargera. Allons jeter un coup d'œil sur cette statue. »

Ils prirent le sentier qui menait au sommet de la colline et en chemin elle lui montra à quel point la mousse était bien entretenue. Plus loin on avait enlevé la moindre branche morte de l'épais tapis d'aiguilles de pin, enfin on avait parsemé les flancs de la colline de rochers amenés à la main dans des cadres en bois. Et pourtant, bien que l'homme ait agencé la majeure partie de l'île, tout semblait étrangement naturel en ce lieu calme et serein.

Ils furent bientôt devant la statue, ou plutôt devant un sanctuaire vide; il n'y avait qu'un toit de pierre en pente reposant sur d'étroits piliers.

« N'aviez-vous pas dit qu'il y avait une statue du Bouddha ici? s'étonna de Gier en reculant de quelques pas pour mieux voir l'édifice. Quelqu'un aurait-il enlevé le Bouddha?

— C'est *ça* le Bouddha, expliqua-t-elle. Il a de nombreuses incarnations, c'en est une. »

De Gier se tourna pour regarder le Bouddha qui était au pied de la colline.

« Alors qu'est-ce que ça représente, demanda-t-il en désignant la pagode, l'esprit du Bouddha?

— Quand j'étais à l'école d'interprétariat, j'ai suivi un cours sur la religion, dit-elle. Le professeur nous a expliqué que l'esprit du Bouddha était transcendant.

— Qu'est-ce que ça signifie?

— Je n'en ai pas la moindre idée. »

Il la prit par le bras pour redescendre sur la plage. « Une interprète gagne beaucoup d'argent, déclara-t-il au bout d'un moment. Pourquoi n'avez-vous pas exercé votre profession? Le Japon a un commerce extérieur très important; vous auriez certainement pu trouver du travail.

— J'en *ai* un, bien payé. Ma famille avait une dette envers le daimyo et ils n'ont pas pu refuser quand il a jeté son dévolu sur moi.

Cela dit, les temps ont changé et j'aurais peut-être pu me dérober. Si j'avais manœuvré suffisamment habilement ma mère aurait probablement pu rompre son engagement, mais je ne suis pas sûre que j'y tenais. Je ne suis pas sans arrêt au Dragon d'Or, le daimyo me confie parfois des missions intéressantes.

— Vous aimez celle-ci ? demanda-t-il.

— C'est elle que je préfère, jusqu'à présent », avoua-t-elle.

Ils étaient arrivés sur la plage et elle ramassa le panier. « Il faut nettoyer, dit-elle. J'ai emballé les assiettes, les gobelets et les baguettes mais nous avons peut-être laissé des mégots. »

Ils les trouvèrent tous et de Gier ramassa même le mégot d'une cigarette à bout filtre. Il le lui montra.

« Oui, fit-elle, le daimyo est venu ici. Nous le savions déjà. » Elle désigna le Bouddha.

« Effectivement, répondit-il. Et il est reparti. Regardez, voilà le bateau de pêche, maintenant il y a deux hommes à bord. Il a dû accoster de l'autre côté de l'île, de façon que nous ne puissions pas le voir lorsque nous étions au sommet de la colline. Pourquoi ne nous a-t-il pas attendus ? »

Elle haussa les épaules.

Quand ils furent remontés sur le cotre, ils aperçurent une vedette à moteur au loin. De Gier crut reconnaître Dorin à la barre, il y avait deux autres hommes avec lui. Le bateau de pêche avait presque disparu mais le cotre était plus rapide. « Pour une fois, c'est moi qui vais prendre l'initiative, déclara de Gier. Je veux voir le daimyo et je veux le voir maintenant, c'est moi qui choisis, pas lui. Maintenant écoutez bien. »

Elle regardait l'écume autour du cotre et ses yeux reflétèrent une intense frayeur ; il continua néanmoins de parler.

« C'est extrêmement simple, Yuiko, il ne peut rien nous arriver. Nous allons poursuivre leur bateau, et quand nous serons suffisamment près je sauterai dessus. Vous resterez seule à bord mais tant que vous ne ferez rien vous serez en sécurité. Rappelez-vous seulement qu'en aucun cas il ne faut que vous tentiez quelque chose. Ne vous occupez ni des voiles ni de la barre. La quille de ce cotre est bien équilibrée, et si vous ne faites rien le bateau dérivera doucement et les voiles claqueront, un point c'est tout. Il faut simplement que vous gardiez la tête baissée, sinon vous risqueriez de vous faire assommer par la baume. De toute façon, vous ne serez pas seule longtemps ; il y a un autre homme dans le bateau de pêche, j'essaierai de vous l'envoyer et, s'il refuse, je reviendrai immédiatement. D'accord ?

— Non, répondit-elle. Le bateau va chavirer.

— Jamais de la vie », assura de Gier en tirant la barre vers lui pour prendre le vent au plus près. Il avait mis le cap sur le bateau de pêche qui n'était plus qu'à huit cents mètres. Il dit à Yuiko de laisser aller un peu le foc et de fixer l'amure à l'aide d'une manille ; lui-même donna la grand-voile de façon qu'ils prennent le vent par bâbord. Le cotre prit rapidement de la vitesse et il releva la dérive afin de diminuer la surface portante. Ils semblaient planer sur l'eau et Yuiko poussait des cris d'angoisse en sentant la coque vibrer sous ses pieds.

De Gier lui tapota le dos et il eut un sourire rassurant. « Tout va bien, le fond du bateau tiendra. En ce moment nous glissons sur le lac, vous voyez, et ce que vous sentez ce sont les vaguelettes qui tapent contre la coque. » Ils laissaient derrière eux un long sillage d'écume ; dans la main du sergent la barre tremblait et les voiles étaient tendues à se rompre. Le cotre se mit à gîter et le mât s'inclina d'une façon absurde, le bateau allait de plus en plus vite. Au fur et à mesure qu'ils s'approchaient du bateau de pêche, de Gier pouvait voir qu'il y régnait une grande nervosité ; les deux hommes étaient sur le pont et ils agitaient frénétiquement les bras en criant quelque chose, la bouche en cul de poule. Lorsque la proue du cotre fut sur le point de toucher l'arrière du bateau de pêche, de Gier poussa la barre et remit la dérive avant de plonger sous la baume. Au moment où le cotre effleurait l'autre embarcation, il sauta par-dessus le bastingage. Malgré la rapidité de l'action, le plus jeune des deux hommes ne perdit pas son sang-froid, il sortit de la poche de son ciré jaune un long couteau, attendant de Gier de pied ferme. Avant de bondir du cotre, de Gier avait saisi son pistolet mais il ne lui vint pas à l'idée de s'en servir ; emporté par son élan, il frappa l'homme de plein fouet, lui bloqua le poignet et lui décocha un direct au menton, l'homme vacilla et se rattrapa au bastingage. Laissant tomber son pistolet, de Gier lui empoigna la jambe gauche et le fit passer par-dessus bord. Il ne s'attarda pas à le regarder toucher la surface de l'eau car il avait encore à s'occuper du daimyo. Mais lorsqu'il se releva, le pistolet à la main, le daimyo était tranquillement assis sur un petit banc à côté de la cabine. Il n'y avait plus personne pour s'occuper du bateau de pêche, la grand-voile claquait dangereusement et le gouvernail s'affolait. De Gier se précipita sur la barre tout en ayant soin de tenir en joue le daimyo. Il refit prendre le vent au bateau, bloqua la barre et attacha l'amarre de la voile à un taquet. Le moteur tournait au ralenti et le vent tombait, il baissa un levier pour donner un peu de gaz et le bateau s'éloigna de la côte vers laquelle il avait dérivé.

Le daimyo n'avait pas esquissé le moindre geste, de Gier rangea son pistolet. Il pouvait voir le cotre qui luttait contre le vent ; l'homme qui était tombé à l'eau l'avait presque atteint et, penchée par-dessus bord, Yuiko l'attendait pour l'aider à monter.

« Parfait », cria de Gier.

Le daimyo le regardait fixement et, lorsque de Gier se retourna, il le salua en inclinant légèrement la tête et les épaules. De Gier s'inclina à son tour en esquissant le sourire froid que réservaient les Japonais aux étrangers lorsqu'ils parlaient affaires.

Le daimyo tapota la poche de sa veste de cuir. « Arme, dit-il. Vous voulez arme ? »

De Gier hésita. Il devrait le soulager de son revolver, bien entendu, d'ailleurs il n'aurait pas dû ranger le sien. Il pourrait toujours atteindre son adversaire avant que le vieil homme n'ait eu le temps de dégainer, mais il fallait aussi qu'il s'occupe du bateau, qu'il garde le cap et ça ne manquerait pas de le distraire. Laisser un revolver dans les mains du daimyo c'était évidemment risqué, pourtant il secoua la tête en souriant, chaleureusement cette fois-ci. « Non, gardez l'arme.

— *Abunai,* s'écria le daimyo. Dangereux. » Il souriait et ses sourcils noirs comme de l'encre de Chine lui conféraient un aspect démoniaque ; n'eût été son visage couperosé qui tirait sur le violet, on aurait dit le masque de Fu-Man-Chu. De Gier estima qu'il avait près de soixante-dix ans, ce qui ne l'empêchait pas d'avoir encore l'air très énergique. Lourdement assis sur le petit banc, les jambes écartées, il bombait la poitrine.

« Vous parlez anglais ? demanda de Gier.

— Petit peu. Quelques mots. » Le daimyo se tourna en montrant du doigt le cotre. Le jeune homme sauvé des eaux s'était mis à la barre et Yuiko et lui ne tarderaient pas à dépasser le bateau de pêche.

« Yuiko-san, poursuivit le daimyo. Elle a beaucoup de mots. Prenons-la, non ?

— Certainement. »

De Gier mit le moteur au point mort et amena la voile pour que le cotre les rattrape.

Le daimyo hocha la tête, il n'avait pas cessé de sourire. De Gier ne put s'empêcher de faire la grimace. Le daimyo lui faisait penser à une grosse divinité chinoise qu'il avait vue dans un des restaurants bon marché d'Amsterdam où il avait coutume de prendre ses repas. En mangeant ses nouilles frites ou son porc sucré, de Gier regardait la peinture sur soie, la divinité semblait bienveillante et quelque peu innocente. Mais en y regardant de plus près, elle exprimait davantage l'hypocrisie et l'indifférence. Une indifférence intérieure que de Gier avait failli percer au cours de ses balades le long des canaux d'Amsterdam, sans y arriver. Maintenant qu'il avait la divinité devant lui, en chair et en os, il y parviendrait peut-être.

25

En montant à bord du bateau de pêche, Yuiko avait l'air beaucoup plus rassurée, il est vrai qu'elle venait de subir une rude épreuve ; peu de temps après, la vedette de Dorin les arraisonnait. Depuis un moment de Gier regardait l'entrave du bateau fendre la surface de l'eau, on aurait dit une mer d'huile, le vent était tombé. A bord de la vedette, il y avait trois hommes armés de mitraillettes Uzzi, des engins sophistiqués à canon court. De Gier fut extrêmement surpris de voir le commissaire entre Dorin et l'homme qui était à la barre. Le commissaire adressa un clin d'œil au sergent.

« A vos postes de combat, cria le commissaire en hollandais. Il ne vous pose pas de problèmes, si ?

— Non, monsieur.

— Bien, autrement je lui trufferai la tête de plomb. »

Le commissaire arborait une casquette de marin dont l'étincelante visière noire était ornée d'une ancre dorée. La casquette était rejetée en arrière et l'on pouvait voir ses cheveux soigneusement séparés par une raie bien droite. Il était debout, les jambes écartées, et il tenait sa mitraillette à la hauteur de la hanche. Bien qu'il se voulût agressif, il avait surtout l'air complètement ridicule, on aurait dit un gangster sorti d'un film noir de série B des années cinquante-cinq. De Gier respira profondément pour éviter le fou rire, ce n'était pas le moment de se marrer.

« Où avez-vous trouvé ce bateau, monsieur ? demanda-t-il en élevant la voix. Je croyais que vous passeriez la journée dans l'établissement de bains ?

— Dorin l'a loué à Otsu, une petite ville qui est un peu plus loin sur la côte. Nous avons passé la journée sur l'eau. Est-ce que votre prisonnier est bien notre homme ?

— Oui. »

Yuiko tira de Gier par la manche et celui-ci se retourna.

« Le daimyo désire vous parler et il veut que je serve d'interprète ; êtes-vous prêt ? »

Il fit face au daimyo en écartant les bras pour lui montrer que Yuiko et lui étaient à sa disposition. « Allez-y.

— Il veut savoir si votre patron désire venir à bord, ainsi que Dorin-san. »

Le commissaire avait entendu ; il enjamba le plat-bord de la vedette avec précaution et se retrouva sur le bateau de pêche. Dorin le suivit. Le daimyo se poussa pour que le commissaire pût s'asseoir sur le banc et Dorin se plaça près de la barre ; il avait toujours sa mitraillette à la main mais il en avait baissé le canon vers le pont.

« Qui est le troisième homme ? demanda Yuiko.

— C'est un des miens », répliqua sèchement Dorin.

Le jeune homme en question amarra les deux bateaux.

Le cotre naviguait à côté, barré par l'homme du daimyo, qui lui fit signe pour indiquer que tout allait bien. Il détailla ensuite ses interlocuteurs avant de commencer à parler. Yuiko traduisait phrase par phrase. Elle laissa tomber le discours indirect.

« J'attendais cette rencontre, messieurs, dit le daimyo en fronçant ses épais sourcils comme pour accentuer le poids de ses mots ; et elle se produit juste à temps, exactement comme je l'avais prévu, à quelques détails près. »

Le commissaire écoutait attentivement. De son côté, l'homme sur la vedette était sur le qui-vive ; il était grand, les cheveux coupés en brosse. Il avait posé sa mitraillette mais il n'avait qu'à tendre le bras pour la saisir.

« Cela dit, nous ne pouvons tout prévoir, reprit le daimyo ; nous étions assez bien renseignés et pourtant quelque chose nous a échappé, c'est ce qu'on appelle un accident du hasard. Je dois d'ailleurs admettre que vous vous êtes très bien comportés lors de nos différentes " attaques ". » Il s'inclina. Dorin fit de même. Le commissaire et de Gier s'inclinèrent à leur tour, pas très spontanément, ils ne croyaient pas tellement à la bonne foi du daimyo.

Le Japonais gloussa et il entra dans la petite cabine du bateau de pêche. Peu de temps après il en ressortit, tenant à la main un micro. « Je reste en contact, comme vous pouvez le voir. Ce matin même, j'ai parlé au gérant du Dragon d'Or ; comme vous le savez, ce bar est notre boîte postale. Il m'a raconté que les mouches que nous avions essaimées dans la chambre de Dorin-san étaient revenues. C'était très bien joué. Ordinairement, il est fort difficile de pénétrer dans le bar, surtout quand il est fermé, et le gérant n'arrive pas à comprendre comment vous vous êtes débrouillés pour rentrer et mettre toutes ces mouches, il n'y en avait pas que dans le bar, il y en avait aussi dans plusieurs chambres en haut. Félicitations, c'était un exploit.

— Excusez-moi, interrompit le commissaire, les mouches, dites-vous, il se trouve qu'on a laissé un message à Dorin faisant allusion à l'époque où les Hollandais étaient dans l'île de Deshima. Le message disait : " Quand les Hollandais se rendent en Extrême-Orient, les mouches les accompagnent. " »

Yuiko traduisit et le daimyo aquiesça d'un hochement de tête.

« Il ne fait aucun doute que le message se référait aux mouches que Dorin a trouvées dans sa chambre à l'auberge. »

Le daimyo acquiesça de la même façon.

« Tout cela pour dire que ce message m'intrigue, poursuivit le commissaire. La calligraphie était japonaise et chinoise, or on nous a dit que celui qui en avait tracé les caractères était un étranger, un Occidental à première vue. Qui a écrit le message ? Vous employez un gaijin dans votre organisation ?

— Le message ! » s'exclama le daimyo en riant. Autour de ses yeux, les rides se creusèrent et son nez bourgeonnant se plissa. « Figurez-vous que ce message a été écrit par votre ambassadeur à Tokyo. J'ai fait sa connaissance il y a bien des années, lors d'une réception où les geishas tenaient la vedette. Nous avons beaucoup bu. A cette occasion des hommes d'affaires et des personnalités se réunissaient pour discuter des problèmes du commerce extérieur japonais. J'ignore comment je me suis retrouvé là-bas, probablement parce que j'étais directeur général de plusieurs sociétés qui avaient des intérêts en Occident, à moins qu'un ami ne m'y ait amené, je ne me souviens plus. Toujours est-il que c'est là que j'ai rencontré votre ambassadeur, un homme très grand. » Il se leva en écartant les bras, puis il bomba le torse et rejeta la tête en arrière, l'imitation était parfaite. Le commissaire dut admettre que le daimyo avait effectivement rencontré l'ambassadeur, tout y était, même le mouvement des mains. « Il parle bien le japonais, continua le daimyo ; de plus, il connaît notre Histoire. J'avoue qu'il m'a appris des tas de choses, notamment sur Deshima. Il connaissait également la calligraphie japonaise et c'est lui qui a écrit cette citation, il me l'a donnée et je l'ai gardée. Le message qu'a reçu Dorin-san était une copie faite par un de nos hommes.

— Ainsi, c'était écrit par un Japonais, remarqua Dorin. Alors, je me suis trompé.

— C'était une copie, corrigea le daimyo. Une bonne copie, mais les signes originaux avaient été tracés par un gaijin, ce qui fait que vous aviez raison, à quatre-vingt-dix-huit pour cent. »

Le daimyo ferma les yeux, mais quand il les rouvrit pour reprendre la parole il fut de nouveau interrompu, par de Gier cette fois.

« Monsieur, le micro que vous venez de nous montrer est bien relié à une radio, non ?

— Effectivement.

— Ce qui fait que vous auriez pu demander du secours si nous nous étions vraiment affrontés.

— Nous nous affrontons, répliqua le daimyo. Vous êtes plus nombreux. Si l'on compte Yuiko-san, nous ne sommes que trois, et mon assistant est sur votre cotre, il ne peut donc pas être d'une grande utilité. Vous, vous êtes quatre, il semble que vous me teniez.

— Je me demandais simplement, se justifia de Gier. Vous croyez vraiment que vous êtes en notre pouvoir ? »

Le daimyo appuya sur le bouton de son magnétophone et parla avec volubilité. Avant même qu'il eût fini, ils purent entendre le vombrissement d'un avion. Peu après, un bimoteur apparut, il décrivit un large cercle dans le ciel et il ne lui fallut que quelques secondes pour repérer les trois bateaux. Il piqua sur sa cible, prêt à effectuer un rase-motte ; le daimyo parla de nouveau dans le micro et l'avion s'éloigna.

« Il y a aussi un autre bateau, déclara le daimyo. Le capitaine est l'un des nôtres et les membres de l'équipage peuvent se transformer en soldats, il suffit que Kono leur en donne l'ordre. Vous avez rencontré Kono-san, ajouta-t-il en regardant le commissaire, dans le restaurant où vous mangiez le poisson que vous aviez pêché. Est-ce que j'appelle le bateau ?

— Je vous en prie, répliqua le commissaire. Comment va la main de Kono-san ? »

Une fois de plus le daimyo pressa le bouton de son micro, il aboya dedans plutôt qu'il ne parla. L'homme qui tenait la barre de la vedette de Dorin saisit sa mitraillette, de Gier et Dorin bandèrent leurs muscles, prêts à passer à l'action. Au fur et à mesure que le jour baissait, le vent était tombé ; le silence qui régnait sur le lac fut brusquement rompu par le bruit d'un puissant moteur diesel.

Le daimyo reprit son micro et le bruit cessa aussitôt.

« Ils ont coupé leur moteur mais ça ne les empêche pas d'être là. Il est possible que leur armement soit supérieur au vôtre. Ils sont douze et il y a une mitrailleuse sur la vedette ; en outre, l'avion est également équipé d'armes automatiques. Cela dit, nous ne pouvons pas engager les hostilités, je suis votre otage. Les jeux sont faits.

— Vraiment, ironisa le commissaire. Vous ne m'avez pas répondu, comment va la main de Kono-san ?

— La blessure se cicatrise, mais lui a perdu l'appétit. Le médecin l'a mis à la pénicilline, ça risquait de s'infecter, paraît-il.

— Je suis désolé, dit le commissaire.

— Vous n'avez aucune raison de l'être. Kono ne plaisantait pas quand il a essayé de vous forcer à planter le couteau dans votre main. Il agissait selon mes directives, donc, si quelqu'un doit être désolé, c'est moi. J'essayais de vous effrayer pour vous faire partir, je ne lui avais pas ordonné de vous tuer, nous ne faisons ça qu'en dernier recours et je n'étais pas prêt à le faire.

— Et maintenant, vous l'êtes ?

— Non, répondit le daimyo en souriant, mais je suis prêt à discuter d'une éventuelle collaboration. Vous êtes tous les deux d'Amsterdam, messieurs, or il se trouve que la Hollande m'intéresse. Je suis allé deux fois dans votre ville, en tant que touriste, et j'en aime l'atmosphère autant que le site. Beaucoup de mes compatriotes s'y sont installés et ils en sont enchantés. De toutes les villes que j'ai visitées, c'est Amsterdam et Kyoto que je préfère. Personnellement, je suis de Kobé et j'y passe beaucoup de temps, là ou dans ma propriété des monts Rokko; pourtant je préfère la tranquillité de Kyoto ou l'harmonie qui règne à Amsterdam. J'ai fait de mon mieux pour étendre les ramifications de notre organisation, de façon qu'Amsterdam soit sur notre territoire, mais les choses ont mal tourné. On ne peut pas toujours tout prévoir. Mon ami Nagai s'est fait tuer par un de mes employés, M. Fujitani, un type faible qui n'avait pas le courage de tenir tête à sa femme. Comment aurais-je pu me douter que cet homme apparemment inoffensif serait capable d'exécuter quelqu'un, qu'il se ferait prendre et qu'il ficherait tout en l'air ? Une fille terrorisée est venue se plaindre à la police, elle a porté des accusations suffisamment précises pour que ma filière hollandaise soit démantelée. Pourtant le trafic de la drogue et celui des objets d'art volés fonctionnaient bien, mais la police a arrêté mon lieutenant ainsi que tous ses hommes ; et le plus fort, c'est que deux de mes hommes de Kobé qui étaient juste en vacances, se sont retrouvés en prison. » Le daimyo leva les yeux vers le ciel, l'avion patrouillait toujours, il dit quelques mots dans le micro et, peu de temps après, l'avions disparut derrière les collines.

« Eh oui, fit le commissaire. Vous avez perdu une partie de votre territoire mais il n'est pas dit que vous auriez pu y rester. Notre organisation ne chôme pas elle non plus, nous avons des méthodes assez proches des vôtres et nous nous étions rendu compte de toutes vos activités. »

Le daimyo regarda sa montre et le commissaire s'installa plus confortablement en se frottant les jambes. Il avait passé une bonne journée à naviguer sur le lac. Ils avaient emporté avec eux le déjeuner que leur avait préparé l'aubergiste et ils avaient pique-niqué sur le bateau, près de la rive. Grâce à leurs jumelles ils n'avaient pratiquement jamais perdu de vue de Gier, il est vrai que sa voile blanche formait un contraste parfait avec l'eau du lac ainsi qu'avec le versant de la colline. Quand le cotre avait disparu, le commissaire ne s'en était pas fait outre mesure, il pensait bien que le sergent passerait quelque temps sur l'île.

Il ne s'était pas non plus inquiété en observant le manège du daimyo. Si ce dernier avait voulu les tuer, lui ou le sergent, il avait déjà eu maintes fois l'occasion de le faire, alors pourquoi sur le lac Biwa ? Tout se déroulait selon ses plans, et ceux du daimyo bien entendu, ils avaient réussi à se rencontrer. Il aurait peut-être pu se passer de la vedette, de Dorin, de son Singe des Neiges et des mitraillettes, cependant il n'était pas mauvais de montrer qu'eux aussi étaient capables de déployer certaines forces.

Il sourit à Yuiko qui s'était agenouillée aux pieds du daimyo. Elle se concentrait en fronçant les sourcils, prête à traduire le moindre mot que son chef prononcerait. Jusqu'à présent le commissaire n'avait aucune idée de ce à quoi pouvait ressembler le grand patron des forces ennemies. En raison des comédies macabres que leur avait jouées le daimyo : le masque, le théâtre et les mouches, il s'attendait à ce qu'il ressemblât à un magicien satanique, un nécromancier portant un grand chapeau pointu, une longue cape, et serrant une crosse avec une chauve-souris en guise de pommeau.

En fait, l'homme n'avait rien de remarquable. N'eussent été ses sourcils, rien ne l'aurait distingué des Japonais que le commissaire avait croisés dans les rues de Tokyo et de Kyoto. Ç'aurait pu être le P.-D.G. d'une entreprise commerciale, un avocat ou un docteur.

« Ainsi, les jeux sont faits, dit le commissaire, et Yuiko s'empressa de traduire. Qu'est-ce que vous proposez que nous fassions, maintenant ? »

Le soleil couchant perça de derrière les collines qui entouraient le lac et vint illuminer le visage du daimyo. Celui-ci ferma les yeux en faisant un large sourire ; manifestement, il appréciait la chaleur de l'astre. « Que nous rentrions chez nous, déclara-t-il avec nonchalance. Chacun chez soi. Ç'a été une bonne journée, mais rien ne dure éternellement et nous avons besoin de nous restaurer et de nous reposer. Cependant, messieurs, j'aimerais vous inviter à une fête que je donnerai en votre honneur, en ma demeure des monts Rokko. L'endroit est difficile à trouver, aussi vous enverrai-je une voiture. La voiture vous conduira à l'aéroport et de là un avion vous emmènera chez nous en une demi-heure. Il y a un aéroport privé non loin de mon domicile. Nous sommes aujourd'hui mercredi, vendredi soir vous irait-il ? La voiture pourrait venir vous prendre à votre auberge, à quatre heures de l'après-midi. »

Dorin avait toujours les lèvres pincées. « Une fête ? répéta-t-il bêtement.

« Exactement. Et vous pourrez tous rester pour le week-end. Je pense qu'ainsi nous aurons le temps de discuter. Les affaires dans lesquelles vous vous êtes immiscés sont très lucratives. Ici, nous pouvons vous aider à acquérir la marchandise que vous avez tout loisir d'écouler chez vous, en Hollande et dans les autres pays européens. Dorin-san s'est montré très efficace toutes ces dernières semaines, il pourrait être notre officier de liaison, si j'ose m'exprimer ainsi. Vous avez gagné la première manche mais vous n'êtes pas invincibles, la chance tourne parfois ; c'est pourquoi je propose que nous collaborions, pour mettre toutes les chances de notre côté.

— Une fusion », fit pensivement le commissaire en offrant un cigare au daimyo. Ce dernier gratta une allumette et les deux patriarches se penchèrent l'un vers l'autre pour prendre du feu à l'abri du vent.

« Une fête, dit à son tour de Gier. Est-ce que vos musiciens du Dragon d'Or y seront aussi ?

— Bien sûr, affirma le daimyo. Vous aimez le jazz, n'est-ce pas ?

— Parfois, admit de Gier. Vos musiciens sont très bons.

— Cela fait longtemps qu'ils jouent, et en plus ils ont du talent. Moi-même, j'aime beaucoup le jazz. La première fois que je les ai entendus, c'était sur un bateau, j'effectuais une croisière d'agrément. Ils m'ont déclaré qu'ils en avaient assez de voyager et qu'ils aimeraient bien rester à Kyoto pour y jouer. Depuis lors, ils jouent dans nos boîtes et dans nos bars, et maintenant ils sont célèbres. Ils seront là pour la fête et je ne doute pas qu'ils se défonceront avec la musique.

— J'aimerais bien y aller », dit le commissaire à Dorin. Celui-ci s'inclina en signe d'assentiment. Il eut une lueur dans les yeux en regardant le daimyo et sa main se crispa sur la crosse de son pistolet-mitrailleur.

« Inutile d'apporter vos armes, déclara le daimyo en faisant signe à l'homme qui était à la barre du cotre de mettre le cap sur les deux embarcations. Nous sommes des gens de parole. Vous serez nos invités jusqu'à votre retour à l'auberge et vous n'aurez rien à craindre, même si nous ne parvenons pas à nous entendre. Les yakusa respectent l'amitié. » Il posa la main sur l'avant-bras de Yuiko. « *Jin-gi.* »

« *Jin-gi,* répéta Yuiko. C'est beaucoup plus que l'amitié ou que l'entente, le daimyo veut que vous connaissiez le mot japonais. »

De son index boudiné, le daimyo en traça les caractères dans l'air. « *Jin-gi,* reprit-il. Dorin-san vous en expliquera la signification. C'est un mot extrêmement important. Sans le connaître, vous nous avez prouvé que vous saviez ce que ça voulait dire, intuitivement. »

Il fit une courbette à de Gier. « Vous avez sauvé la vie d'une fille yakusa. »

Se tournant pesamment, il s'inclina ensuite vers le commissaire. « Si vous n'aviez pas fait soigner immédiatement la main de Kono, on aurait peut-être dû l'amputer. C'est ce qu'a déclaré notre docteur. Kono n'est pas très robuste, ses blessures s'infectent facilement. »

Le cotre vint les accoster doucement. Il se leva et saisit la corde que lui envoyait le jeune homme que de Gier avait fait passer par-dessus bord.

« Nous pourrions peut-être regagner nos bateaux respectifs », suggéra le daimyo.

On échangea des courbettes et des sourires. Dorin sourit lui aussi, mais il avait toujours une drôle de lueur dans les yeux.

26

« Hé, hé, fit le commissaire en rajustant la ceinture de son kimono. Ce repas était excellent, sergent, la journée s'est très bien déroulée somme toute. » Il eut un sourire de contentement en se levant. Ils avaient mangé dans leur chambre et les serveuses venaient juste de débarrasser ; elles avaient laissé une cafetière pleine et deux tasses après avoir passé un coup de chiffon sur le plateau. Comme d'habitude il n'y avait pas un grain de poussière dans la pièce et les tons pastel des tatamis s'harmonisaient avec la douce lumière du soir qui filtrait par les portes du balcon restées ouvertes.

« Je suis content que vous soyez en forme, monsieur. Je pensais qu'après une journée passée sur l'eau, vous auriez mal aux jambes. » Le sergent était allongé sur le dos, les mains croisées derrière la tête. Le commissaire était dans la salle de bains quand il était rentré après avoir raccompagné Yuiko chez elle. Elle lui avait proposé d'entrer mais il avait décliné l'invitation en lui promettant toutefois de lui téléphoner le lendemain pour lui dire l'heure à laquelle il viendrait la chercher pour l'emmener à la partie du daimyo. Il était persuadé que le vieil homme devait souffrir le martyre et il avait été très surpris de voir que son supérieur chantonnait dans son bain en fumant un petit cigare.

« Eh bien, non, je me sens très bien, dit le commissaire en ouvrant le placard pour dérouler son matelas. Ces petits oreillers sont durs mais ils sont très confortables une fois que vous vous y êtes habitué. » Il tapota l'oreiller pour l'assouplir avant de s'allonger. « Versez-nous le café, sergent, moi je flemmarde. Comment m'avez-vous trouvé avec ce pistolet mitrailleur ? Est-ce que j'avais l'air dangereux ? »

De Gier fit la grimace. « Vous aviez l'air féroce, monsieur.

— Oui, approuva le commissaire en s'asseyant tandis que de Gier lui tendait une tasse. Depuis longtemps j'attendais l'occasion de dire

“ je vous trufferai la tête de plomb ”, c’est une phrase tellement stupide. Pourquoi ne proposez-vous pas à Dorin de venir nous rejoindre, nous pourrions peut-être lui remonter le moral. Il n’a pas dit un mot pendant le retour ; ce n’est pas que cela m’ait beaucoup dérangé, j’ai dormi la plupart du temps. »

De Gier mit quelque temps à trouver Dorin. Il n’était pas dans sa chambre et le sergent dut se rendre à l’office. Une des serveuses lui déclara qu’il était probablement dans un petit bar situé dans le coin, elle proposa d’aller le chercher. De Gier ne voulut rien savoir, il s’y rendrait lui-même ; aussitôt les serveuses mirent leurs mains devant la bouche en gloussant. Il n’était pas question qu’il sortît dans la rue avec son kimono. Le sergent ne comprenait pas, le kimono lui semblait la tenue appropriée pour se balader au Japon. Ce n’était pas le cas. On appela l’aubergiste et il lui expliqua qu’il portait un kimono réservé au bain, en aucune façon on ne pouvait le porter dans la rue. De Gier protesta que, dans le train, il avait vu des Japonais qui n’avaient sur le dos que leurs sous-vêtements et ce, au milieu de l’après-midi. Oui, bien sûr, mais c’était différent. Il renonça à comprendre et retourna dans sa chambre. La servante souriante courut chercher Dorin.

Peu de temps après, celui-ci arriva, son haleine empestait l’alcool et ses yeux étaient injectés de sang. Il arborait un sourire de commande. Le commissaire prit un coussin dans le placard et le plaça près du tokonoma dans lequel les serveuses avaient mis des fleurs fraîches.

« Excusez-moi, dit le commissaire. Je n’avais nullement l’intention de vous empêcher de passer une bonne soirée mais nous avons pensé, le sergent et moi, que vous aimeriez peut-être prendre le café avec nous. Vous n’avez pas encore pris votre bain ? »

Dorin portait les mêmes vêtements que sur le bateau, un blouson et un jean, il avait les cheveux en bataille.

« Bien, déclara le commissaire une fois que de Gier eut donné du café à Dorin. Qu’est-ce que vous dites de notre entreprise, maintenant ? Vous ne pensez pas que nous avons progressé ? »

Dorin hocha vaguement la tête en portant la tasse à ses lèvres.

« Vous ne le pensez pas ? » s’inquiéta le commissaire en regardant le tanka qui était derrière le tokonoma. Il n’y avait qu’un seul caractère sur le rouleau. L’aubergiste lui avait expliqué que cela signifiait « rêves » et que le tanka avait été offert à son père par l’ancien supérieur du Daidharmaji. Il l’avait tracé d’un coup de brosse, juste avant sa mort. Il avait fait tout un tas de tankas en y dessinant toujours le même caractère et il les avait donnés à ses amis en leur expliquant que l'idéogramme contenait tout ce qu'il y avait à savoir de la vie.

« Rêves, murmura le commissaire.

— Je vous demande pardon ? » fit Dorin.

Le commissaire désigna le tanka. Dorin se tourna pour regarder le signe. « Oui, dit-il. Rêves. Cauchemars, j'en ai eu un aujourd'hui. J'ai vu la face d'un porc. » Il reprit sa position initiale et regarda ses mains posées bien à plat sur ses cuisses. « Un porc ! répéta-t-il dédaigneusement.

— Qui avez-vous vu ? intervint de Gier. Vous ne parlez pas du daimyo, si ?

— C'est bien de lui dont je parle », répliqua Dorin ; il renversa du café sur son jean qu'il essuya d'un revers de main automatique. « Nous savons à quoi ressemble la bête désormais. Daimyo ! Savez-vous ce que ça signifie ?

— Seigneur, dit le commissaire.

— Exactement : seigneur. Jadis, les daimyos gouvernaient les régions du pays au nom de l'empereur. Ils étaient ducs, comtes et marquis, des gens triés sur le volet et choisis pour leur probité, leur intelligence et leur pouvoir de pénétration. Ils n'étaient pas des tenanciers de bordel, des pourvoyeurs de drogue, des propriétaires de restaurant, des recéleurs ou des " barons " de l'industrie. Notre petit porc n'est rien d'autre qu'un homme d'affaires véreux, un commerçant. Les marchands n'ont jamais représenté l'élite de notre pays. Ils sont cupides et mesquins, il n'y a rien de noble ni même d'humain en eux, rien ne les intéresse à part le profit. Ils ne sont capables que de faire circuler les marchandises et ils sont trop stupides pour s'apercevoir que ce ne sont que des instruments. S'ils pouvaient être utiles aux daimyos, ceux-ci se rendaient dans leurs échoppes et choisissaient ce dont ils avaient besoin, sans même prendre la peine d'en demander le prix. Pour se faire payer, les marchands devaient ensuite se présenter à la porte de service du château et encore, il fallait qu'un régisseur daigne les recevoir. Lorsque le daimyo passait dans la rue, les marchands rasaient les murs en courbant l'échine. Et s'il s'avérait que l'un des marchands fût un escroc, on le bastonnait jusqu'à ce que mort s'ensuive, dans un endroit tranquille pour qu'il n'incommode point les autres avec ses cris.

— Vraiment ? » s'étonna le commissaire. Le visage convulsé de Dorin, la façon dont il montrait les dents et dont il gesticulait lui rappelaient un dessin animé d'avant-guerre ; on y voyait un soldat japonais au rictus diabolique qui menaçait le public de sa baïonnette, en sous-titre on pouvait lire : « Attention au péril jaune. »

« Désormais nous savons à quoi ressemble notre épicier pervers, poursuivit Dorin en se levant si brusquement qu'il manqua renverser la table basse. Notre copain est puissant, en parlant dans un micro il est capable de faire surgir un avion dans le ciel et un bateau plein de types armés sur le lac Biwa. J'aurais pu faire disparaître en fumée son avion et faire exploser sa coquille de noix. Moi aussi j'avais une radio à bord de la vedette.

— Toutes vos troupes sont dans le secteur ? s'enquit de Gier.

— Oui, il y a deux jours qu'elles sont arrivées. Je les ai consignées dans un ancien baraquement de l'armée, à l'est de la ville. Il y a un terrain d'atterrissage à côté. Une centaine de Singes des Neiges sont prêts à embarquer dans quatre hélicoptères qui n'attendent que mon signal pour décoller ; il y a en outre deux chasseurs à réaction de l'armée de l'air. L'homme qui était avec moi dans la vedette est un de mes officiers.

— En ce cas, pourquoi ne leur avez-vous pas donné le feu vert aujourd'hui ? demanda le commissaire.

— Je veux faire brûler la porcherie avec tous les porcs. Cela dit, j'ai été tenté de faire appel à mes troupes cet après-midi. Nous aurions facilement pu venir à bout de l'avion et du bateau ; quant au porc suprême, il nous mangeait dans la main ; ç'aurait été faire grâce à toute la vermine qui est dans son prétendu château. Voilà pourquoi, quand il nous a invités à la fête, j'ai changé d'avis. Je préfère vraiment m'en occuper dans les monts Rokko. Là-bas ils sont complètement isolés et l'on ne peut accéder à ce fort que par des routes privées. Ce qui prouve que leur orgueil qui les poussait à se mettre dans une tour d'ivoire se retourne contre eux, c'est plutôt de la stupidité que de l'orgueil, car nous allons pouvoir les massacrer sans que personne entende. Sur le lac, ça se serait su et je ne tiens pas à ce que le Service secret fasse la une de tous les journaux. »

Au fur et à mesure qu'il parlait, Dorin s'animait et quand il prononça Service secret, les deux *s* sonnèrent dans la pièce, comme deux serpents ; le commissaire ferma les yeux.

« Pourquoi ne pouvons-nous pas tout simplement les faire arrêter par la police locale ? demanda de Gier. Aujourd'hui, nous avons découvert l'identité du daimyo et il y avait trois témoins. Si nous faisons un rapport, le juge ne pourra pas douter de notre bonne foi et alors...

— Non, coupa Dorin d'un ton sec. La police sait très bien qui est le daimyo. Quand j'attaquerai le château, la police sera là, mais je les préviendrai au dernier moment, si bien que lorsqu'ils arriveront sur les lieux, le château sera déjà en flammes. La seule raison pour laquelle je les ferai venir, c'est pour qu'ils ne perdent pas la face. En fouillant dans les décombres, ils trouveront les corps et ça leur permettra de faire tout un tas de rapports en triple exemplaire.

— Vous n'avez pas confiance en la police ? s'enquit de Gier.

— Je fais confiance aux Singes des Neiges, rétorqua Dorin. Des hommes sous mes ordres, ils sont parfaitement entraînés et ils ont fait leurs preuves. Ce sont avant tout des guerriers et ils ne s'amusent pas à jouer au golf avec des gangsters. Dans ce pays, le golf est un sport qui a une très grande importance. Si un homme veut s'assurer les services de quelqu'un d'autre, par exemple il l'invite à jouer au golf et ils parient. Les enjeux sont très élevés, quelques milliers de dollars ou plus, selon le service qu'on veut obtenir. Le demandeur perd évidemment la partie. Je connais des gens très bien placés dans la police qui adorent le golf. Mes hommes pratiquent d'autres sports.

— Oui, fit le commissaire en bâillant. Je n'en doute pas. Votre lieutenant m'a paru très belliqueux. Il tenait ce pistolet mitrailleur comme si c'était son jouet préféré. »

Dorin eut un sourire désabusé. « Le fusil Uzzi est effectivement le jouet favori du lieutenant. Ce qui ne l'empêche pas de savoir se servir d'un poignard ou de lancer un couteau ; je ne l'ai jamais vu rater sa cible. Il a aussi d'autres cordes à son arc. Il y a quelques semaines, il était dans un bar de Tokyo en compagnie d'une personnalité politique véreuse. Ils ont pris plusieurs verres ensemble, et la conversation ne s'est jamais envenimée ; pourtant, un peu plus tard dans la nuit, l'officiel en question, qui était très soûl, a eu un accident, on a retrouvé sa voiture encastrée dans un poteau en béton, quand l'ambulance est arrivée, il était déjà mort.

— Nous ne sommes pas concernés par ce genre d'histoire, déclara le commissaire. Nous ne sommes qu'officiers de police.

— La police arrête les voleurs, les ivrognes, les escrocs et les gens qui portent atteinte à leurs concitoyens en les tuant, reprit Dorin un ton plus bas, mais il y a des criminels qui sont autrement puissants, tous ceux qui restent dans l'ombre et qui tirent les ficelles. Ceux-là sont rarement inquiétés, ils connaissent les gens qu'il faut. Admettons qu'un officier de police commence une enquête et qu'il aboutisse à un résultat, il trouvera sur son bureau une note de service ou alors on lui téléphonera pour lui dire de laisser tomber l'affaire et de s'occuper d'autre chose. »

De nouveau, le commissaire bâilla, et cette fois-ci, s'excusa.

« Bonne nuit, dit Dorin. C'est demain que M. Woo doit venir prendre son argent, ensuite il téléphonera à Hong Kong. Mr. Johnson m'a dit qu'il s'était chargé de l'affaire avec vous, donc je présume qu'on embarquera la camelote à bord d'un bateau hollandais pour l'acheminer à Amsterdam.

— C'est ça, dit le commissaire en se frottant les mains. Grâce à cette héroïne, nous allons pouvoir repérer tout un tas de trafiquants en Europe. M. Woo nous aide vraiment.

— La police hollandaise va s'occuper du réseau de trafiquants ? demanda Dorin en faisant la moue.

— Bien sûr, répliqua le commissaire, et je suis persuadé que Mr. Johnson nous aidera.

— Je ne crois pas que le commissaire joue au golf », ajouta doucement de Gier.

« Qu'est-ce qui a bien pu provoquer un tel éclat ? » s'étonna le commissaire après que Dorin eut quitté la pièce. De Gier avait déroulé son matelas et éteint la lumière. « On dirait que notre correspondant fait de cette affaire un problème personnel, vous ne trouvez pas ? Jusqu'à présent il avait l'air assez détaché, bien que ce soit un homme plutôt très motivé. Toujours est-il qu'il me paraît très étrange qu'il puisse perdre son sang-froid.

— C'est à cause de son frère, expliqua de Gier. Il m'en a parlé un jour. Le plus jeune de ses frères est un camé, il a laissé tomber ses études pour s'accrocher à l'héroïne. Il était probablement parmi les jeunes gens que nous avons vus dans les rues les plus sordides de Tokyo, ceux qui piquent du nez en regardant leurs chaussures pendant des heures, jusqu'à ce que la drogue ne leur fasse plus d'effet ; ils n'ont alors de cesse que d'aller voler l'argent qui leur permettra d'acheter leur dose. Ce que vend M. Woo est plutôt cher. »

Le commissaire soupira.

« Qu'est-ce que *vous,* vous en pensez de toute cette histoire, monsieur ? demanda de Gier au bout de quelques minutes.

— Je m'efforce de ne pas trop penser, sergent, répondit doucement le commissaire. Son aspect illégal pourrait me déranger, et d'un autre côté il se pourrait aussi que son côté romanesque m'excite. D'ailleurs, ce que dit Dorin est relativement sensé. Il se peut qu'à cette échelle le crime organisé ne puisse être balayé que par des guerriers expérimentés ; je me demande pourtant si le pouvoir ne reviendrait pas à ceux qui ont ces guerriers bien en main. Et vous, qu'est-ce que vous en pensez ?

— Je crois que je m'en moque, monsieur, quel que soit le point de vue où l'on se place », répondit de Gier en bougeant la tête pour mieux apprécier le spectacle qu'offrait la silhouette du commissaire. La couverture avait glissé et un rayon de lumière mettait en valeur le genou du vieil homme, une ellipse presque parfaite. « Depuis que j'ai abattu mon chat, je me moque pratiquement de tout. La journée d'aujourd'hui par exemple m'apparaît comme dans un brouillard. En fait, aujourd'hui, je ne me souviens que de fougères qui se balançaient dans la brise, j'apercevais le lac et les sourcils du daimyo à travers.

— Le daimyo, répéta le commissaire. Avec tous les gars qui sont prêts à embarquer dans les hélicoptères, ça m'étonnerait qu'il passe la semaine sain et sauf.

— *Jin-gi,* fit de Gier. Amitié. Je n'ai pas demandé à Dorin mais l'aubergiste m'en a un peu parlé. Il m'a dessiné les deux caractères. Le premier se réfère à deux hommes et le second à la justice. Deux hommes qui se rencontrent et qui renvoient à une instance supérieure.

— C'est très beau, remarqua le commissaire. C'est même digne d'éloges. Malheureusement, le résultat n'est pas très probant. Comme vous le disiez à l'instant, les jeunes gens n'en finissent pas de contempler leurs chaussures, dans le ruisseau des grandes villes, parmi les ordures. Pourtant, si les yakusa ne s'occupaient pas de drogue, je serais tenté d'avertir les gens qui sont dans le château des monts Rokko.

— Ça compromettrait la fête, objecta de Gier. Bonne nuit, monsieur.

— Effectivement, reconnut le commissaire ; d'autant plus que j'ai hâte d'y assister. Bonne nuit, sergent. » Quelques minutes plus tard il se leva ; de Gier n'avait pas eu le temps de s'assoupir, il roula sur le côté et saisit son arme.

« Il y a quelque chose qui ne va pas, monsieur ?

— Non, assura le commissaire ; je n'arrive pas à trouver mes pantoufles. J'ai complètement oublié l'ambassadeur. Il faut que je lui téléphone de temps en temps, vous savez, pour lui transmettre un rapport, il doit se faire un sang d'encre.

— Ah oui, dit de Gier. Nous étions envoyés en mission ici, mais à quel sujet ? Parfois je ne m'y retrouve pas très bien. »

Le commissaire était assis sur le sol, il avait beaucoup de mal à enfiler sa pantoufle droite.

« Allons, déclara-t-il. Vous ne vous souvenez pas ? En l'an 1600 et quelque, le gouvernement japonais nous a donné l'autorisation de vivre sur une petite île située au large des côtes, juste en face du port de Nagasaki, au sud.

— Qui ça nous ? interrogea de Gier.

— Nous, les Hollandais, les marchands. On nous a permis de leur acheter des marchandises et, en contrepartie, nous leur avons enseigné certaines choses : l'art de la médecine et celui de la fabrication des armes.

— D'accord, concéda de Gier d'une voix ensommeillée ; comme ça nous leur apprenions à se soigner en même temps que nous leur apprenions à se tuer ; pourtant je me rappelle qu'il y a autre chose pour laquelle nous devrions leur être reconnaissants, quand je dis nous, c'est vous et moi servant d'appâts aux yakusa, d'ailleurs si nous n'avions pas été sur nos gardes, ils nous auraient tirés comme des lapins.

— Effectivement, ça ne m'a jamais paru très clair à moi non plus. Pourtant l'ambassadeur avait l'air de trouver ça tout à fait naturel, nous leur prouvons notre reconnaissance. Le gouvernement japonais se préoccupe beaucoup de ces objets d'art volés qui sont exportés en Occident et nous, nous sommes censés nous faire passer pour des acheteurs, de façon à démasquer les yakusa et à les traduire en justice. La décision de l'ambassadeur est peut-être due en grande partie au fait que nous autres Hollandais étions autorisés à commercer avec les Japonais.

— En l'an 1600 et quelque, précisa de Gier.

— Et pendant les trois cents et quelques années qui ont suivi. En outre, quand les Français ont fait main basse sur les Pays-Bas, il semble qu'ils nous aient approvisionnés en nourriture, en vin et en femmes. C'est peut-être pour ça que nous devrions leur être reconnaissants.

— Vous ne croyez pas vraiment à ce genre d'histoire, monsieur ? » s'enquit de Gier en s'asseyant. Le commissaire s'était finalement débrouillé pour mettre ses pantoufles et il était debout près de la porte qui était restée ouverte.

« On nous offre un voyage gratuit en terre étrangère, non ? déclara le commissaire en souriant gentiment.

— Ça pourrait être un voyage gratuit au royaume des ombres.

— Mourir, c'est aussi voyager. C'est d'ailleurs la traversée la plus intéressante qu'un homme puisse faire. »

Quand les portes coulissantes se furent refermées sur le vieil homme, de Gier put l'entendre racler ses pantoufles sur les marches de l'escalier. Il s'étendit en grimaçant, il ne voulait pas s'assoupir. Quand le commissaire revint une demi-heure plus tard, il était encore éveillé.

« C'était un long coup de téléphone, monsieur.

— L'ambassadeur était un peu long à la détente cette nuit, admit le commissaire en se frottant les mains, mais, en fin de compte, il a réussi à me comprendre.

27

« *Banzai* » crièrent les cinq musiciens en bondissant de leurs sièges. Le commissaire, Dorin et de Gier s'arrêtèrent pour les saluer ; au beau milieu de la grande salle du château — la hauteur en était de quatre étages et la superficie de trois cents mètres carrés — les trois hommes avaient l'air minuscules et perdus. Écrasé par l'immensité du hall, le commissaire se sentait penaud, Dorin était en colère, mais le sergent éprouvait une grande légèreté, c'était comme s'il pouvait s'envoler vers les cieux. Il regarda les deux rangées de yakusa alignés sur toute la longueur d'un mur ; au fond du hall se tenait le comité d'accueil : le daimyo et Kono. En se dirigeant vers eux, de Gier n'était même plus conscient que le commissaire et Dorin marchaient à ses côtés ; il était seul, à un degré suprême. Je suis un gaijin, se dit-il. Un étranger qui ne peut compter que sur lui. Il n'en était pas mécontent et il lui sembla que le BANZAI lui était plus particulièrement adressé. De Gier fit signe de la main aux musiciens, le trompettiste souffla quelques notes que le pianiste reprit en plaquant un accord sur son instrument, c'était le début de *St. Louis Blues.* De Gier continua d'avancer, à leur tour le daimyo et Kono daignèrent bouger. La liberté qu'éprouvait le sergent devenait vertigineuse. Il rentra les épaules et, se déhanchant, il se mit à marcher d'un pas chaloupé en claquant des doigts pour marquer le rythme. Au timbre de la trompette s'était mêlé celui du saxophone, un octave en dessous, tandis que la basse doublait leur phrasé. De son côté le batteur ne chômait pas, il tapait comme un fou, redoublant chacune des interventions de la basse d'un violent coup de cymbales.

Les yakusa avaient regardé avec intérêt la prestation du sergent et un murmure d'approbation s'éleva dans le hall. Le daimyo appréciait également, il s'avança en grimaçant un large sourire, les bras largement ouverts en signe de bienvenue, Kono le suivait de près, et bientôt les trois invités furent entourés d'un cercle de curieux. En effet, dès que le daimyo avait bougé, les yakusa avaient quitté leur mur, eux aussi appréciaient le blues à en juger par leurs mouvements. Ébahi, le commissaire regardait autour de lui, mais il se sentit bientôt gagné par l'énergie qui circulait et il ne put réprimer le frisson qui montait dans sa colonne vertébrale ; quand toute cette vitalité gagna sa tête, il se balança en rythme, déplaçant légèrement les pieds et les épaules. Tout autour de lui il pouvait contempler les visages jaune citron des yakusa qui se fendaient d'un large sourire ; il essaya de donner à la grimace qu'il leur renvoya un semblant d'amabilité. C'est épatant, pensa-t-il, puis il secoua Dorin en souriant aimablement.

« Qu'est-ce qu'il y a ? demanda ce dernier.

— La fête, s'exclama le commissaire. C'est chouette ! Allons, remuez-vous ! »

Dorin sortit de son état de stupeur et leva une jambe, un peu comme un danseur de ballet esquissant un entrechat, les yakusa grognèrent de plaisir.

Les trois hommes étaient désormais le centre d'attraction, on eût dit trois jouets mécaniques. De Gier portait son costume bleu ciel et son écharpe blanche, Dorin un complet sur mesure impeccablement taillé et le commissaire une veste en shantung, un étroit pantalon et une cravate grise qu'ornementait une perle. Les yakusa avaient tous des complets sombres, des chemises blanches et des cravates noires.

Le blues s'accélérait, inlassablement, le piano répétait le thème tandis que la trompette et la basse improvisaient. Le daimyo avait déboutonné sa jaquette dont il battait frénétiquement les pans, les mouvements de ses bras étaient désordonnés, il avait l'air d'une chauve-souris ; l'image était saisissante, d'autant plus que ses congénères semblaient assoiffés de sang. De Gier avait cessé de gesticuler, il se contentait de bouger imperceptiblement les épaules. Perdu dans un rêve, le commissaire revivait son enfance, cette danse lui rappelait ses premiers pas dans le jardin de son grand-père. Dorin, lui, avait l'air de jouer au basket-ball, c'était comme si ses grosses mains faisaient rebondir un invisible ballon sur le sol. « *Jin-gi* », cria le daimyo, et ce simple mot se répercuta quelques instants dans le hall. Les musiciens marquèrent une pause ; quand ils se remirent à jouer ils changèrent d'harmonie sans pour autant altérer l'ambiance qui régnait dans la grande salle. Levant la tête, les invités s'aperçurent qu'un second cercle s'était formé autour d'eux. De jeunes et gracieuses Japonaises vêtues de kimonos avaient pris place derrière leurs compatriotes, elles agitaient délicatement leurs éventails et contrastaient singulièrement avec les hommes en complets sombres qui semblaient maintenant plutôt gauches. Ce fut alors de Gier qui grogna de plaisir. Il avait vu la créature qui menait la danse de ces charmants papillons : c'était une femme noire, mince et élancée, avec une coiffure afro. Elle avait traversé le hall d'une démarche féline et il avait pu admirer le galbe de ses longues jambes qui n'en finissaient plus et la perfection de ses chevilles. Elle calculait chacun de ses pas de façon que les Japonaises, des modèles réduits comparativement, pussent la suivre. Elle était vêtue d'un smoking de skaï blanc dont la veste se tendait à craquer chaque fois qu'elle ondulait de la croupe.

Le batteur avait entendu le grognement de De Gier, il effleurait ses caisses comme s'il caressait la divinité noire.

Cessant de faire les chauves-souris, les yakusa avaient adopté la technique de Dorin, ils jouaient au basket. Ce n'était pas sans rappeler la partie de tennis de *Blow-up,* le film d'Antonioni. Le daimyo se mit à fredonner un refrain, trois notes de musique, avec une pause pour marquer un temps, les yakusa le reprirent en chœur, doucement pour que la voix du chef se fît distinctement entendre.

Le batteur renonça à donner le temps, il s'arrêta, les baguettes figées au-dessus de sa caisse claire. D'un signe de la main, le daimyo stoppa la musique.

« Bienvenue, rugit-il. A boire pour tout le monde ! »

Le commissaire s'arrêta alors qu'il tournait gracieusement sur lui-même ; il cligna des yeux et reprit ses esprits. Il se demanda dans quelle mesure le daimyo avait prévu cette entrée en matière. Comment aurait-il pu savoir que le sergent réagirait d'une façon aussi spontanée ? De toute façon, de Gier n'était-il pas suffisamment détaché en ce moment pour que personne ne puisse le manœuvrer ?

Le daimyo se tourna vers le commissaire et s'inclina en souriant.

« Vous aimez ? demanda le daimyo.

— Oh, oui, affirma le commissaire. Beaucoup.

— Vraiment », reprit le daimyo en faisant un geste au maître d'hôtel, un des trois barmen chinois du Dragon d'Or de Kyoto. Sous les lumières que dégageaient les nombreuses lanternes en papier, le crâne du Chinois brillait comme une boule de billard, et lorsqu'il fit volte-face pour se pencher sur un plateau d'argent de plus d'un mètre de diamètre, sa longue natte fouetta l'air. Il présenta son plateau au commissaire.

« Un whisky, monsieur ?

— Volontiers », accepta le commissaire. En buvant, il songea qu'il avait dansé, crié et chanté sans même avoir l'excuse d'être un peu soûl. Il avait simplement fait ce que le daimyo attendait de lui, de la même façon que lorsqu'il avait couru et paniqué dans le jardin du temple. Est-ce que cela avait beaucoup d'importance désormais ? Il ne le croyait pas. Le whisky le frappa à l'estomac alors qu'il regardait le daimyo dans les yeux.

« Vous aimez ? s'enquit de nouveau le daimyo.

— Oui, j'aime. »

L'entracte ne dura guère. Déjà les barmen apportaient un grand paravent de laque rouge orné d'un dragon flamboyant qu'ils disposèrent en écran devant le bar. Chacun chercha un endroit pour poser son verre mais les barmen veillaient, ils couraient partout avec leurs grands plateaux d'argent, débarrassant hôtes et invités de ce qui les encombrait. Brusquement le silence fut rompu par la trompette qui fit entendre une longue note modulée qui se brisa dans un sanglot. Avant qu'elle ne mourût tout à fait, la basse et la batterie la reprirent et peu après le pianiste se déchaîna, c'était un morceau de Thelonious Monk. Le commissaire réprima une grimace ; de nouveau il se sentait entraîné par un flux d'énergie, le même que celui qui l'avait fait planer pendant qu'il dansait et cela, sans que son libre arbitre pût s'exercer. Pendant un court instant, il se dit qu'il devrait résister, pour l'honneur de la Hollande et pour la morale ; il y renonça. Le daimyo était en confiance, il ne fallait pas éveiller ses soupçons. D'ailleurs pourquoi lui, le commissaire, ne se laisserait-il pas envahir par la félicité que procurait le pouvoir, celui d'un autre pour une fois ? Il se dirigea vers la scène et s'assit à côté du daimyo ; Yuiko se dépêcha de les y rejoindre, pour traduire.

« Ce sont les musiciens attitrés de ma cour, déclara le daimyo ; c'est grâce à eux que nos boîtes de nuit marchent si bien. J'aime le jazz, je l'ai découvert aux États-Unis, j'y vais souvent. J'y ai également trouvé Miss Ahboombah, une des danseuses les plus prisées de New York, elle demande des cachets si exorbitants qu'on ne peut pas l'engager ici ; moi je l'ai pourtant fait, pour un an. Et cela s'est avéré être une excellente idée. Depuis qu'elle danse ici, nos clubs de Kobé et d'Osaka sont bondés et nos clients réservent souvent des semaines à l'avance.

— Une femme splendide, apprécia le commissaire en balançant les jambes comme un gamin. J'espère que nous aurons le plaisir de la revoir ce soir.

— Mais bien entendu, assura le daimyo en tapotant la main du commissaire. Il y a aussi d'autres attractions à notre programme. Moi-même, j'essaierai d'être digne de votre attention. » Il éclata de rire en tirant le commissaire par la manche. « Mais il se peut que cela vous ennuie, c'est pourquoi Miss Ahboombah nous fera un autre numéro. Évidemment, nous mangerons aussi. Peut-être aurions-nous dû commencer par là, mais j'ai pensé que si nous étions attablés les uns loin des autres, Yuiko passerait son temps à aller et venir pour traduire et nous, chaque fois, nous aurions à lever la tête pour nous regarder... Non.

— Non, approuva le commissaire.

— Deux fois non, alors contemplons d'abord Miss Ahboombah. Il faut absolument que je mette les choses au point entre nous. Je vous ai flanqué la frousse il n'y a pas si longtemps, maintenant j'en suis désolé. J'ai assisté à votre frayeur et, après coup, je me suis senti coupable, bien que sur le moment je pensais avoir gagné.

— Dans le jardin du temple », dit le commissaire en continuant à balancer ses jambes. Derrière lui la mélodie syncopée s'était atténuée tandis que la permanence rythmique de la percussion s'amplifiait.

« Il ne faut surtout pas que cette mésaventure vous préoccupe, reprit le daimyo. Moi aussi j'aurais eu très peur, d'ailleurs le procédé n'était pas bien original. J'avais lu un livre qui parlait des renards argentés des monts Rokko, il y était question de sept sorcières qui y vivaient alors, il y a longtemps, dans sept cases disposées en cercle. Les sorcières avaient imaginé une torture particulièrement subtile : montrer à un homme son propre visage revêtant l'aspect de la mort. Des femmes diaboliques, connaissant à fond les sciences occultes et pratiquant la magie noire. Pendant des semaines elles restaient en méditation, comme les moines de Kyoto — les bons bien entendu et non ceux qui volent dans leur propre temple et nous apportent les marchandises soigneusement enveloppées dans des morceaux de coton. Mais les sorcières ne le faisaient pas pour trouver la vérité du Bouddha, elles ne désiraient que le pouvoir.

— Vous êtes bouddhiste ? » demanda le commissaire. Il croyait avoir perçu un certain respect dans la voix du daimyo.

« Est-ce que je pourrais être un disciple du Bouddha ? dit le daimyo en croisant les mains devant sa poitrine. *Que* pourrais-je bien être ? C'est une bonne question ; j'en ignore la réponse. Je ne suis pas détaché, mon esprit garde les traces des innombrables pensées auxquelles je me suis identifié ; or le Bouddha pose en principe que le renoncement à soi-même est le seul moyen de s'affranchir de la souffrance. On dit que l'esprit du Bouddha est vide de toute passion, il est donc pur. »

仁

義

Jin-gi, pensa-t-il. Yuiko était suspendue à ses lèvres.

« Mais vous et moi avons purifié notre esprit. Jin-gi, vous vous rappelez ?

— Très bien, répondit le commissaire ; j'ai même demandé au gérant de mon hôtel s'il connaissait le mot. Il a pris la peine de m'écrire les deux caractères. *Jin* signifie " deux hommes " et *Gi* " justice ". »

Le visage du daimyo s'illumina. « Vous vous êtes souvenu du mot, mieux, vous y avez pensé ! C'est très bien, je n'en attendais pas autant de votre part. Vous êtes un étranger dans un pays lointain et mystérieux ; tous les jours vous êtes agressé par des impressions, des mots, des sons qui ne vous sont pas du tout familiers, à écriture différente, mentalité différente ; votre esprit devrait donc se fermer, être imperméable à tout ce qu'il reçoit. C'est ce qui m'est arrivé à moi quand j'étais aux États-Unis et je pensais que vous réagiriez de la même façon ici. Et pourtant, vous vous êtes souvenu du mot, le mot que j'avais mentionné sur le lac Biwa. Le mot est important et il n'y a que nous, les yakusa, qui en avons bien pénétré et assimilé le sens.

Comme beaucoup d'idées que l'on trouve dans notre pays, le concept vient de Chine ; cela dit, nous ne savons pas toujours très bien quoi faire de la sagesse chinoise, alors nous la mettons de côté, dans des temples la plupart du temps. »

Le daimyo grimaça et enfonça doucement ses poings dans la poitrine du commissaire.

« Oui, fit ce dernier, j'ai pensé que ce Jin-gi servait à régler sa conduite, que c'était une sorte de précepte.

— Effectivement. Deux hommes — justice. Ensemble, ces deux concepts en font apparaître un troisième qui fait référence à la modalité des relations humaines. L'ancien daimyo, l'homme que j'ai remplacé après avoir gravi les échelons de notre organisation, avait coutume de dire que deux hommes n'étaient vraiment capables de se rencontrer qu'après avoir appris à maîtriser leurs propres désirs. Il en faisait un sujet de méditation chaque fois que je le voyais. Mieux valait s'effacer que se mettre en avant au détriment d'une autre personne. »

Le commissaire l'interrompit d'un geste de la main. « Au détriment d'un autre yakusa ?

— Oui, admit le daimyo, d'un autre yakusa. Et lorsque, finalement, il a estimé que j'avais compris, il m'a interdit de lui faire des courbettes. Il disait qu'en s'inclinant les Japonais n'accueillaient plus l'autre comme ils le faisaient jadis, il trouvait que c'était devenu une forme de salut tout à fait conventionnelle et mondaine. » Il se tourna à demi vers le commissaire. « Vous me suivez ?

— Non, je pensais que se courber était une façon de rendre hommage à l'autre.

— Oui, mais qui s'incline *le premier ?* C'est ça qui est important. Au Japon, tout est fondé sur la hiérarchie ; quand deux hommes se rencontrent, la bienséance, la préséance plutôt, veut qu'il y en ait un qui s'incline le premier. Lorsque l'on a compris le sens de Jin-gi, le problème ne se pose plus. » Il joignit les mains, comme s'il s'apprêtait à prier. « Vous voyez, mes deux mains sont deux formes et pourtant, collées l'une contre l'autre, elles représentent une structure. Prenons un autre exemple : si nous nous étions rencontrés vous et moi dans une réunion officielle, nous aurions eu des problèmes protocolaires. Vous êtes un homme puissant en Hollande, mais la Hollande c'est loin, et moi je suis sur mon territoire, donc, dans la mesure où nous nous rencontrons ici, je suis avantagé, et c'est vous qui êtes censé vous incliner le premier. Mais si nous abordons différemment le problème, vous êtes plus âgé que moi, vous avez donc davantage d'expérience. Vous êtes un Occidental et vous venez d'un pays exotique, moi je ne suis que M. Tanaka ou Tamaki, une parmi les cent millions de créatures qui grouillent au Japon. A ce moment-là, qui s'incline le premier ?

— C'est moi, répliqua le commissaire, si ça peut me permettre de vous exprimer ma gratitude.

— Pas de courbettes, dit le daimyo. Il n'en est pas question entre nous. Vous aviez la possibilité de tuer mon vieil ami Kono et votre assistant aurait pu laisser Yuiko dans sa salle de bains, elle aurait suffoqué dans son vomi. Et cependant, vous n'avez pas tenu compte de vos propres désirs, vous vous êtes effacés, vous avez démontré à n'importe quel yakusa digne de ce nom qu'en Hollande vous aviez assimilé les préceptes de votre organisation, que vous aviez la même clairvoyance, le même code de l'honneur que nous.

— A vrai dire... commença le commissaire.

— *Jin-gi !* » s'exclama le daimyo, le regard perdu dans le vague. Le morceau de Monk touchait à sa fin, la trompette avait repris la première note de l'intro et le batteur balayait ses caisses de plus en plus doucement. Le silence se fit dans le hall.

« Excusez-moi, je vous prie, déclara le daimyo. Il faut que j'aille en cuisine pour m'assurer que l'on a fait convenablement givrer la liqueur que vous avez apportée. Un nectar divin, mais à en croire votre assistant on ne peut la déguster que si l'alcool est très froid, aussi ai-je demandé à mon cuisinier de mettre les bouteilles dans les congélateurs, nous nous régalerons plus tard. Vous en avez apporté énormément et ça a dû vous poser des problèmes. Croyez bien que nous apprécions beaucoup, mais cela n'était pas nécessaire, votre présence nous suffit, c'est le plus beau des cadeaux que vous puissiez nous faire. »

Dorin vint s'asseoir à la place du daimyo en souriant nerveusement. « Nous avons maintenant droit à Miss Ahboombah, chuchota-t-il. Un spectacle de choix, une effeuilleuse noire dans un château japonais. Notre civilisation progresse à pas de géant.

— Vous n'appréciez pas les femmes noires ? s'enquit poliment le commissaire.

— Bien sûr que si », rétorqua Dorin ; il eut un geste vague qui en disait long. « Je les aime beaucoup. A San Francisco, quand j'étais môme, elles me fascinaient, d'ailleurs ma mère prétend que, tout bébé, je faisais des comédies impossibles lorsqu'une femme noire me regardait. Je crois que la première femme qui m'a vraiment ému était une Congolaise. J'ignore ce qu'elle faisait à San Francisco, elle était probablement venue assister à un congrès. Elle était vêtue d'un boubou très coloré et ses cheveux étaient teints en gris et tressés sur le sommet du crâne. Je l'ai suivie pendant toute une journée, j'en rêve encore, même maintenant, pourtant ça date d'il y a plus de dix ans.

— Des rêves où il est question de sexe ? s'enquit le commissaire.

— Oui, bien sûr, mais avec quelque chose de plus. Le sexe est manifeste dans le rêve mais rien de pornographique ne s'y rattache, il est comme éthéré. »

Dorin avait l'air un peu honteux. Fortement penché en avant, on aurait cru qu'il allait basculer et venir s'affaler en bas de la scène, et ses cheveux habituellement impeccablement coiffés lui tombaient devant les yeux.

Les trois barmen chinois jaillirent de derrière le paravent pour repousser les yakusa le long des murs du hall. Ils prenaient leur tâche très au sérieux, aussi les yakusa se laissèrent-ils faire sans opposer de résistance, se contentant de ricaner en regardant leur accoutrement grotesque et leurs pantoufles en velours ; pourtant leur veste de brocart et leur pantalon bouffant ne manquaient pas d'allure. Comme s'ils voulaient se faire pardonner leur conduite un peu brusque, les barmen se retirèrent derrière l'écran en marchant à reculons et à petits pas, ils n'arrêtaient pas de faire des courbettes et leurs nattes voltigeaient au rythme de la musique qui jouait à nouveau.

Les lanternes en papier s'éteignirent une à une, seul éclairait la scène le halo d'une pleine lune artificielle. Miss Ahboombah était debout sur la rive du lac ; la pointe du pied en avant, elle prenait la température de l'eau. Chacun de ses gestes calculés était souligné par le rythme lancinant de la basse et de la batterie. Quand elle tira par saccades sur une longue corde pour amener un bateau, la trompette et le piano se mirent à jouer doucement. Le bateau s'éloigna du rivage, elle était assise à l'arrière et pagayait en bougeant lascivement ses épaules.

Le commissaire soupira. Il n'y avait ni lac, ni bateau, ni rivage, ni corde ; il n'y avait qu'un plancher en bois et une vaste salle. Et pourtant Miss Ahboombah l'avait emmené sur un lac africain, avec les palmiers, le village indigène qui ne devait pas être très loin ; en un mot, tout le folklore. Lorsqu'elle plongea, l'étoffe qui lui ceignait les reins se détacha ; il admira le corps élancé qui semblait lutter dans l'élément aqueux. Au bout d'un moment elle regagna le bateau.

Brassant largement l'eau froide, elle leva d'abord la jambe hors du lac avant de se hisser dans la pirogue — un méchant tronc d'arbre qu'on avait creusé. Lorsqu'elle fut de nouveau sur la rive, elle s'appuya sur la pagaie.

La lumière de la pleine lune en carton s'éteignit, on n'entendait plus que la basse. Quand les lanternes se rallumèrent, il n'y avait plus un bruit dans le hall. Le silence était quasi religieux et le commissaire ne voulait pas le rompre ; à côté de lui, le daimyo respirait tranquillement. Bientôt on entendit quelques applaudissements timides, ils s'enflèrent bien vite pour remplir le hall.

De Gier était resté dans un coin, à moitié caché par le paravent, à l'extrémité du hall. Il n'en croyait pas ses yeux. Quand le spectacle avait commencé, il s'était attendu à assister à un strip-tease d'un genre un peu relevé, avec une musique adéquate pour chaque vêtement tombant sur le sol.

Et pourtant, de Gier lui aussi avait été charmé. Il avait suivi la jeune femme sur le lac et dans l'eau, ça lui avait fait penser à son balcon. Elle avait réveillé ce qui était le plus pur en lui, ce qu'il refoulait et qu'il n'entrevoyait qu'en rêve mais qu'il ne doutait pas d'atteindre un jour, ce havre de paix auquel il aspirait.

Apercevant le commissaire il traversa le hall, se frayant un chemin à travers les yakusa qui s'agglutinaient devant le bar.

« C'est une fête très agréable, monsieur, dit-il lorsqu'il eut rejoint son supérieur. Dommage que les Singes des Neiges viennent tout foutre en l'air. Je suppose qu'ils peuvent arriver d'un moment à l'autre, non ? »

Tassé au bord de la scène, le commissaire avait l'air d'un fantôme. « Pas encore, articula-t-il avec difficulté tandis qu'il prenait le verre qu'on lui présentait sur un plateau. Nous avons encore quelques heures. Je suis ravi que l'ambassadeur ait pensé à envoyer du genièvre et que vous soyez allé chercher les caisses à l'aéroport ce matin.

— Quarante-huit bouteilles, la meilleure qualité, énonça de Gier. S'ils se mettent à boire tout ça, ce sera un drôle de gâchis, monsieur. »

Le commissaire regarda en direction du bar qui était de nouveau masqué par l'écran sur lequel serpentait le dragon. « Jusqu'à présent, le daimyo les a tenus bien en main, sergent ; je suppose qu'il les laissera un peu se défouler au cours de la nuit. D'ailleurs, nous devrons nous joindre aux réjouissances ; une bonne occasion pour déterminer lequel de nous deux peut être le plus soûl.

— Vous parlez sérieusement, monsieur ? Nous n'aurons pas

beaucoup de mal, le bar regorge de whisky et de cognac, et avec notre genièvre pour arroser le tout...

— Effectivement, dit le commissaire en approuvant de la tête. Il faut que nous soyons ivres, ivres morts ; plus nous serons pétés, mieux ce sera. »

D'un signe de tête le commissaire montra Dorin qui se frayait un chemin parmi les yakusa.

« Ne vous inquiétez pas, Rinus, assura-t-il à de Gier. Il faudra peut-être qu'on nous porte mais demain nous nous réveillerons sains et saufs, comme d'habitude, je pense que nous aurons simplement la gueule de bois.

— Je viens de parler à Kono à l'instant, déclara Dorin. Il a retiré le pansement de sa main, la blessure a l'air de bien se cicatriser.

— C'est un homme charmant, remarqua le commissaire.

— Un amour, ajouta Dorin ; comme tous les petits chéris qui sont ici. Leur amabilité me rend malade. Ce soir ils sont tellement sympathiques qu'il faut sans cesse que je me dise que ce sont les pires salauds sur lesquels je puisse tomber, et malgré tout j'oublie mes bonnes résolutions et je fonds chaque fois que l'un d'eux vient me voir en m'adressant son plus beau sourire et commence à discuter gentiment.

— Est-ce si moche que ça ? demanda le commissaire en faisant tinter les glaçons dans le fond de son verre.

— Oui, c'est moche. » Le sourire de Dorin exprimait un immense mépris. « Tout cela me répugne. S'ils n'étaient pas si prévenants, je garderais la tête froide et je ne perdrais pas de vue qu'ils sont exactement de la même espèce que les seigneurs de la guerre chinois et leurs acolytes ; ces prétendus guerriers qui ont mis leur pays à feu et à sang au point que les paysans ne se donnaient plus la peine de cultiver les terres, et que les mères abandonnaient leurs bébés sur le bord des routes faute de pouvoir les nourrir. Les yakusa sont un véritable fléau et on devrait les écraser à l'instant même où on les démasque, sans faire de façons et sans y regarder à deux fois. Lorsque le daimyo dansait il y a quelques minutes, il s'est montré sous son vrai jour, un vampire, une vermine assoiffée de sang, et pourtant peu après il s'est révélé être un hôte accompli et charmant, capable, d'un simple geste, de créer une ambiance parfaite.

— C'est bien possible, admit le commissaire. Pourtant ce n'est pas un homme ordinaire, en aucune façon, je me demande même s'il est aussi malfaisant que vous pensez. D'ailleurs le simple fait qu'il existe le fonde peut-être à “ être ” dans cette société puisqu'elle lui permet d'y faire son trou. Qui sait si dans une autre société il ne tiendrait pas un autre rôle, un rôle qui, selon les critères, serait peut-être bienfaisant ? »

Énervé, Dorin avait pris une cigarette, mais s'étant trompé de côté il essayait d'en allumer le bout filtre. Il l'ôta de sa bouche, la jeta par terre et la piétina de son talon. « Non, non et non !

— Qu'est-ce que vous en pensez, de Gier ? » demanda le commissaire ; le sergent ne répondit pas. C'est dérisoire, pensait de Gier, j'ai abattu mon chat, je suis dans un château dans les monts Rokko et une déesse noire vient de me ravir l'âme en dansant.

« De Gier ? »

Esther est morte, continuait de penser de Gier, et la terre qui est dans mes pots de fleurs doit être toute craquelée. Je ne peux pas rentrer mais je suis libre, cela fait des semaines que je suis libre et je n'ai pas la moindre idée de ce que je pourrais faire de ma liberté. J'ai couché avec une Japonaise et tout ce que j'ai vu ce sont des fougères. En outre, tous les gens qui sont dans ce hall sont mes ennemis mortels.

« Où êtes-vous ? demanda le commissaire.

— Oui, monsieur », fit de Gier en s'éloignant.

Tenant Yuiko par la main, le daimyo vint chercher ses invités. On dressait des tables et les barmen, aidés par des cuisiniers vêtus de blanc, apportaient des plateaux chargés de plats et de bols.

« J'ai fait préparer une nourriture spéciale à votre intention, indiqua le daimyo. J'ai entendu dire que jusqu'à présent vous n'aviez mangé que de la cuisine japonaise et j'ai pensé qu'un changement vous ferait peut-être plaisir. Il y a des steaks, des côtes d'agneau, des pommes de terre sautées, des salades et... » Il s'interrompit pour désigner tous les plats qui arrivaient sur les tables, puis il prit le commissaire et Yuiko à part. « Les salades, c'est la spécialité du chef, il n'a pas son pareil pour les assaisonner. Les salades proviennent du jardin de Kono, je l'ai aidé à les ramasser ce matin, nous travaillons souvent ensemble dans les champs, trop souvent peut-être car ces temps-ci je néglige mes fonctions. Le jardinage est un plaisir pour un homme qui va prendre sa retraite.

— Vous prenez bientôt votre retraite ? s'enquit le commissaire.

— Probablement dans un an, mais ça ne m'empêchera pas de continuer à m'intéresser aux affaires. Au Japon on a encore de l'estime pour les vieillards. On me demandera peut-être mon avis de temps en temps. Installez-vous ici, poursuivit le daimyo. Et, je vous en prie, ne m'attendez pas pour vous servir, il faut que j'aille découper la carpe sur l'autre table, j'en ai pour une minute. »

Dorin était en train de regarder sa montre. « A l'heure qu'il est, nous avons dû nous rendre maîtres du terrain d'atterrissage, chuchota-t-il à l'oreille du commissaire, et le château doit être encerclé. Je ne pense pas que les gardes aient opposé la moindre résistance, à supposer qu'il y ait eu des gardes. Pendant des années et des années, le daimyo a eu la meilleure protection possible : les pots-de-vin.

— J'espère qu'on a également appris aux Singes des Neiges à être patients durant leur entraînement intensif, déclara le commissaire en arrosant généreusement sa salade d'une sauce rouge foncé. Ils ne devraient débarquer que lorsque nos amis seront passablement éméchés et ils n'en ont encore pas pris le chemin, loin de là. »

Dorin plongea sa cuillère dans une saucière en argent et la ressortit pleine de crème blanche. « Ne vous en faites pas, répliqua-t-il. On n'a rien négligé lors de leur entraînement. C'est une sauce russe, je choisis toujours des plats russes, comme ça, le moment venu, ils me seront tout à fait familiers. Ils peuvent être ici en quelques heures.

— Les Russes ?

— Les Russes. Le mois dernier je les ai observés à la jumelle ; ils faisaient des exercices au large de notre côte nord. Leurs îles sont si proches que parfois ils échouent sur nos plages quand ils se baignent et que le courant les fait dériver ; nous devons alors les ramener chez eux en ferry. Mais *vous*, les Russes ne vous inquiètent-ils pas ? Ils doivent représenter la même menace qu'ici en Europe. »

Grâce à un couteau bien aiguisé, le commissaire coupait son steak en petits morceaux.

« Non, fit-il, pas très sûr de lui. Non, je crois que ça ne m'inquiète pas outre mesure. Il sera toujours temps de s'en faire quand ils nous menaceront vraiment, mais ce n'est pas encore le cas. Il y a tellement de choses qui nous guettent, la mort par exemple. »

De Gier les rejoignit, il donnait le bras à Miss Ahboombah, la danseuse portait un long kaftan. Elle tendit son assiette et de Gier lui servit des feuilles de laitue, elle approuva en souriant.

« Vous êtes une véritable artiste, déclara le commissaire. J'ai beaucoup apprécié votre danse. » Elle éclata de rire. « J'espère que vous n'avez pas été déçu ? Généralement je fais un autre numéro, mais le daimyo a tenu à ce que j'accomplisse cette pantomime que j'avais dansée devant lui à New York. »

De Gier tapa sur l'épaule de Dorin tandis que le commissaire et la danseuse discutaient.

« Oui ?

— Je ne sais pas ce que vous avez exactement projeté pour la fin de la soirée, chuchota de Gier, mais il ne faut pas y mêler le vieil homme. » Son ton froid et impératif fit bondir Dorin.

« N'en faites pas tout un *plat,* mec, répondit-il entre ses dents. Il n'y sera pas mêlé, c'est évident. C'est une fête, non ? Une fête particulièrement réussie ! Et nous sommes entre copains, n'est-ce pas ? »

De Gier n'eut pas l'occasion de répondre. Dorin avait balancé son assiette sur la table avant de s'éloigner d'une démarche digne.

Le daimyo revint, échangea quelques mots avec eux et repartit en emmenant Ahboombah. Le commissaire regarda le couple traverser le hall ; en un gracieux mouvement des bras, la danseuse enlaçait le daimyo et ses longs doigts fuselés lui enserraient l'épaule gauche. Elle était courbée comme une danseuse classique et sa joue droite effleurait l'un des épais sourcils du daimyo.

Je ne devrais peut-être pas être ivre *mort,* songea le commissaire, mais il secoua la tête avec découragement. Il se soûlerait, il ne pouvait pas faire autrement, et puis il serait malade. Il repassait déjà dans sa tête l'étendue de ses maux : l'infernale migraine, la soif que rien ne pouvait étancher, les crampes et la diarrhée si ça allait vraiment très mal. Il se sentit soudain ragaillardi, en effet, il pourrait toujours prendre un bain ; jusqu'à présent les bains japonais lui avaient fait un bien fou, désormais ses jambes ne le faisaient plus beaucoup souffrir.

Le daimyo refit son apparition pour leur offrir des mets délicats : des beignets de crevettes et des calmars frits baignant dans une sauce au soja.

« Demain, déclara le daimyo. Demain nous pourrons parler tranquillement, en nous baladant et en regardant le paysage. Kono veut nous faire admirer ses volatiles. Il a de nouveaux faisans, des bêtes splendides, il a également des cygnes maintenant, des cygnes noirs qui viennent d'Australie. Il est très fier de ses oiseaux, de la même façon que je l'étais de mes ours autrefois ; maintenant ils sont hélas trop vieux et ils ont toujours refusé de se reproduire.

— J'ai vu vos ours, remarqua le commissaire, quand nous sommes entrés ; ils sont dans une grande cage à côté du portail, il y avait même un paon en haut du grillage, il faisait la roue et j'ai aperçu la gueule d'un ours juste à côté, c'était splendide. Vous avez un certain art de vivre, monsieur.

— J'essaie de vivre mon rêve, expliqua le daimyo ; malheureusement il n'est pas toujours très plaisant et il faut que je m'en accommode. Cependant, au fil du temps, j'ai acquis une certaine sagesse et je change mes désirs plutôt que l'ordre du monde. D'ailleurs c'est bientôt la fin du rêve. Je vais quitter cet endroit et je me suis fait à cette idée.

— Et où comptez-vous aller ? demanda le commissaire en prenant une bouchée d'algues qu'il mâcha avec obstination.

— Je pense que je m'établirai dans une petite maison, de préférence sur une île de la mer intérieure du Japon. Une maison avec un potager : récemment je me suis mis à aimer faire pousser des légumes. Pourquoi ne viendriez-vous pas me voir quand j'y serai ? Vous resteriez quelque temps avec moi, nous ferions des excursions et comme ça j'aurais une image de mon pays tout à fait nouvelle, je me fie à votre vision. Nous pourrions ainsi partager quelque chose d'innocent.

— En effet, dit le commissaire en faisant un effort pour ne pas avaler de travers.

— Mais nous n'en sommes pas encore là, reprit tristement le daimyo. Pour l'instant nous devons nous en tenir à nos projets. Bien que... » Il s'interrompit au milieu d'un mot et Yuiko se sentit fort embarrassée pour traduire. » Peut-être me comprendrez-vous mieux plus tard dans la nuit. Je vais jouer dans une petite pièce de théâtre nô [1]. Le théâtre nô est typiquement japonais, c'est le seul art qui ne nous vient pas de Chine.

— Une pièce ? s'étonna le commissaire. Quel en est le sujet ?

— Il s'agit d'un homme qui fait le mal, c'est moi qui tiens le rôle. S'il fait le mal, c'est qu'il ignore ce qu'est le bien. Le sujet est très compliqué mais j'essaierai d'avoir un jeu très sobre. Je danserai, je chanterai, les yakusa feront les chœurs et les musiciens nous accompagneront. Ils sont prêts, ils sont même en avance, il va falloir que j'aille me changer. »

De Gier s'était déjà levé ; le commissaire le rattrapa et ils arrivèrent ensemble au pied de la scène.

« Que dites-vous de tout cela, sergent ? »

De Gier eut un sourire hésitant. « Cela se passe bien, monsieur,

Nô : drame lyrique japonais, combinant la musique, la danse et la poésie.

trop bien peut-être. J'ai du mal à le supporter. Je n'arrête pas de voir des hélicoptères qui décollent. En Hollande, j'ai eu l'occasion de les voir pendant un exercice. De chaque côté du cockpit il y a des mitrailleuses lourdes que des servants rechargent consciencieusement ; à basse altitude, il n'est pas possible d'échapper à leur tir, d'autant qu'on peut les faire pivoter. Et là, chaque hélicoptère sera bourré de ces petits hommes féroces, les singes exterminateurs. Ils vont arriver ici pour tout dévaster, et quand ils reprendront l'air, il ne restera derrière eux que des ruines fumantes. »

Le commissaire avait à la main un bol de crème glacée. « Je n'en ai pas tellement envie, sergent, pourquoi ne vous feriez-vous pas une douce violence ?

— Merci. » De Gier se mit à manger le dessert.

« Vous avez pourtant l'air d'excellente humeur, constata le commissaire.

— C'est ce que j'essayais de vous expliquer, monsieur. La musique est excellente et la danse m'a beaucoup plu. Ce soir je baigne dans l'harmonie ; en fait je suis très heureux, “ heureux ”, c'est un qualificatif qui me semble tellement ridicule. »

Le commissaire lui donna une petite tape sur le dos. « Vous vous en tirez très bien, sergent. Continuez comme ça, nous aviserons plus tard. Pour l'instant essayons de nous donner un peu de bon temps. »

Dorin se mêla à la discussion. « Je ne pense pas qu'ils soient armés, déclara-t-il, mais il faudra se tenir sur le qui-vive ; il doit y avoir tout un arsenal dans le château.

— Dans une heure ils seront soûls, affirma le commissaire d'un ton enjoué. Nous allons devoir trinquer avec eux ; vous aussi Dorin. Le daimyo est un homme intelligent et intuitif, si nous affichons un quelconque dégoût il ne manquera pas de s'en apercevoir. »

Venant de la scène il y eut un petit cri, les lumières s'atténuèrent progressivement et le hall fut plongé dans une obscurité totale. Portant chacun une lanterne les barmen surgirent de derrière le paravent ; ils avaient changé de tenue : vêtus de kimonos noirs, ils formaient un demi-cercle, tenant leur lumière à bout de bras.

Peu de temps après s'éleva le chant d'un homme. Une forme trapue bondit au milieu de la faible lumière que dispensaient les lanternes. La batterie ponctuait la voix de basse de l'homme tandis que la flûte modulait quelques sons sur un registre élevé.

« C'est le daimyo, chuchota Dorin en désignant l'acteur. Il est bien meilleur que ce à quoi je m'attendais. Moi aussi je connais la pièce. Il est question d'un guerrier qui a perdu le seigneur qui l'emploie et qui doit trouver une nouvelle raison de vivre. Ce n'est pas une pièce facile, d'autant qu'elle est écrite dans un langage très compliqué dont les connotations sont innombrables. Ça se termine tragiquement ; c'est une drôle de représentation pour une fête, je crois qu'il a perdu l'esprit. »

Une seconde apparition menaçait le chanteur.

« Ahboombah, fit de Gier ; avec un masque et une perruque blanche. »

Après avoir fait quelques bonds autour du daimyo, la femme s'arrêta juste en face de lui, les mains levées.

Le masque était une sorte de caricature exprimant la fureur ; on y avait percé deux fentes pour les yeux et un triangle blanc figurait les dents. La « tête » se balança doucement, comme pour rendre un arrêt. Lentement, le daimyo battit en retraite, la femme le poursuivait en arrondissant les bras, ses ongles étaient démesurés. D'autres acteurs apparurent pour attaquer le daimyo ; celui-ci tentait de se défendre mais il gardait les mains devant son visage, il devait avant tout se débarrasser de cette vision spectrale. La flûte accentuait la menace, mais bientôt les sons se firent plus doux, comme pour donner au daimyo un répit et, de fait, il semblait quelque peu rasséréné. Mais l'ennemi se regroupa et, gonflées par cette nouvelle énergie, les forces du mal triomphèrent, le daimyo tomba sur les genoux, suppliant ses adversaires de l'épargner. Discrètement les trois porteurs de lanterne se retirèrent derrière l'écran.

La lumière revint dans le hall et l'orchestre entama un morceau qui swingait ; à nouveau les barmen ouvraient le bar, ils le déplacèrent jusqu'au centre du hall.

Cela s'était fait si rapidement que lorsque tout fut rentré dans l'ordre, le commissaire était toujours dans la même position, celle du penseur de Rodin.

« Nom de nom », marmonna le commissaire. Il fut heureux d'entendre de Gier tousser à côté de lui, c'était comme une manifestation tangible de la vie. « Comment avez-vous trouvé *ça,* Rinus ?

— J'ai exactement ressenti *ça* la nuit de l'accident, répondit doucement de Gier. A votre avis, pourquoi a-t-il fait ça, monsieur ? »

Le commissaire secoua la tête en signe d'ignorance.

« Est-ce que ça a quelque chose à voir avec ce Jingi, monsieur ?

— Peut-être. En tout cas, il nous a livré son âme. C'est un homme étrange, sergent.

— Comment avez-vous trouvé la pièce ? demanda poliment Dorin.

— Je vous demande pardon, répliqua le commissaire. Nous n'aurions pas dû parler en hollandais. J'ai trouvé ça très bon, très intéressant.

— C'était joué d'une façon très peu conventionnelle, expliqua Dorin. C'est la première fois que je vois une femme tenir un rôle dans une pièce de théâtre nô. Il est bien regrettable que les professeurs qui enseignent l'art à l'université de Kyoto n'aient pas été là, ils auraient été édifiés. Si c'est le daimyo qui a fait la mise en scène, il a raté sa vocation.

— C'est lui qui s'en est *occupé,* assura le commissaire. Cet homme est un artiste doublé d'un criminel, un profiteur. C'est fascinant. On pourrait penser qu'il a suffisamment de talent et que rien ne l'obligeait à devenir un yakusa, qu'il pouvait s'exprimer autrement. Et pourtant il s'est rendu détestable. Il ne fait aucun doute que c'est un danger pour l'État, qu'il le sape à la base, mais pourquoi ? A-t-il fait un faux pas ? S'est-il trouvé pris dans un engrenage qui lui enlevait toute possibilité de revenir en arrière ?

— Vous l'aimez bien le daimyo, hein ? » demanda Dorin d'un ton glacial.

Le commissaire se tourna vers lui. On aurait pu croire que c'était la première fois qu'il le voyait.

« Ah, fit-il. Effectivement j'aime beaucoup le daimyo. D'ailleurs je crois que c'est ce soir que j'ai appris à le connaître. »

28

On avait bien fait les choses pour servir le genièvre. Après avoir sorti les quarante-huit bouteilles des congélateurs, on les avait artistiquement disposées sur le bar. Sous le regard autoritaire de Kono, les barmen remplissaient les verres à cognac qu'ils avaient au préalable fait givrer. Le daimyo et ses invités furent les premiers servis ; les autres s'étaient alignés le long du bar, s'inclinant avec ostentation quand on leur présentait un verre. Lorsque les barmen eurent fini leur service, le daimyo monta sur la scène.

« *Kampai !* Cul sec ! »

Il versa le liquide ambré dans sa bouche et garda le verre contre sa lèvre inférieure. Il avala et plia les genoux pour encaisser le choc de l'alcool, il grogna de plaisir quand cela se produisit.

« EXCELLENT ! hurla-t-il. » Du feu qui nous vient de Hollande ! Encore ! »

Le maître d'hôtel arriva en courant, une bouteille à la main, et les yakusa s'agglutinèrent autour du bar. Le piano entama une rumba et l'on conduisit Ahboombah au milieu du hall. Un barman lui apporta une timbale remplie à ras bord de genièvre et l'on entendit un roulement de tambour tandis qu'elle buvait. Adroitement le barman rattrapa la timbale qu'elle avait balancée en l'air en bondissant, elle retomba aux pieds du daimyo qu'elle invita à danser. Prenant leurs petites amies par la main, les yakusa se mirent à se détacher au rythme d'un fox-trot, les musiciens estimant qu'ils étaient trop lourdauds pour danser une rumba, et au fur et à mesure que l'alcool réchauffait les cœurs et les esprits, la musique se fit plus bluesy.

De Gier était resté suffisamment près du bar pour pouvoir se servir fréquemment, et contemplait cette scène de réjouissance d'un air amusé. Les instruments de l'orchestre ne jouaient pas tous ensemble, il y avait toujours un musicien pour boire un verre, cela n'empêchait pas les autres de tenir le rythme et d'improviser. Congestionnés, les yakusa se bousculaient bruyamment devant le bar pour attraper leur verre. Quand ils passaient devant de Gier ils se montraient aimables, quoique un peu grimaçants.

« *Hello !* » « *Hello !* »

« *Kampai !* » « *Kampai !* »

On lui donnait sans arrêt un verre plein. « A la bonne vôtre ! » Le genièvre coulait à flots, de l'estomac il irradiait dans le sang.

De Gier crevait de chaleur, il prit une bouteille glacée qu'il roula contre sa joue. A combien de verres en était-il ? Huit ? Neuf ? Il ressentait les signes avant-coureurs de la cuite le gagner : l'apparente lucidité, les images qui défilaient à toute allure, les sons amplifiés et cet amour que l'on voulait donner à tout le monde autour de soi. « Les yakusa sont mes cousins et je les aime », dit-il à haute voix ; il n'articulait pas suffisamment pour que les Japonais qui ne parlaient qu'à peine l'anglais comprissent. « Ivre », déclara-t-il. Il l'était parce qu'on lui avait ordonné de l'être. C'était chouette cette irresponsabilité, est-ce que ça durerait ? Combien de verres avait-il ingurgités ? Il était dans un état obsessionnel, il voulait compter quelque chose ; en désespoir de cause il dénombra les yakusa, s'arrêtant à quatre-vingt-dix. Les gangsters bougeaient sans arrêt et ça lui prit pas mal de temps, d'autant plus qu'il voyait double. Une demi-bouteille chacun, estima-t-il en fermant les yeux. Il se livra à un bref calcul mental. Quatre-vingt-dix divisé par quarante-huit, mettons cent divisé par cinquante, ça fait deux. Alors deux bouteilles chacun. Non, c'est l'inverse, une demie. D'ailleurs la moitié des personnes sont des femmes, très menues, à l'exception d'Ahboombah. Il faut en tenir compte, c'est important. Il ouvrit les yeux juste à temps pour voir Ahboombah se diriger vers lui. Dommage, il avait presque terminé ses calculs. Il lui suffisait encore de quelques secondes. C'était trop tard, déjà il sentait ses grandes mains l'empoigner par les épaules et ses lèvres charnues se coller à sa joue. Il la suivit comme un toutou bien sage lorsqu'elle l'entraîna pour danser. Les yakusa faisaient un cercle autour d'eux en applaudissant tandis qu'ils dansaient, se tenant à bout de bras, les doigts croisés, et l'orchestre fredonnait une chanson osée qu'ils émaillaient de mots grossiers. Le daimyo et Kono chantaient aussi, en se tenant par le bras, sûrement des obscénités, mais en japonais. Le commissaire avait recommencé son pas de deux, il obtint un gros succès et Ahboombah le récompensa en l'embrassant sur le front.

De Gier retourna dans son coin pour se livrer à ses estimations et le daimyo appela le commissaire. Ils s'assirent au bord de la scène, sur un petit cageot, laissant suffisamment de place pour que Yuiko pût se mettre entre eux.

« Vous ai-je déjà raconté ce qui m'est arrivé quand j'ai fumé du haschisch ? demanda le daimyo. Si ?

— Non, répliqua le commissaire, mais j'aimerais bien le savoir.

— C'était un peu comme cette nuit. Et pourtant le haschisch n'a rien à voir avec l'alcool. Avec le hasch vous appréhendez les choses, avec l'alcool toutes vos perceptions sont exagérées. Remarquez, c'est peut-être la même chose. Qui sait ! » Le daimyo se pencha en avant et faillit glisser de la scène ; le commissaire et Yuiko le retinrent juste à temps. Le commissaire partit lui aussi en avant mais il se sentit tiré en arrière par ses bretelles. « Est-ce que vous écoutez ? lui demanda le daimyo en s'appuyant de tout son poids sur Yuiko.

— Oui, assura le commissaire en essayant d'essuyer ses lunettes avec sa cravate. Oui, le haschisch !

— Le haschisch ! s'exclama le daimyo. C'est ça ! Voilà de quoi je voulais vous parler. J'en ai donc fumé, plein, tout un sac, un sac blanc fermé par une cordelette rouge, du même rouge que ces ridicules bretelles que vous portez. Ah ! ah !

— Ah, ah ! fit le commissaire. De Gier me les a achetées parce que mon pantalon n'arrêtait pas de glisser, à cause du poids de ce stupide pistolet.

— Où est votre pistolet ?

— A la maison, déclara le commissaire en levant le doigt. *Jin-gi !* »

Le daimyo se pencha en avant dans l'intention de taper dans le dos du commissaire, mais Yuiko s'était éclipsée, de sorte qu'il s'effondra sur le vieil homme.

« Viens là ! » rugit le daimyo ; aussitôt Yuiko s'approcha. « Quoi ?... Elle dit qu'elle ne peut pas traduire si je m'appuie sur elle. Entendu, je ne le ferai plus.

— Le haschisch, répéta obstinément le commissaire.

— Ah oui, un sac plein, un échantillon qu'avait apporté un Arabe ; il voulait nous en fournir de grosses quantités. Kono aussi en a fumé mais il s'est endormi. Moi pas, je suis allé sur la plage.

— Sur la plage ?

— Oui, sur la plage. Mais avant il s'était produit quelque chose. Je ne vous en parlerai pas. C'était terrible, jamais plus je n'ai fumé de haschisch. Il n'y avait plus rien, c'était le vide et j'y étais précipité, une chute sans fin. Mais je ne veux pas vous embêter avec cette histoire.

— D'accord, dit le commissaire.

— Donc je me suis retrouvé sur la plage. Le sable était très fin et presque blanc, les arbres ondulaient dans la brise, des arbres gigantesques ; il y avait des palétuviers avec d'étonnantes racines aériennes et des palmiers dont les feuilles largement échancrées laissaient passer les rayons de la lune. J'avais l'impression que le ciel entier se balançait au-dessus de ma tête. C'était splendide ! J'étais pieds nus, debout au bord de l'eau, et le flux de la mer faisait bouger les poils que j'ai sur les orteils. Avez-vous déjà éprouvé une telle sensation ?

— Non, fit le commissaire. Je n'ai pas de poils sur les orteils.

— Ah bon ? s'étonna le daimyo. Quel dommage ! Vous ignorez donc le bien-être que ça procure. Dans les hallucinations on ressent mieux les choses que dans...

— Que dans ?

— Oui », dit le daimyo en se tortillant sur son cageot. Il oscillait dangereusement et Yuiko se précipita pour le maintenir. « J'allais dire " que dans la réalité ", mais je ne sais peut-être pas ce qu'est la réalité. Toujours est-il que j'étais là et que l'eau me chatouillait les doigts de pieds, j'ai alors pressenti que j'allais recevoir un message très important, la réponse à la grande question métaphysique, *la* question, celle que je me suis posée toute ma vie. » Il se gratta le menton.

« Et alors ?

— Et alors ils sont arrivés. Deux énormes gorilles noirs. »

Le daimyo tenta de se lever pour montrer au commissaire à quel point les gorilles étaient gros mais Yuiko le tira par la ceinture et il retomba en arrière en gloussant.

« Et puis, hahaha, ils, hahaha... » Il avait les larmes aux yeux.

« Je vois », fit le commissaire en s'essuyant également les yeux ; il ne pouvait pas maîtriser son fou rire.

« Hahaha. » Quand le daimyo eut repris son souffle il poursuivit. « Ils étaient bras dessus bras dessous et, une canne à la main, ils agitaient leur canotier en esquissant des pas de danse tout le long de la plage, et cela pendant plus d'une heure. J'y étais, j'étais *avec* eux. Dieu qu'ils étaient sérieux ! Je n'ai jamais vu de gorilles exécuter leur numéro de danse aussi sérieusement !

— Excusez-moi », dit Yuiko en se dégageant d'entre les deux

hommes qui, dans les bras l'un de l'autre, partageaient un moment de franche hilarité ; même si c'était complètement inepte, en frottant leurs têtes l'une contre l'autre, ils touchaient quelque chose d'essentiel.

Les commandos portaient des treillis gris terne et des casques en acier. Ils étaient arrivés en rangs serrés mais s'étaient très vite déployés dans le hall, alignant les yakusa contre les murs en les menaçant de leurs fusils dont le canon brillait d'un éclat bleu dur. Ils avaient séparé les hommes des femmes et, n'eût été la lueur qui vacillait dans leurs yeux, on aurait dit des robots. Le commissaire essaya d'observer ce qui se passait mais il n'aperçut que des lignes floues, vertes pour les commandos, noires pour les yakusa. La musique s'était tue et il pouvait entendre le bruit des pales de l'hélicoptère qui s'apprêtait à se poser dans la cour pour embarquer les premiers prisonniers. Une femme se mit à crier mais le cri s'étrangla dans sa gorge lorsqu'un commando la frappa sur le cou du tranchant de la main, sans violence, à l'endroit qu'il fallait. Quelqu'un d'autre hurla et le commissaire crut reconnaître la voix de Yuiko. Le hurlement fut également bien vite interrompu. Il vit des commandos s'activer ; portant une civière ils se dirigèrent vers le bar pour y ramasser le dernier yakusa qui avait sombré dans un coma éthylique. Une fois qu'ils l'eurent allongé, ils se retirèrent. L'opération était terminée. Dehors le premier hélicoptère gagna de l'altitude, laissant au suivant la place d'atterrir. Il lui sembla en entendre d'autres dans le lointain. Il estima qu'il devait y en avoir quatre, c'était probable, songea-t-il, il y avait environ cinquante suspects.

« Bien joué », lui chuchota le daimyo à l'oreille.

Le commissaire tourna lentement la tête. « Bien joué ? s'étonna-t-il.

— Exactement. Votre œuvre ?

— Oui, en partie. »

Le daimyo chercha ses mots. « Service secret ? demanda-t-il.

— Oui. Le Service secret japonais.

— Je vois, répliqua le daimyo. Et vous ?

— Nous appartenons à la police d'Amsterdam. »

Le daimyo hocha la tête sans faire de commentaires. Dans le hall tout était rentré dans l'ordre. Les barmen n'avaient pas quitté leur place. Pistolet mitrailleur au poing, les commandos ratissaient la grande salle. Par une porte dérobée on apercevait quelques femmes qui tournaient en rond dans la cour, un peu comme des insectes voltigeant autour d'une lanterne. La danseuse noire était toujours dans le hall ; à califourchon sur une chaise elle attendait, les bras croisés sur le dossier.

Appuyé contre un poteau, de Gier se demandait s'il pourrait arriver jusqu'au bar. Ses jambes refusaient de le porter mais il avait vraiment envie de boire ; c'était la seule chose à faire. Armé d'un pistolet qu'il avait subtilisé à l'un des commandos, Dorin vint lui prêter main-forte, ils titubèrent tous les deux vers le dragon qui ornait le paravent.

« A boire, fit le sergent. Deux petits verres. »

Les barmen n'esquissèrent pas le moindre geste et de Gier dut se pencher par-dessus les tréteaux pour essayer d'attraper une bouteille. Dorin posa son arme sur le sol pour l'aider.

« Je suis soûl, déclara de Gier en vidant son verre. Complètement. Bien vu, Dorin. Pas de sang versé. Bien joué. » Il opina du bonnet à plusieurs reprises, comme pour donner plus de poids à son jugement.

Les yeux injectés de sang, Dorin essaya de regarder le sergent en face. « Ni bien vu, ni bien zoué, balbutia-t-il d'une voix pâteuse. Mal zoué. Coup de téléphone ze matin, de Tokyo. Zénéral y dit, pas de morts. Ztupide Zénéral, imbézile de zénéral. » Il prit une profonde inspiration et jeta son verre contre le bar. « *Connard* de zénéral !

— Pourquoi ? demanda de Gier en se redressant ; prudemment il se raccrocha au bar.

— Parce qu'on va les relâcher, expliqua Dorin en appuyant son index sur le nez du sergent. Pas de peine de mort izi, un zour, ils ze retrouveront en liberté. Mon zénéral dit, t'en fais pas. Moi ze dis, ze m'en fais mais il invoque les ordres zuprêmes, zeux du ministère. On a dû changer tous nos plans, les Zinges des Neiges n'ont pas été contents. Raison d'État. »

De Gier fit la grimace.

« Pas de morts, répéta tristement Dorin. Sauf en cas de lézitime défenze, a dit le général. Y a pas eu à ze défendre du tout, ils z'étaient tous soûls. Une idée de votre chef. »

Il désigna la scène, le commissaire et le daimyo y étaient toujours assis l'un à côté de l'autre, les jambes ballantes. « Votre chef a parlé à votre ambazadeur. Votre ambazadeur a parlé au miniztre. Le miniztre a parlé au zénéral. » Il secoua la tête avec véhémence. « *Connard* de zénéral » répéta-t-il en détachant les syllabes.

« C'est le moment », déclara le daimyo au commissaire. Il dégringola de la scène et rampa vers le bar. Le commissaire le regarda faire mais ses lunettes avaient glissé sur ses genoux, le temps qu'il les remette, le daimyo avait atteint le pistolet que Dorin avait laissé choir. Trois commandos regardaient également le daimyo. Lorsque celui-ci s'empara du petit pistolet, ils lui crièrent quelque chose en levant le canon de leurs armes. Le daimyo n'en eut cure ; au prix d'un effort considérable il se releva, brandissant son pistolet en un geste rituel, comme un samouraï avant de se faire hara-kiri. Le commissaire vit le crâne voler en éclats lorsque les balles le touchèrent. Le corps du daimyo sembla s'arquer dans l'air pendant une éternité avant de retomber sur le sol.

« Non ! » hurla le commissaire. De Gier et Dorin levèrent les yeux. Le vieil homme n'avait choisi ni le côté cour ni le côté jardin pour sortir de scène, il était simplement tombé devant l'estrade ; après le Bouddha et le daimyo, il se prenait pour une statue déboulonnée de son piédestal.

« Monsieur ? hasarda de Gier en s'agenouillant.

— Il dort », remarqua Dorin.

29

« Allô ! dit Grijpstra.

— Oui ? fit de Gier.

— C'est moi, déclara patiemment Grijpstra ; je suis au bout du fil. Qu'est-ce qui t'arrive ? T'es bourré ? Ou alors maintenant tu ne parles plus que japonais ?

— *J'étais* bourré, corrigea de Gier ; la nuit dernière. J'ai dormi toute la journée, j'ai donc eu le temps de cuver mon vin. Je ne me suis pas encore rasé, il fait déjà nuit.

— Ici il fait à peine jour, dit Grijpstra d'un ton badin. Alors, comment ça va ? Tu vas te décider à rentrer ? Comment va le commissaire ?

— Il dort lui aussi. On a fini le boulot. Il a pleuré cette nuit ; son copain s'est fait descendre.

— Quel copain ?

— Ah oui, le patron des yakusa. Je présume que le commissaire sera bientôt de retour mais en ce qui me concerne, je ne sais pas si je rentrerai.

— Ah bon ! s'exclama Grijpstra. Et pourquoi donc ?

— Pour quoi faire ? » demanda de Gier en faisant la moue. C'était comme s'il avait un poisson crevé dans la bouche.

« Pour admirer ton balcon, dit Grijstra. Effectivement, sinon je ne vois pas pourquoi. J'étais chez toi la nuit dernière, j'y vais de temps en temps. Tes fleurs jaunes sont mortes mais j'ai planté un fuchsia, j'ai pris une bouture sur celui que j'ai chez moi. Ça pousse très bien, les fleurs pendent de part et d'autre de la balustrade ; je me suis aussi occupé de tes lobélies [1], y avait plein de mauvaises herbes.

1. Plante des régions exotiques, cultivée pour ses fleurs colorées et pour son action stimulante sur la respiration.

— Des mauvaises herbes ? s'étonna de Gier. J'ignorais qu'il y en eût dans les pots de lobélies. Il n'y en avait pas quand je suis parti.

— Des côtelettes d'agneau, poursuivit Grijpstra, imperturbable. Je les ai fait saisir à la poêle et je les ai enveloppées dans du plastique avant de les mettre dans ton congélateur. Elles sont succulentes, tu sais.

— Bon, d'accord, répliqua de Gier.

— D'autre part, je t'ai trouvé un autre chat. Surtout ne me dis pas que tu n'en veux plus. Celui-ci est probablement cinglé lui aussi. J'ai renoncé à l'amener chez moi alors je l'ai mis chez toi. Il est encore tout petit et ce n'est pas un siamois.

— A quoi ressemble-t-il ? demanda de Gier soudain intéressé.

— Il est affreux, c'est un chat de gouttière tigré, un peu comme un tapis d'Orient complètement râpé.

— Hmm, fit de Gier.

— Alors, quand est-ce que tu rentres ? s'enquit Grijpstra.

— Bientôt, répondit de Gier en raccrochant.

ACHEVÉ D'IMPRIMER SUR LES PRESSES
DE COX & WYMAN LTD. (ANGLETERRE)

N° d'édition : 1676
Dépôt légal : juin 1986